1回で合格!

2級ハンドブック（改訂版）に対応

リテールマーケティング検定 販売士

2級 テキスト&問題集

成美堂出版

リテールマーケティング検定 販売士 2級 試験ガイド

リテールマーケティング（販売士）検定2級は、小売業の売場の管理者クラスや店舗運営を任される中堅幹部クラスが活用できる、専門的な知識習得を目指す資格試験です。将来的に、店舗の運営に携わるポジションでの活躍を希望するのであれば、ぜひ取得しておきたい資格になります。

流通業界で役立つ公的な唯一の資格！

流通業界を取り巻く経営環境は目まぐるしく変貌を遂げています。このような状況のもとで、流通業界に携わる者は、豊富な商品知識や顧客の満足度を最大限に高める接客技術を武器として、ニーズにあった商品を提供しなければなりません。販売のみならず、商品の開発や仕入、物流などを効率的かつ効果的に行うことができる「販売のプロ」が求められているのです。

リテールマーケティング（販売士）検定試験は、このようなビジネスシーンに対応する能力を身に付けられる公的資格として昭和49年に設けられました。流通業界の専門的な公的資格としては唯一のもので、検定試験の合格者には、販売のプロとして「販売士」という称号が付与されます。

各級の対象職種とレベル

3級	売場の担当者・販売員などが対象。小売店舗を運営するための基本的な仕組み、販売員としての基礎的な知識を身に付けて、販売業務に活かすことができます。
2級	売場主任、部課長など、売場を管理・監督する中堅幹部クラスが対象。小売店舗経営の仕組みを理解し、小売業の販売技術に関する専門的な知識を身に付けて、販売促進の企画や部下の指導・育成に活かすことができます。
1級	大規模小売店舗の店長や部長、中小小売業の経営者が対象。小売業経営に対する高度な知識を身に付け、経営計画の立案や財務・販売の予測、部下の悩み解消など、経営・管理上の適切な判断に活かすことができます。

試験範囲には、小売業で働くために必要な様々な要素が含まれています。マーケティングや店舗運営、計数管理など、資格取得の学習から得られる知識は、百貨店・専門店・コンビニエンスストアなど、様々な小売業で応用できるものです。

就職や待遇面で圧倒的に有利！

検定試験は、レベルによって、１級から３級までの３つに分かれています。本書で扱う２級は、小売店舗経営の仕組みを理解し、販売部門や売場を包括的に管理する人材に必要な知識が主な内容になります。

販売士は企業でも高い評価を受けており、流通業をはじめとして社員に受験を奨励している企業も多いです。取得者に対して特別手当を支給したり、昇給・昇格の際の考課材料にプラスされることもあります。

また、大学入試の際に資格取得者の優遇制度を導入している大学も少なくありません。もちろん、就職活動の際の武器にもなります。主に、流通業、卸小売業、メーカーの営業職などで、販売士の資格は評価されています。これらの企業では資格取得が大きなセールスポイントになるでしょう。

５科目の平均70点以上が合格ライン

テストセンターにおけるネット試験で行われる試験は、画面上の選択肢をクリックする正誤問題と穴埋め問題で構成されています（P.10参照）。全５科目、それぞれ100点満点とし、全科目の平均点が70点以上であることと、50点未満の科目がないことの２つを満たせば合格です。したがって、苦手科目をつくらず、各科目をまんべんなく学習することが合格のポイントとなります。

試験の概略

試験形式等　ネット試験
通年実施

受験料　5,770円※（税込）
別途、事務手数料550円（税込）

試験時間　70分　（科目免除がある場合の試験時間も同様）

※2024年3月31日まで。2024年4月1日以降は6,600円（税込）

2級の科目と内容

① 小売業の類型	1.流通と小売業の役割　2.組織形態別小売業の運営特性　3.店舗形態別小売業の運営特性
② マーチャンダイジング	1.マーチャンダイジングの戦略的展開　2.商品計画の戦略的立案　3.販売計画の戦略的立案　4.仕入計画の策定と仕入活動の戦略的展開　5.販売政策の戦略的展開　6.商品管理政策の戦略的展開　7.物流政策の戦略的展開
③ ストアオペレーション	1.店舗運営サイクルの実践と管理　2.戦略的ディスプレイの実施方法　3.作業割当の基本　4.レイバースケジューリングプログラム(LSP)の役割と仕組み　5.人的販売の実践と管理
④ マーケティング	1.リテールマーケティング戦略の考え方　2.リテールマーケティングの展開に必要な商圏分析と出店戦略の実践　3.マーケットリサーチ(市場調査)の方法と進め方　4.リテールマーケティングの展開に必要なリージョナルプロモーションの実践　5.顧客戦略の展開方法
⑤ 販売・経営管理	1.販売管理者の法令知識　2.小売店経営における計数管理と計算実務　3.販売活動に求められる決算データと経営分析　4.小売業における組織の基本原則と従業員管理　5.店舗施設の維持管理

科目の免除制度もあり

試験科目には一部免除制度もあります。各地の商工会議所が実施する「2級販売士養成講習会」、または日本商工会議所指定機関による「養成通信教育講座」を修了しているならば、「販売・経営管理」が免除されます。この講習会・講座は誰でも希望すれば受けることができます。

上記の検定試験に関する情報は、変更される可能性があります。受験される方は、各自で必ず試験実施団体の発表を確認してください。
https://www.kentei.ne.jp
商工会議所検定情報ダイヤル　050-5541-8600（9:00〜20:00）

1回で合格！
リテールマーケティング検定 販売士 2級 テキスト&問題集
CONTENTS

第3章 ストアオペレーション ……107

第4章 マーケティング

第5章 販売・経営管理

別冊 模擬テスト問題（2回分）

リテールマーケティング（販売士）検定２級

ネット試験の受験マニュアル

リテールマーケティング（販売士）検定は、従来、試験会場でペーパー試験が行われていましたが、2021年7月よりテストセンター（指定の試験会場）におけるネット試験へと移行しました。この形式では、すべてパソコン上で試験が行われ、試験結果も受験後すぐにわかるのが特徴です。出題形式は、各科目20問（正誤問題10問、穴埋め問題10問）、全100問が出題されます。出題傾向は従来までと変わらず、公式ハンドブックから80％以上が出題されます。

当日までの手続き

ネット上の申し込み専用ページで
マイページ（受験者専用ページ）の**アカウント**を作成します。
（申し込み専用ページ　https://cbt-s.com/examinee/examination/jcci_retailsales）

▼

自分のアカウントでログインし、希望の**テストセンター**、**日時**を予約します。
支払いには**クレジットカード決済**、**コンビニエンスストア決済**などがあります。

当日の受験方法

自宅を出る前に持ち物を準備します。必要なものは、
本人確認証および**電卓**（別冊P.78も参照）です。
（本人確認証は、運転免許証やパスポート、マイナンバーカード、
顔写真付きの国家資格の免許証や学生証等）

▼

受付で本人確認証を提示し、**受験用のIDとパスワード**を受け取り、割り当てられたパソコンのある席に座ります。試験時に持ち込めるのは**電卓**のみです（筆記用具やメモ用紙は机上に用意されています）。

パソコン上での受験の流れ

受付で受け取った **ID とパスワード**を入力します。

▼

パソコン上で**チュートリアル**（機能や使い方の概要を教えるプログラム）を受けます。

▼

本試験を受験します。

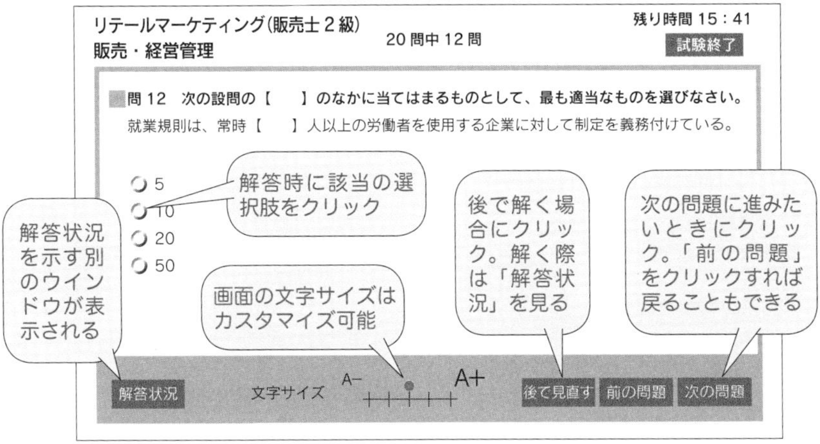

▼

制限時間がきたら、自動的に試験は終了します。
制限時間前に終わる場合は、画面右上の「試験終了」をクリックします。

▼

すぐに試験結果が表示されます。
合否および科目別の得点が記載されたレポートのプリントを受け取って、会場を退出します。

▼

合格の場合、後日販売士認定証（カード）が自宅に送られてきます。

本書の使い方

本書は、株式会社カリアック発行の公式テキスト『販売士ハンドブック（応用編）』にもとづき、短時間でも効率的な学習ができるよう、試験によく出る項目と重要ポイントをまとめてあります。また、赤シートに対応しているのも特徴です。

POINT
そのテーマで覚えておきたい最重要事項をまとめています。

重要マーク
試験でよく出る、特に重要な内容であることを示しています。

図解
豊富な図で、より深い理解が可能です。付属の赤シートに対応しています。

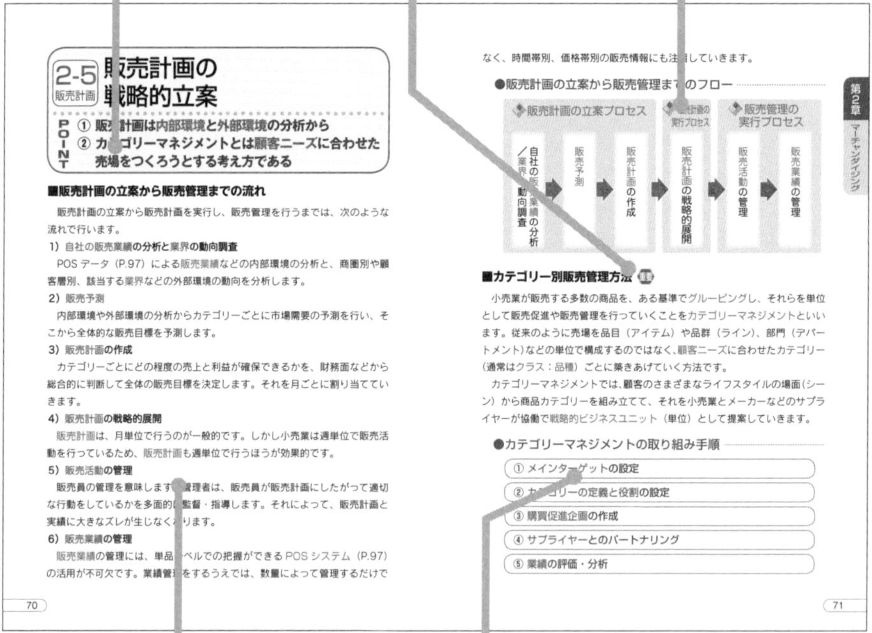

2-5 販売計画

販売計画の戦略的立案

POINT
① 販売計画は内部環境と外部環境の分析から
② カテゴリーマネジメントとは顧客ニーズに合わせた売場をつくろうとする考え方である

■販売計画の立案から販売管理までの流れ

販売計画の立案から販売計画を実行し、販売管理を行うまでは、次のような流れで行います。

1）自社の販売業績の分析と業界の動向調査
POS データ（P.97）による販売業績などの内部環境の分析と、商圏別や顧客層別、該当する業界などの外部環境の動向を分析します。

2）販売予測
内部環境や外部環境の分析からカテゴリーごとに市場需要の予測を行い、そこから全体的な販売目標を予測します。

3）販売計画の作成
カテゴリーごとにどの程度の売上と利益が確保できるかを、財務面などから総合的に判断して全体の販売目標を決定します。それを月ごとに割り当てていきます。

4）販売計画の戦略的展開
販売計画は、月単位で行うのが一般的です。しかし小売業は週単位で販売活動を行っているため、販売計画も週単位で行うほうが効果的です。

5）販売活動の管理
販売員の管理を意味します。管理者は、販売員が販売計画にしたがって適切な行動をしているかを多面的に監督・指導します。それによって、販売計画と実績に大きなズレが生じなくなります。

6）販売業績の管理
販売業績の管理には、単品レベルでの把握ができる POS システム（P.97）の活用が不可欠です。業績管理をするうえでは、数量によって管理するだけでなく、時間帯別、価格帯別の販売情報にも注目していきます。

70

第2章 マーチャンダイジング

●販売計画の立案から販売管理までのフロー

◆販売計画の立案プロセス：自社の販売業績の分析／業界の動向調査 → 販売予測 → 販売計画の作成 →
◆販売計画の実行プロセス：販売計画の戦略的展開 →
◆販売管理の実行プロセス：販売活動の管理 → 販売業績の管理

■カテゴリー別販売管理方法 重要

小売業が販売する多数の商品を、ある基準でグルーピングし、それらを単位として販売促進や販売管理を行っていくことをカテゴリーマネジメントといいます。従来のように売場を品目（アイテム）や品群（ライン）、部門（デパートメント）などの単位で構成するのではなく、顧客ニーズに合わせたカテゴリー（通常はクラス：品種）ごとに築きあげていく方法です。

カテゴリーマネジメントでは、顧客のさまざまなライフスタイルの場面（シーン）から商品カテゴリーを組み立てて、それを小売業とメーカーなどのサプライヤーが協働で戦略的ビジネスユニット（単位）として提案していきます。

●カテゴリーマネジメントの取り組み手順

① メインターゲットの設定
② カテゴリーの定義と役割の設定
③ 購買促進企画の作成
④ サプライヤーとのパートナリング
⑤ 業績の評価・分析

71

キーワード
暗記しておきたいキーワードを赤文字で表しています。付属の赤シートを活用して暗記に役立てましょう。

表
暗記しておきたい用語・内容をまとめて表示。付属の赤シートで文字をかくして、暗記しましょう。

※本書は原則として2021年10月の情報にもとづいて編集・執筆しています。
『販売士ハンドブック（応用編）』のご購入に関しては株式会社カリアック（03-4431-1328）までお問い合わせください。

1

小売業の類型

小売業は、数ある業界でも
私たちの生活に特に密着した存在といえます。
この章では、流通における小売業の役割から、
組織形態別小売業の運営特性、
店舗形態別の小売業の運営特性
について学んでいきます。

1-1 流通と小売業 流通の役割と機能

POINT

① 流通は、社会的役割と経済的役割を担う

② 流通フローには、所有権のフロー（商流）、財のフロー（物流）、情報のフロー（情報流）の３つがある

■生産と消費の橋渡し

流通業は、財（商品）を生産者から消費者へ、対価としての貨幣を消費者から生産者へと循環させるための橋渡しをしています。生産と消費の間の橋渡しをすることが流通業の社会的役割といえます。

■流通費用を節約させる経済的役割 重要

1）取引総数単純化の原理

生産者と消費者の間に流通業者が入ることによって、取引数が単純化されます。これを取引総数単純化の原理といい、流通費用の節約につながります。

●流通業の効果

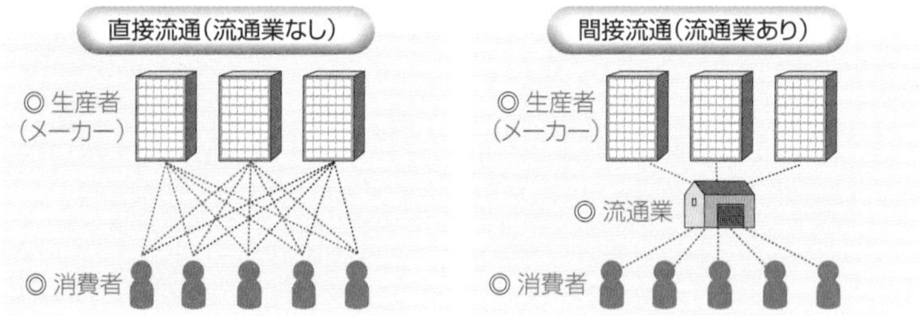

生産者である製造業と消費者の間に流通業者が入る間接流通では、製造業は生産した商品を卸売業（流通業）に販売した時点で、すぐに貨幣を受け取ることができます。なお、間接流通の有利性（R）は、次の式であらわすことができます。

$$R=\frac{P \times C}{M(P+C)}$$

生産者の数＝P
消費者の数＝C
流通業者＝M

Rが1を超えていれば、製造業と消費者が直接取引する直接流通よりも、間接流通のほうが有利ということになります。

2）集中貯蔵の原理（不確実性プールの原理）

在庫を流通業が集中的に保管すれば、それぞれの生産者が分散して保有する場合の在庫の全体数量よりも在庫数量が減少し、結果、流通費用が節約されます。このことを集中貯蔵の原理といいます。

■流通フロー 重要

生産と消費までの流通フローにおいて、所有権が移転することが所有権のフローであり、商品が移転することは商品フローになります。前者は商流、後者は物流ともいわれ、情報が移動する情報流もあります。

1）商流（商的流通）

次の2つの機能に分けられます。

①**所有権移転機能**…売買で商品の所有権が移転する諸活動のことです。所有権移転の代表が売買契約です。

②**危険負担機能**…引き渡しまでに商品が破損した場合は売主の負担にするなど、所有権を保有することで生じる危険を負担する機能です。

2）物流（物的流通）

空間のギャップと時間のギャップを橋渡しする役割を担うのが物流です。物流活動の主体は、生産者、卸売業、小売業などの荷主企業と、運送業や鉄道業、海運業などの物流専門企業になり、物流の種類としては次のようなものがあります。

・調達物流：商品の仕入に関わる物流です。
・生産物流（企業内物流）：自社店舗での商品移動に関わる物流です。
・販売物流（市場物流、製品物流）：顧客に対して商品を納入する物流です。
・回収物流（静脈物流、廃棄物流）：返品やリサイクルなどの物流です。

なお、空間のギャップを橋渡しするのは、輸送機能であり、時間のギャップを橋渡しするのは保管機能になります。

3）情報流（情報流通）

従来、商流や物流のサブ的な機能でしたが、今日では商流や物流に先んじて発生し、それにともない商流や物流が動き出すほど重要性を増しています。

1-2
流通と小売業

小売業の理論・仮説

POINT
① 適応行動理論での変化は、生物学の収《しゅう》斂《れん》、異常発達、退化、同化で説明
② リーガン仮説は単一、複合、全面の結合型に分類

■小売業の理論 重要

時間の経過にともなう小売業の変化についての理論には次のものがあります。

1）小売の輪の理論

マクネアが提唱。新しい革新的な小売業態は、ローコストオペレーション・システムを革新することで、ローマージン（低粗利益率）の値入を実現し、低価格を打ち出した店舗として競合店より優位的な地位を築きます。しかし、それを真似する他店舗と激しい競争に陥り、差別化をはかるため商品やサービスの品質向上へと変化（トレーディングアップ）、ハイコスト・ハイマージンの業態へシフトします。そこに、また新たな低価格訴求を掲げる革新業者が登場するサイクルを繰り返すというものです。

2）アコーディオン理論

ホランダーが提唱。小売業態の初期は、食料品から日用雑貨まで幅広く品ぞろえをする「よろず屋」が発達し、その後、商品ラインを絞り込む専門店が出現しました。以後、再び総合的な品ぞろえをする百貨店が出現したように、時代とともに商品構成である品ぞろえは総合化と専門化を繰り返すという理論です。

●小売の輪の理論とアコーディオン理論

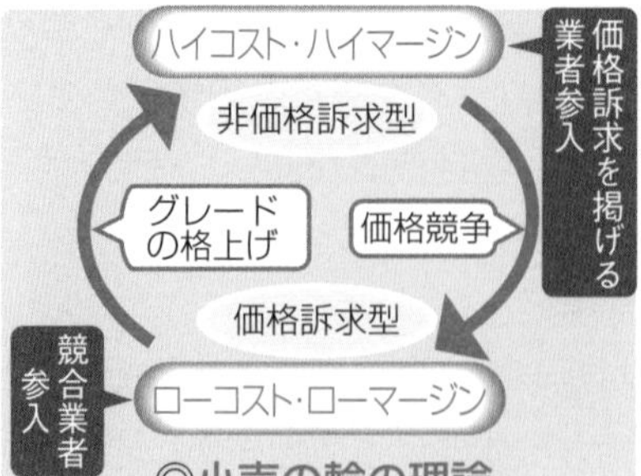

◎小売の輪の理論

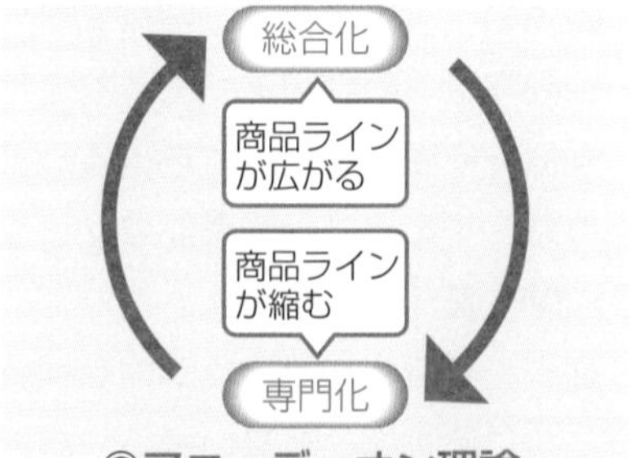

◎アコーディオン理論

3）真空地帯理論

ニールセンが提唱。低価格、中価格、高価格の店舗があった場合、低価格の店舗はより多くの顧客を獲得するために中価格へ移行し、高価格の店舗もより多くの顧客を獲得するために中価格へ移行するようになります。すると、全体として中価格に集中するようになり、両端である低価格と高価格の位置に空白が生まれて（真空地帯）、そこに新しい業態が参入するという理論です。

●真空地帯理論のイメージ

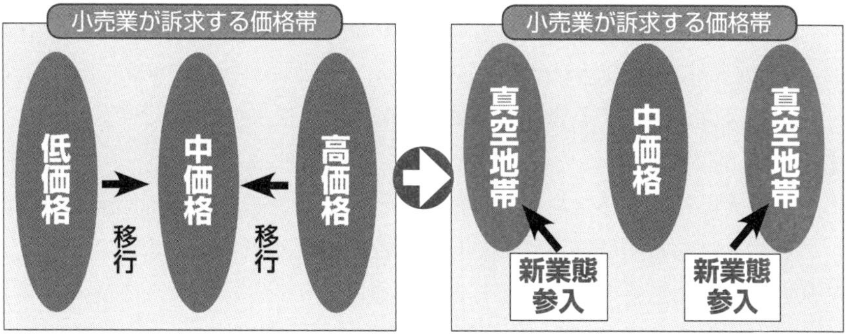

4）適応行動理論

ドリースマンが提唱。生物における「突然変異」を革新ととらえ、既存の小売業者も革新を模倣することで適応していくと説明しています。つまり、小売業を取り巻く技術、法律、競争などの環境の変化に適応したものが生き残るという理論です。本論では、生物学の「収斂」「異常発達」「退化」「同化」を使って小売業態の変化を説明しています。

①収斂

コンビニエンスストアやドラッグストアなどのさまざまな小売業において、セルフサービス販売方式という同一のサービス方式を採用していることが、代表的なものとして挙げられます。

②異常発達

競争が一時的に緩和すると、異常といえるほどの成長がなされます。

③退化

スーパーマーケットが発展しても、小規模なスーパーマーケットであるスーパーレットは狭い市場を対象として生き残っていることが一例です。

④同化

既存の小売業態も、新しい小売業態の方法を模倣することになります。

■小売業の仮説

1）リーガン仮説

リーガンが提唱。提供される製品と小売サービスの組み合わせで、小売業の発展を次の３段階に分けて説明しています。

①単一結合型の段階

製品とサービスの関係は、低コストの製品は低コストのサービスが、高コストの製品は高コストのサービスが対応するという段階です。つまり、小売サービスは、選択する製品の品質とほぼ等しいという仮説です。

②複合結合型の段階

消費者に対応するために、小売サービスを維持したままで製品の品質の水準を格上げもしくは格下げしたり、製品の品質を維持したままで小売サービスを格上げもしくは格下げするという段階です。

③全面結合型の段階

消費者に対応するために、小売サービスを格上げしつつ、製品の品質の水準を格下げしたり、もしくは小売サービスを格下げしつつ、製品の品質の水準を格上げしたりするなど、製品とサービスの多様な組み合わせを提供できる段階です。

2）弁証法的仮説

既存の小売業態を「正」、革新的な小売業態を「反」とし、これらが競争を通じて混合されて、新しい小売業態「合」が出現するというものです。

●弁証法的仮説の考え方

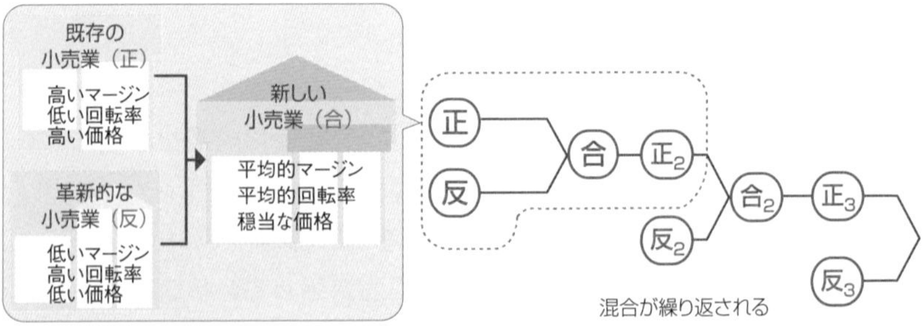

1-3 流通と小売業 世界を席巻するグローバルリテーラー

POINT
① 世界最大の小売業は米ウォルマートでスーパーセンターを開発
② ハイパーマーケットは仏カルフールが起源

■グローバルリテーラーの形態 重要

主な外資系小売業の日本市場への参入は、1979年のアメリカのタワーレコードに始まり、近年ではイケアやH＆M、ZARAなどヨーロッパ系の小売業の進出が活発になっています。

1）ハイパーマーケット

フランスでナンバー1の小売業のカルフールを起源とします。ハイパーマーケットの標準売場面積は10,000㎡以上で、食品にウエイトを置きつつ、商品点数が5万品目と、衣料、住関連用品などすべての生活必需品を品ぞろえし、価格訴求力も持つ大型のセルフサービス店です。

2）スーパーセンター

アメリカのウォルマートを起源とします。スーパーセンターの売場面積は10,000～20,000㎡で、食料品を中心としたスーパーマーケットと、非食料品中心のディスカウントストアをワンフロアに融合した品ぞろえとなっています。また、衣・食・住・遊といった日常生活必需品を中心に、10万品目を取り扱う大型のセルフサービス店です。

3）ホールセールクラブ

顧客が商品を持ち帰る会員制の小売業態です。顧客は事業者だけでなく、一般消費者も対象となっています。売場面積は10,000㎡程度で、ウェアハウスと呼ばれる建築コストの低い倉庫型の店舗が採用されています。商品構成は、食料品や生活用品などを中心に、3,500～4,000品目程度に絞り込まれ、大容量をセルフサービス販売することで、運営コストを抑え、低価格を追求しています。代表的な店舗として、ウォルマートの会員制スーパーマーケットであるサムズ、そしてコストコが挙げられます。

■グローバルリテーラーの課題

グローバルリテーラーが、日本の市場に受け入れられるためには、流通構造の多段階性への対応、店舗網の拡大と物流基盤の整備などの課題に対応していかなければなりません。その中の一つである物流は、ホールセールクラブなどのように少品種少品目大量の品ぞろえをする店舗形態に適した直送と、スーパーセンターのように多品種多品目多量の品ぞろえをする店舗形態に適したセンター納品に分けられます。日本で多品種多品目業態を展開するならば、センターを基点とした物流が不可欠といえます。

また、それぞれの店舗ごとに、顧客ニーズに応じて品ぞろえや価格面で対応していくローカライズは、グローバルリテーラーにとって最重要課題です。ローカライズを行ううえでは、次の日本の消費者の特性を考慮する必要があります。

1）多頻度の買物行動への対応

日本では、食料品を中心に多頻度小口の購買が主流です。特に鮮度へのこだわりが強い生鮮食品は、購入した日に消費するなど、まとめ買いを行う欧米人の購買行動と大きく異なっています。

2）豊富な取扱品目数

日本の消費者は、多品目のなかから商品を選択し購買する傾向があるため、店舗での取扱品目数が欧米に比べて多いという特徴があります。したがって、グローバルリテーラーが得意とする少品目の単品大量販売ではなく、日本の消費者が好む多品種多品目少量購買にどこまで対応できるかがポイントとなります。

3）店舗選択行動の違い

欧米の消費者が、1つの店舗でワンストップショッピング（P.41）する傾向が強いのに比べて、日本の消費者は、品種や品目ごとに店舗を使い分けています。選択できる店舗が多いからであり、自店を選んでもらうためにも品ぞろえや価格などにおいて、高いレベルで他店と差別化していくことが必要です。

4）にぎわいに富む売場づくり

日本の商品は、プロダクトライフサイクル（P.199）が短い傾向にあります。自ずと、売場には新しい商品が並ぶことになり、結果として変化に富んだ売場がつくり出されます。四季の移り変わりを重視する日本では、季節商品が品ぞろえされることも単調な売場にならない要因です。したがって、欧米的で単調な商品展開からの脱却はグローバルリテーラーにとっての大きな課題です。

1-4 組織形態別 チェーンストアの特徴と組織・運営体制

POINT
① チェーンストアはマス・マーチャンダイジングを実現
② 管理者が効率的に管理できる部下の人数は、平均して7～8人が限度（スパン・オブ・コントロール）

■組織小売業の定義

組織小売業とは、多店舗展開している小売業であり、チェーンストアに代表される小売業のことです。組織小売業を定義するならば、複数の店舗が同じ店舗名の看板を掲げ、仕入や店舗運営面などで共通の基盤を活用して事業展開する形態であり、レギュラーチェーン、フランチャイズチェーン、ボランタリーチェーンなどが含まれます。

■チェーンストアの特徴 重要

チェーンストアは、1店舗では達成が難しいマス・マーチャンダイジングを実現し、消費者の生活向上に貢献していきます。アメリカマーケティング協会（AMA）は、チェーンストアを「通常11店舗以上を直接運営する小売業、あるいはフードサービス業」と定義しています。

1）規格化、標準化、単純化

一定の規則にもとづいて規格化された店舗や商品で、多数の店舗が標準化や単純化によって、同じ方法で継続的に運営されることがチェーンストアには求められます。これにより、どの店舗も同じように運営することができるようになり、本部の管理や従業員の教育も効率的に行うことができます。

2）マス・マーチャンダイザー

マスとは、たとえば従来の仕入の10倍くらいの商品を買い付けるほどの大きな量をいいます。つまり、マス・マーチャンダイジングとは、これまでの常識を覆すほどの商品買付力を前提にしたうえでの、商品計画の立案から大量販売、保管や配送、ディスプレイなどあらゆる活動の全プロセスの総称になります。そして、それを実践できる小売業をマス・マーチャンダイザーといいます。

3）チェーンストアの産業化

チェーンストアが、日本のリーディングカンパニーとして貢献していくことを意味しています。マス・マーチャンダイジングを実現し、消費者の生活向上に貢献することで、産業と呼ばれるのにふさわしい地位の向上を目指します。

■チェーンストアでの運営体制

チェーンストアの組織や運営体制の特徴は次のとおりです。

1）専門化（スペシャライゼーション）

従業員にすべての業務を割り当てないで、１つか２つに限定して業務を与えることで、従業員の専門化をはかっていきます。

2）責任と権限の明確化

部下に責任と権限を与えることで、業務を効率的に行っていくことができます。しかし、小売業においてはバイヤー（商品担当者）などの本部が持つ権限や店舗責任者が持つ権限が強いため、現場の従業員が持つ権限は限定されてしまっており、その改善が課題の一つとなっています。

3）命令系統の統一化

命令系統を統一することによって、指示・命令系統の混乱を防ぎます。前提として、管理者と部下との良好な関係形成が必要になります。

4）管理・調整範囲の確定

一人の管理者が効率的に管理できる部下の人数は、平均して７～８人が限度であるという管理原則（スパン・オブ・コントロール）があります。これを基本としつつも、標準化された店舗運営のメリットを活かして、その人数を拡大していきます。

5）店舗運営責任者の決定

チェーンストアの運営では、経営戦略の決定を行う最高経営責任者（CEO）や最高執行責任者（COO）、財務や物流、情報システムなどの領域ごとに運営の責任を持つ副社長クラスの管理者など、異なる業務領域に責任を持つ複数の管理者を決定しなければなりません。

なお、仕入や店舗管理を担う部長クラスの役職である、オペレーティングマネジャーも重要な役職の一つです。

1-5
組織形態別

チェーンオペレーションの特徴と仕組み

POINT
① 本部集中化で各店舗は販売だけに専念
② コストを節約してローコストで店舗を運営するローコストオペレーション

■チェーンオペレーションの特性

レギュラーチェーン、フランチャイズチェーン、ボランタリーチェーン、生協などのチェーンストアで導入されているのがチェーンオペレーションです。多店舗展開している小売業が本部集中管理方式のもとで、本部機能と店舗での販売機能を分業しながら効率的に店舗運営を行っていくことをいいます。

●チェーンオペレーションの特徴

① 広域的、全国的、グローバルな店舗展開による市場シェア拡大

② 各店舗が本部によって統一的に管理運営

③ 品ぞろえ、売場構成、店舗の管理システムを標準化・マニュアル化

④ 本部が品ぞろえ、価格決定、仕入・販売促進を行い、各店舗は販売機能だけを担う

チェーンストアでは、すべての店舗の商品政策を本部に設置した商品政策部門で担うなど、本部に集中した組織体制を採用しています。そのため、バイヤーを各店舗に置く必要がなくなり、結果として店舗での従業員の数を減らすことが可能です。ただし、店舗数が拡大すると、本部のバイヤーだけで仕入と在庫管理を担当することが難しくなってきます。その場合は、本部内で仕入と在庫管理を担当する人を分けて、市場の変化にきめ細かく対応していきます。

■ローコストオペレーションの実施 重要

店舗を運営するには、さまざまなコストがかかります。ローコストオペレーションとは、それぞれのコストを節約してローコストで店舗を運営することで

す。ここでのコストとは、人件費や水道光熱費、家賃や広告宣伝費といった販売管理費（販売費及び一般管理費）と呼ばれるものです。ローコストオペレーションにより販売管理費を低く抑え、その分、低価格で商品販売を行います。なお、販売管理費を売上高で割って求める売上高販売管理費比率で、ローコストオペレーションがうまくいっているかどうかが判断できます。

売上高からコストを差し引いた額がゼロとなる損益分岐点（P.75,237）を低く設定するローコストオペレーションは、低経済成長のもとにあっても、相応の利益を確保できる仕組みといえるでしょう。

●ローコストオペレーションの条件

① 標準化政策の徹底

② 物流システムの構築

③ 商品回転率*の向上

④ 従業員の計画的配置

⑤ パートタイム労働者の活用

＊＝P.93 参照

1）標準化政策の徹底

ローコストオペレーションの実現には、店舗規模や形状、売場レイアウト、商品構成などを規格化、画一化することが必要です。各店舗で同じ発注方法やディスプレイ方法を採用し（標準化）、出店や店舗運営の効率化をはかります。

2）物流システムの構築

小売業での多品種少量発注にともない、物流の多頻度小口化、多アイテム統合納品が求められる今日、効率のよい物流システムを構築することは、ローコストオペレーションを実現するために必要不可欠です。本来であれば、効果的な自社物流を構築することが望ましいのですが、多くの小売業が物流業務を専門とする企業（第三者物流・サードパーティロジスティクス）に委ねています。

3）商品回転率の向上

商品回転率を重視した経営は、ローコストオペレーションの基本となります。顧客が求める多品種多品目といった商品アイテム数の増加は、小売店の販売効率を悪化させる要因となります。しかし、たとえ幅広い品ぞろえによって坪当たりの販売効率が低下したとしても、高い商品回転率を維持できれば、ローコストオペレーション経営が実現できます。

4）従業員の計画的配置

人件費は、販売管理費の大部分を占める要素です。この人件費を低く抑えることで販売管理費の低減につなげます。なお､以前は「人に作業を割り当てる」という固定費的な発想で人件費をとらえていましたが、現在の小売業では人件費を固定費と考えず、「作業に人を割り当てる」という変動費的な発想で人件費をとらえるようになってきています。

そのため、必要なときに、必要な数の従業員を、必要な場所で使うシステムを構築することが求められています。

5）パートタイム労働者の活用

多くのチェーンストアでは､パートタイム労働者の比率が高くなっています。パートタイム労働者の比率が高くなっているのは、人件費を抑えるためだけでなく、曜日ごと時間帯ごとに従業員の数を変える必要が、チェーンストアにはあるからです。このような必要性に対応するため、レイバースケジューリングプログラム（P.144）という勤務計画を作成します。

●チェーンストアのポイント 重要

① チェーンオペレーション	原則として、単一資本の企業が、強力な本部による統制のもとで、同一形態の店舗を出店し、運営していくこと。
② 本部集中化	本部が商品計画、仕入・販売促進などを集中的に行い、各店舗は販売だけに専念していくこと。大手小売業では、ローコストオペレーションの視点から本部集中化を進めている。
③ バイングパワー	小売業がサプライヤー（メーカー等）との仕入取引において発揮する交渉力のこと。１品目当たりの買付数量が大量になることで、仕入の条件がよくなる。
④ 物流センターの整備・確立	大手小売チェーンストアでは、物流センターを整備し、取引先から物流センターへ商品を納品した後、各店舗ごとに仕分けをして、全店に一括配送する。自前で物流センターを用意する場合もあるが、多くの小売業は第三者物流に委ねている。
⑤ 情報システムの充実	小売業では、POS システム（P.97）や、EOS（P.110）、EDI（P.103）といった情報システム化の充実をはかり、効率的な店舗運営を目指している。

■セントラルバイング・システム

セントラルバイング・システムは、チェーンストアが複数の店舗で販売する商品の一部、または全部を本部が一括仕入する方式です（本部集中仕入方式）。

各店舗が個別に仕入れるのに比べて、仕入コストの引き下げや仕入担当者であるバイヤーなどの効率的活用、取扱商品の統一化などが可能となり、販売効率が向上します。本部が仕入の責任を持ち、また店舗が販売の責任を持つという、仕入の集中と販売の分権システムを構築するのに欠かせないシステムといえます。

●セントラルバイング・システムが不可欠な理由

① 低価格販売にともなう単品大量仕入の必要性

② 多店舗化にともなう販売量の増加への対応

●セントラルバイング・システムのメリット

① 専門化による顧客ニーズへの対応

② プロモーション活動の原動力

③ コスト吸収の基盤

④ 店舗ごとの仕入部門を持つという二重構造の解消

⑤ 販売活動の強化

●セントラルバイング・システムの問題点

① 地域性を軽視した画一的なマーチャンダイジング

② きめ細かなマーチャンダイジングを展開できない

③ 本部から遠方の店舗へのフォロー不足の可能性

1-6 組織形態別 レギュラーチェーンの特徴と仕組み

POINT
- ① レギュラーチェーンは、同一資本系列で結ばれている通常 11 店舗以上の店舗からなる
- ② 本部主導から店舗主導の店づくりを推進

■レギュラーチェーンの定義

多数の店舗を連結して規格化された経営システムで運営されるチェーンストアの一形態が、レギュラーチェーン（RC = Regular Chain）であり、正式にはコーポレートチェーンといいます。ほかのチェーンストアとの大きな違いは、同一資本系列で結ばれていることであり、複数の店舗（通常 11 店舗以上）が中央本部の規制のもとに規格化された経営原則にもとづき、商品およびサービスの提供を画一的な直営店舗運営によって行っています。

■レギュラーチェーンの特徴 重要

大規模小売業のレギュラーチェーン経営の特徴は以下のとおりです。

1）本部主導による経営

レギュラーチェーンでは、本部と店舗の役割分担が明確にされています。本部は、マーチャンダイジング、出店、物流、人事、財務などの全社的業務を行い、各店舗は本部の指示にしたがって販売に専念します。

2）マス・マーチャンダイジングの発揮

大量一括仕入で、仕入価格の引下げと仕入条件の面で優位性を発揮します。

3）物流体制の整備・確立

物流センターを建設したり、第三者物流（サードパーティロジスティクス）を設営したりすることにより、そこで仕分けして各店舗に一括配送する体制を構築します。

4）システム化による経営効率の追求

POS システム（P.97）や EDI（電子データ交換　P.103）などにより業務の効率化をはかり、競争の優位性を実現しています。

●レギュラーチェーンの特徴

主な特徴	具体例
組織の構成	本部と店舗は単一の資本であり、運命共同体。
マス・マーチャンダイジングの発揮	多店舗、大量販売、大量仕入によりマス・マーチャンダイジングを追求。
システムの運営	本部の一括仕入機能。専門的な一元管理によるチェーンオペレーション。
本部と店舗の関係	垂直型命令系統。商品供給、価格決定は本部指示。

■レギュラーチェーンの仕組み

レギュラーチェーンは、多店舗展開によるバイングパワーを発揮するために、次のようなシステムをつくっています。

●レギュラーチェーンの仕組みと特徴

① 一貫した従業員の教育研修（キャリアパス）とそれを評価する制度の完備

② 顧客ニーズに応えるストアコンセプトの開発

③ 各業務の標準化、単純化、集中化と独自の物流・情報システム

④ 各店舗展開や、それを支えるシステムへの投資とメンテナンス費用をまかなえる資金調達能力

⑤ プライベートブランド（PB）商品やストアブランド（SB）商品の開発を可能にする高い信頼度

⑥ 店舗内外の設計・施工、内装・什《じゅう》器《き》などの標準化

⑦ パートタイム労働者の効率的活用のための業務のマニュアル化

■本部主体経営から店舗主体経営へ

大手大型スーパーは、品ぞろえ・店舗・オペレーションの標準化を推し進め、低価格販売を実現してきました。しかし「どの店舗に行っても、同じ商品しかない」という声が強まり、大型スーパーからの客離れが加速していました。そこで、完全に本部主導の品ぞろえを前提とした従来の方法から脱却し、各店舗が主体的に顧客のニーズを把握し、商品や陳列方法について工夫した店づくりを推進するようになってきています。

1-7 組織形態別 ボランタリーチェーンの特徴と仕組み

POINT

① 複数の中小小売業が手を組むことで商品の共同仕入や店舗運営ノウハウなどを強化
② ボランタリーチェーンでは加盟店が自発的に組織を結成

■ボランタリーチェーンの定義

日本ボランタリーチェーン協会では、「異なる経営主体同士が結合して、販売機能を多数の店舗において展開すると同時に、情報等を本部に集中することによって組織の統合を図り、強力な管理のもとで、仕入れや販売等に関する戦略が集中的にプログラム化される仕組みとその運営」とボランタリーチェーン（VC = Voluntary Chain）を定義しています。つまりボランタリーチェーンは、複数の中小小売業が共同で出資をして本部機能をつくり、自己の独立的経営を維持しながら、一部の商品仕入やプライベートブランド（PB）商品（P.162）の開発など、各々ではできない事業について協業する組織になります。

■ボランタリーチェーンの特性 重要

ボランタリーチェーンの目的の一つが、大手チェーンストアへの対抗です。複数の中小小売業が手を組むことで、商品の共同仕入や店舗運営ノウハウなどの強化をはかります。

ボランタリーチェーンに加盟する小売業は、各自の屋号・商号を掲げて独立した経営を行いながら、共同で本部機構を設立するのが特徴です。VC 本部は、加盟店で取り扱う商品の一部について共同で仕入れることにより、有力メーカーとの取引において有利な条件での価格交渉が可能となります。

小売業が主宰するボランタリーチェーンに対して、卸売業が主宰するボランタリーチェーンは「卸主宰 VC」といいます。主として食品卸売業がボランタリーチェーン本部を設立し、従来から取引のあった地元のスーパーや独立系のコンビニエンスストアなどを組織化していきます。メリットは、組織化されたチェーンストアへ継続的な商品提供を行うことができ、チェーン店側も安定的に商品供給を受けられることです。

ボランタリーチェーンの原則には次の４つがあります。

1）共同の原則

ボランタリーチェーン本部は加盟店へ積極的な支援・援助を行います。加盟店は、本部に対して積極的に協力、協調します。

2）利益性の原則

事業活動で得た利益は、本部の人材の確保・育成や物流・情報システムなどに再投資されます。この戦略的投資が加盟店への間接的な利益還元となります。

3）調整の原則

本部は、加盟店同士の過剰な競争を調整する必要があります。

4）地域社会への貢献の原則

加盟店は、地域の一員であるという自覚と経営姿勢を持つ必要があります。

なお、ボランタリーチェーンは、フランチャイズチェーン（P.31）との間に次のような共通点と相違点があります。

●フランチャイズチェーンとの共通点

① 共同事業などにより規模のメリットを追求

② 資本的に独立した多くの小売業によって形成

●フランチャイズチェーンとの相違点 重要

	ボランタリーチェーン	フランチャイズチェーン
本部と加盟店との関係	加盟店が自発的に組織を結成。加盟店オーナーが自らVC本部の経営に参加する場合もある。	本部が別個の企業で、本部と加盟店が１対１の契約で成立。
加盟店同士の横のつながり	あり	なし
利益還元	本部利益から持続的な利益の還元を受けることが可能。	契約パッケージの範囲内でしかメリットを受けられない。

1-8 組織形態別

フランチャイズチェーンの特徴と仕組み

POINT

① フランチャイザーがフランチャイジーから受け取る経営指導料がロイヤルティで、加盟料はイニシャルフィー
② 力関係ではフランチャイザーが有利になりがち

■フランチャイズチェーンの定義 重要

フランチャイズ・システムは事業者（フランチャイザー）と加盟店（フランチャイジー）の間で結ばれる契約による組織形態で、フランチャイズは「特別の権利を与える」という意味を持ちます。

フランチャイズ・システムの定義は、業界団体である日本フランチャイズチェーン協会の定義および公正取引委員会のガイドラインのなかで示されています。これらをまとめると、「フランチャイザーが、開発したフランチャイズ・システムやノウハウと、それを象徴する商標、サービスマーク（サービスについて使用する役《えき》務《む》商標）やチェーン名などの事業の運営方法を提供するのに対して、フランチャイジーは、自己資金を投入してフランチャイザーの開発した事業の方法やノウハウを用いて営業を行い、お互いに利益を得ようとする、いわば事業の協業体である」となります。

■フランチャイズビジネスの仕組み 重要

フランチャイジー（加盟店）はフランチャイザーから次のような特別な権利（特権）を受けることができます。

●フランチャイズでの権利

① フランチャイザーの商標、サービスマーク、チェーン名称を使用する権利

② フランチャイザーが開発した商品やサービス、情報など経営上のノウハウを利用する権利

③ フランチャイザーが継続的に行う指導や援助を受ける権利

フランチャイザーは、これらの特権をひとかたまりのパックとしてフランチャイジーに提供します。これは一般にフランチャイズ･パッケージと呼ばれ、締結されるフランチャイズ契約にもとづいて利用されます。

このフランチャイズ契約では、会社組織化がしっかりできているフランチャイザーに対して、加盟店側のフランチャイジーは中小規模の会社が大半であるため、力関係でフランチャイザーが優位になりがちです。

また、フランチャイズの権利や契約についての重要なポイントには、次のようなものがあります。

1）ロイヤルティ

フランチャイズで、フランチャイザーがフランチャイジーから月ごとに受け取る経営指導料を意味します。加盟する際には、これとは別に加盟料（イニシャルフィー）が発生します。

2）オープンアカウント

フランチャイザーとフランチャイジーとの間で発生する、複数の金銭債権債務を相殺する会計処理の仕組みのことをいいます。算定方法でトラブルが生じやすい項目でもあります。

3）テリトリー権

同一フランチャイズでの競合を避けるため、フランチャイジーに一定の領域の商圏保護や地域制限を設けることです。

●フランチャイズの仕組み

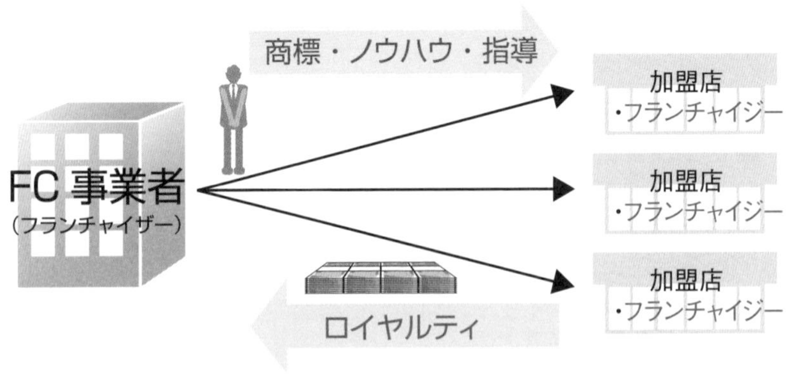

■フランチャイズ・システムのメリット・デメリット

フランチャイズ・システムの社会・経済的なメリットとデメリットは、次のとおりです。

●社会・経済的なメリットとデメリット

◎メリット

①事業機会の拡大、起業・創業の促進

②比較的少ない事業資金や低いビジネスリスクで事業をすることが可能

③成功したビジネスモデルやイノベーションを迅速に普及させることで、経営の近代化や消費者の利便性の向上に貢献

④規模の利益や市場情報の集積などによって流通を合理化

⑤既存の市場環境に革新性を導入することで経済を活性化

◎デメリット

①フランチャイザーが設定した契約を加盟者が受け入れるため、加盟者が内容をよく理解したうえで契約できるようにすることが必要

②フランチャイザーとフランチャイジーの間で、独占禁止法上の不公正な取引方法に該当するような事例が発生する可能性がある

③フランチャイザーが市場競争に敗れた場合は、加盟者もマイナスの影響を受けてしまう

また、フランチャイザーとフランチャイジーのメリットとデメリットは次のページのようなものになります。

●フランチャイザーとフランチャイジーのメリット・デメリット

	メリット	デメリット
フランチャイザー	①経営意欲に満ちた人材を活用することができる。 ②加盟店側の他人資本の活用により、フランチャイザーにとって少ない資本で多店舗化できる。 ③加盟金やロイヤルティの徴収によって安定した経営ができる。	①店舗の再配置を行うことが、レギュラーチェーン（RC）よりも難しい。 ②店舗のリニューアルが必要でも、加盟店の資金不足で行えない場合がある。 ③フランチャイザー間の営業譲渡などを行う場合に、加盟店の合意を得なければならない。 ④フランチャイザーからさまざまな指導を受けるため、加盟店の自助努力が欠如する場合がある。 ⑤一加盟者の不適切な経営で、チェーン全体のイメージが崩される可能性がある。 ⑥加盟店が異業種を展開する場合、フランチャイザーのノウハウが漏えいする場合がある。
フランチャイジー（加盟店）	①フランチャイザーのブランド力によって、資金調達において有利な融資を受けられる可能性がある。 ②フランチャイザーから成功したノウハウを提供されるため、ビジネスリスクを軽減できる。 ③フランチャイザーからさまざまな支援を受けるため、比較的容易に開業することができ、また日常の事務処理や宣伝活動のコストを軽減することができる。 ④経営者としての独立性を確保でき、経営意欲を発揮しやすい。 ⑤利益を分配するため、フランチャイザーから真剣な支援を受けることができる。	①フランチャイザーが設定した契約内容を受け入れるため、加盟者にとって柔軟な契約にならない場合がある。 ②加盟金などの資金が必要となる。 ③ロイヤルティを支払わなければならない。 ④兼業禁止などの制約がある。 ⑤加盟者側の創意工夫が、ある程度制限される可能性がある。

1-9 店舗形態別 専門店の特徴と商品政策

POINT
① 専門店で採用されているコンサルティングセールス
② SPAの商品政策の特徴には、ライフスタイルアソートメント型とリミテッド&デプス型がある

■専門店の商品政策

専門店には、スポーツ用品専門店、スーツ専門店、靴下専門店など取扱品種を限定して、その品種について深い品ぞろえをするものと、ギフト用品専門店、アウトドア用品専門店など利用目的に合わせたものがあります。

近年では、プライベートブランド（PB）商品（P.162）の開発によって、品ぞろえのオリジナリティを追求する専門店も増えてきました。

■専門店の販売方式

専門店は、一般的にセルフサービス販売方式もしくは対面販売方式を採用しています。そして、次のような方法や手法を用いて、販売を行っています。

1）コンサルティングセールス

販売員は取扱商品に関する幅広い知識を持ち、顧客に対してコンサルティングセールスを行っていきます。コンサルティングセールスとは、顧客の立場でアドバイスをしたり、質問に答えて接客販売する方法です。

2）ビジュアルマーチャンダイジング（VMD）

買回品や専門品の専門店では、ビジュアルマーチャンダイジング（VMD）（P.138）を駆使して、見やすく、選びやすく、買いやすい売場をつくり出しています。この手法は、自店のコンセプトを視覚を通じて顧客に訴求するため、色彩や照明、商品構成によって売場を総合的に演出するというものです。

■専門店チェーンの事例

1）家電専門（量販）店チェーンの主導

以前の家庭用電気製品は、メーカーの価格支配力が強く、それらメーカーの

系列店での販売が多数を占めていましたが、1980 年ごろからディスカウント路線を前面に打ち出した家電量販店チェーン（家電スーパー）が台頭します。大量仕入、大量販売が特徴である家電量販店チェーンでは、価格が販売店に委ねられるオープンプライスを採用し、既存店と比べて安価であることから消費者の圧倒的な支持を得ることとなりました。

1990 年代にはパソコン需要が高まり、家電量販店チェーンの急成長が加速しました。現在の家電量販店チェーン業界は業界大手の集中化が進み、寡占化の時代へと移っています。

2）衣料品専門店チェーンの進化

現在の衣料品の量販店チェーンでは、ユニクロに代表されるような、小売店での販売から衣料品製造までをすべて手掛ける専門店がトレンドといえます。このような製販一体体制をとっているアパレル企業を SPA（衣料品の製造小売）と呼びます。

かつてのアパレル業界でブランドを掲げるブランドホルダーは、卸売業であるアパレル問屋が担っており、アパレル問屋が得た情報をもとに縫製メーカーが製造するのが常識でした。しかし、SPA は製販一体体制の強みを活かして、消費者情報を的確かつダイレクトに製造現場まで反映させ、無駄のない品ぞろえを実現しています。

● SPA のねらいとリスク

① ねらい	製販一体という特徴を活かして、消費者ニーズを生産や販売にダイレクトに反映すること。また、売れ筋商品のトレンドを的確に把握することも目的。
② リスク	製造した商品はすべて自社の在庫となるため、商品が売れない場合は在庫負担や値引処分・廃棄処分などのリスクが発生する。

■急成長を遂げる SPA 重要

小売企業でありながら自社でリスクを負って商品企画、生産から販売までを一貫して行う SPA は、アメリカの GAP（ギャップ）から広がり、「川上から川下までの機能」を垂直統合した業態として、急成長を遂げました。特徴の一つは品質の良さとリーズナブルな価格設定にあり、製造を海外で行うことによって製造コストを大きく削減させ、さらなる低価格を追求しています。

商品の企画や限定生産などによって高い利益を確保しているSPAは、百貨店やショッピングセンターなどにも自らの売場を展開し、海外の有力ブランドと肩を並べるほどの人気を得ています。

SPAの商品政策の特徴には次のようなものがあります。

1）ライフスタイルアソートメント型

ターゲットとなる顧客層のライフスタイルに合わせて品ぞろえをしていきます。取扱商品を限定しないため品種の数は多くなりますが、品種のなかの柄やサイズなどのSKU（これ以上、細分化することができない最小の商品単位）は絞り込まれます。

この商品政策のメリットは、顧客のライフスタイルに合ったトータルコーディネートが実現できる点にあります。

2）リミテッド&デプス型

品ぞろえの奥行きの深さを追求する商品政策です。ライフスタイルアソートメント型と異なり、取扱商品の品種を限定するのが特徴です。

業種店に近い品ぞろえとなりますが、ターゲットとする顧客のあらゆるニーズを満足させることができるよう、品種内のSKUを最大限に充実させることに特化していきます。特定の品種については、その店舗に行けばどんな柄やサイズでもそろうといった、品ぞろえの専門性の高さが特徴となります。

● SPAの仕組み

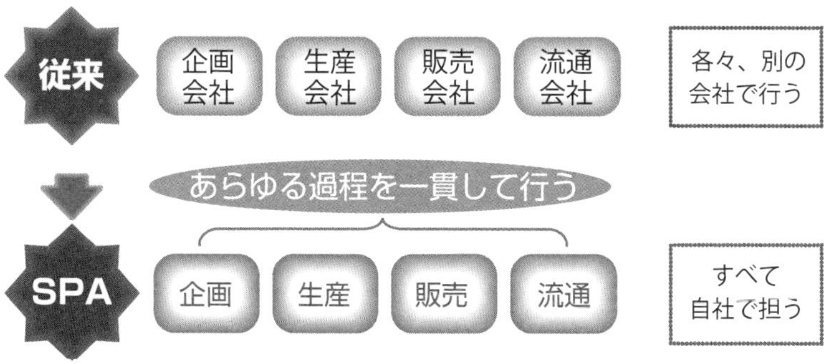

1-10 店舗形態別

百貨店の特徴と商品政策

POINT

① **百貨店の仕入方法は、百貨店に保管責任がない消化仕入と、保管責任がある買取仕入がある**

② **求められる自主マーチャンダイジングの展開**

■百貨店の特徴と歴史

百貨店（DS＝Department Store）は、同一資本の運営管理のもと、衣食住健美遊などの分野を中心にさまざまな高級商品を総合的に取り扱い、華麗な売場を店舗内に展開する大規模小売店舗です。衣食住のフルラインの商品を取り扱った売場は部門別で配置され、対面販売方式により豊富なサービスが提供されます。

百貨店では顧客ベネフィット（商品やサービスから得られる便益）を提供するため、さまざまな商品を関連購買できるワンストップショッピング（P.41）や比較購買できるコンパリゾンショッピングを実現しています。

■百貨店の商品政策

百貨店が取り扱う商品は、衣料品を中心に服飾雑貨や室内用品、ギフト用品が中心です。ブランド品を中心に高級品を比較的多く扱っているのが特徴で、小売業が自由に価格を決定するオープンプライスではなく、定価販売あるいはメーカー希望小売価格での販売が原則となっています。

■百貨店の仕入・取引形態 重要

百貨店の仕入・取引形態には、次の2つがあります。

1）消化仕入

百貨店独自の商慣行であり、サプライヤー（メーカー）や問屋が商品を百貨店に引き渡した後も、その商品の所有権や保管責任はサプライヤーや問屋側にあります。消費者に販売された時点ではじめて仕入とする取引で（サプライヤーから小売店へ、小売店から消費者へと所有権が移転）、売上仕入とも呼ばれています。商品が売れ残った場合は、サプライヤーや問屋が回収します。この仕入による商品は、サプライヤーや問屋から派遣される派遣店員を通じて販売されるケースもあるため、百貨店は自社の人件費の負担を軽減できます。

消化仕入の場合、サプライヤーとの商談で仕入れる商品や数量、販売価格を決めます。仕入価格（原価）は消化率によって変動し、売れ残りのない状態である消化率 100% に近づくほど、インセンティブ（報償）として仕入価格は引き下げられます。

2）買取仕入

サプライヤーや問屋が百貨店に商品を引き渡した時点で、その商品の所有権や保管責任は百貨店側に移ります。百貨店が仕入れた商品は、契約不適合（契約に定める機能・品質等が備わっていないこと）などがない限り返品不可であり、在庫リスクは百貨店側が負うことになります。販売も派遣店員でなく、百貨店の店員が行います。

■自主マーチャンダイジング

商品を買取仕入することを、自主マーチャンダイジングといいます。従来のようにサプライヤーや問屋などのマーチャンダイジング力（商品政策）に依存しているだけでは、多様化する顧客ニーズに対応できないため、百貨店の自主マーチャンダイジングへの取り組みは近年、少しずつ推進されてきています。ただし、いまだ一部の商品にとどまっているのが現状です。

なお、最も高度な自主マーチャンダイジングの展開は、商品開発から販売まで行うプライベートブランド（PB）商品（P.162）の SPA 開発になります。

●自主マーチャンダイジングのポイント

① 粗利益率を高めることが可能

② 品ぞろえの差別化が可能

③ 多様化する顧客ニーズへの対応が可能

④ 値下ロス・廃棄ロスのリスク

⑤ バイヤーや販売員に高い能力が必要

■構造改革への取り組み

百貨店は、近年の消費環境に対応するために次のような改革を行ってきました。

1）コスト削減

百貨店において、店舗運営にかかるコストの削減は業界で生き残るための重要な戦略となっています。中でも固定費の大きな比重を占める人件費の削減は今日まで徹底されており、特にバブル以降は新規採用の中止や早期退職者を募る百貨店が相次ぎました。

2）自主マーチャンダイジング

販売力強化の一環として、従来までの百貨店の特徴であった消化仕入の割合を減らし、百貨店自らが責任を持って仕入れて売り切る自主マーチャンダイジング強化型へと転換しています。また、ブランドの枠にとらわれない自主編集（自らアソートメントした商品で売場を構成）にも取り組んでいます。

3）顧客層開拓

トレンドでもあるカジュアル化への対応として、低価格を掲げるファッション専門店チェーンなど、高級路線にとらわれない店舗をテナントとして積極的に誘致する戦略へと転換しています。このことによって、新しい客層を店舗に呼び込むことに成功しています。

4）一括仕入政策

チェーンストア形態ではない百貨店は、商品を一括仕入することはしていませんでした。しかし、各店舗に共通する商品に限定すれば一括仕入が可能なため、仕入政策面が大きく見直されています。

一括仕入する方法を導入するため、一部の仕入について地域ごとの仕入窓口となる基幹店舗を設置。1品目当たりの発注数量をまとめることによって、仕入価格の引き下げをはかっています。

5）強み部門強化

デパ地下の愛称で親しまれている食品売場は、百貨店の魅力の大きな柱の一つです。百貨店のターミナル立地を活かして、ショッピング客や通勤帰りの顧客を対象に総菜や生鮮食品などの販売を積極的に行っています。この集客力の高い食品売場を強化するべく、新たにエスニック料理をはじめとする世界各国の人気料理を取り扱うなど、味のプロムナードの専門化・高級化をはかっています。

1-11 店舗形態別

総合品ぞろえスーパーの特徴と商品政策

POINT
① 法的規制は大規模小売店舗法（大店法）から大規模小売店舗立地法（大店立地法）へ
② ショッピングセンターへの出店が増加

■総合品ぞろえスーパーの定義

総合品ぞろえスーパーは、日用品を幅広く品ぞろえしてワンストップショッピングを実現した店舗形態です。商品をセルフサービス販売方式で提供する形態であり、イオンやイトーヨーカ堂が代表的な企業です。

本来アメリカでGMSと呼ばれて発展してきましたが、家庭で消費される非食品のなかで車を除いたものである、とアメリカでは定義されています。つまり、衣料品と住関連用品の分野にわたる商品を、多品種大量販売する大型量販小売業です。

一方、日本の総合品ぞろえスーパーは、食品を扱っていることが特徴です。スーパーマーケットも同じ商品を取り扱っていますが、総合品ぞろえスーパーは食料品の取り扱いが商品全体の50%程度となっています。

■総合品ぞろえスーパーの特徴 重要

総合品ぞろえスーパーは顧客層を限定せず、誰でも、何でも安く販売することから「スーパー」という名で親しまれてきました。しかし、近年、低販売価格の専門大型小売業の台頭により、総合品ぞろえスーパーの業績は減少傾向にあります。

1）ワンストップショッピング

1か所で、ある生活シーンに必要な商品をまとめ買いすることをいいます。日本の総合品ぞろえスーパーは、重層式の建物に衣・食・住の日常品をフルラインで品ぞろえし、ワンストップショッピングを実現しています。

フルラインの品ぞろえをするために店舗は大型化しており、10,000㎡を超える店舗も出現しています。

●総合品ぞろえスーパー・運営の特徴

① 標準化された大型店を多店舗展開

② 本部による集中オペレーション

③ 店舗は販売機能を遂行

④ 物流センターの設置でロジスティクス*を効率化

＊物流から販売までの過程を科学的にとらえて構築する仕組み。

2）法的規制

日本の小売業は、中小零細小売業が大部分を占めていることもあり、大規模店の出店を規制する法律が存在しました。大規模小売店が百貨店のみの時代は、百貨店法が、その後、総合品ぞろえスーパーなどの大型店の出店にともない、大規模小売店舗法（大店法）が制定されました。

現在、この法律は廃止され、従来のような大規模店の規制ではなく、大規模店が立地する周辺環境の保全を目的とした大規模小売店舗立地法（大店立地法）が制定されています。

①大規模小売店舗法（大店法）

百貨店法のように、百貨店だけを対象とするのではなく、一定以上の売場面積を持つ大規模小売店舗について、開店日、売場面積、営業時間、営業日数などについて規制する法律です。2000年に大規模小売店舗立地法が施行されるとともに廃止されました。

②大規模小売店舗立地法（大店立地法）

中小小売業の保護を目的とした大規模小売店舗法とは異なり、地域住民の周辺環境を保護することを目的として制定されました。具体的には、交通（駐車場）、騒音、廃棄物について数値基準などを設けています。

3）ショッピングセンター化

近年は、従来のような駅前立地でなく、大型駐車場を備え、専門店やそのほかの施設を計画的に配置したショッピングセンターの出店が増加しています。総合品ぞろえスーパーがディベロッパーとなり、自らが核店舗（顧客を誘引するための中心的な店舗）として出店するのが特徴で、ショッピングセンター全体としてより幅広い品ぞろえとサービスの提供を実現し、顧客満足の充実をはかっています。

なお、ディベロッパーは開発業者のことをいい、ショッピングセンターでは核店舗や専門店、そのほかの施設の配置を計画し、小売業者を誘致し、ショッピングセンター全体を管理運営する業者になります。

■総合品ぞろえスーパーの商品政策

総合品ぞろえスーパーは、食料品、衣料品、住関連商品のフルライン商品構成を低価格で販売することにより成長してきました。

しかし近年、低価格型の量販型大型専門店の台頭により、総合品ぞろえスーパーは低迷しています。店舗の大型化が進んだ総合品ぞろえスーパーは、販売管理費などの経費増加が避けられず、価格訴求力が弱まっています。

品ぞろえにおいても、家電量販店やカジュアルウェアの量販店などの専門店は、その分野において総合品ぞろえスーパーの売場よりも豊富な品ぞろえを実現しています。対策として、総合品ぞろえスーパーは、次のような政策転換を迫られています。

●総合品ぞろえスーパーの政策転換

① 利益部門の強化	家電量販店などの量販型専門店の出現で、利益部門と不採算部門が明確になってきているため、利益部門の強化を徹底する。
② 不採算部門から撤退しテナントとして賃貸	利益の出ない不採算部門は撤退し、空いた売場は量販型専門店をテナントとして募り、賃貸収入を得る形で収益を確保。

■ネットスーパーの展開

商圏内での自店の顧客シェア拡大を目指して、ネットスーパーを展開する総合品ぞろえスーパーが増えています。ネットスーパーには、インターネットで注文を受けた商品を店舗で集荷（ピッキングと仕分け）して、顧客の自宅に配送するタイプと、専用の集荷センターから顧客の自宅に配送するタイプがあります。

今後、超高齢社会の進行や、共稼ぎの家庭の増加などを背景に、ネットスーパーは利用者の増加が見込まれています。

1-12 店舗形態別 スーパーマーケットの特徴と商品政策

POINT
① 食の安全では、トレーサビリティの導入や、衛生管理の徹底が求められる
② さらなる利便性と品質性を追求することが重要

■スーパーマーケットの商品政策 重要

スーパーマーケットは生鮮食料品を中心に、毎日の生活に欠かせない食材の提供とすぐに食べられる総菜、日配品を品ぞろえし、低価格で販売しています。

1）生鮮三品

スーパーマーケットの主力取扱商品です。関連購買を促進して調味料などの加工食品を同時に購買してもらえれば、買い上げ点数の増加による客単価の向上が実現できます。

2）ミールソリューション

食事に関する問題解決のことをいいます。売場内でメニューの提案をすることで、主婦の買い物のサポートを行います。ミールソリューションは、ただ単にメニューを提案するのではなく、自店で取り扱う商品で、どのような料理ができるのかを売場内で提案していくものです。

3）プライベートブランド（PB）商品の強化

総合品ぞろえスーパーに対抗するため、プライベートブランド（PB）商品(P.162)の開発に力を入れています。自社では開発が困難な小規模のスーパーマーケットでは、ボランタリーチェーンに加盟することで、価格訴求力があり、高い粗利益が獲得できる商品の品ぞろえを行っていきます。

4）食の安全

最も基本的な政策として重視されなければなりません。商品の流通経路を生産段階から追跡できるトレーサビリティの導入や、衛生管理の徹底が求められます。

また、地元の生産品を地元で消費するという地産地消の動きも活発化しており、コーナー展開する店舗が増えています。

●トレーサビリティの仕組み

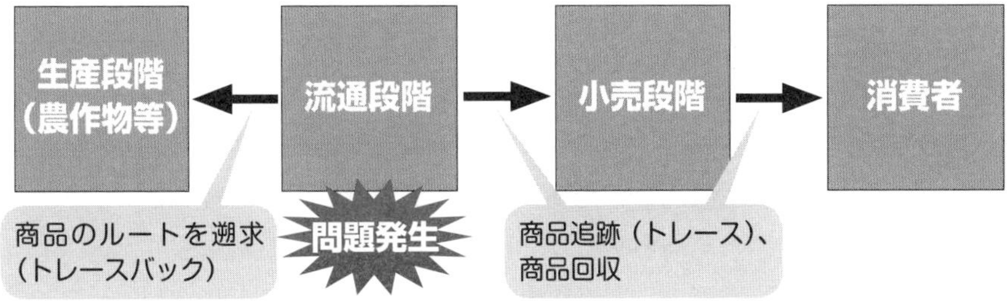

■今後の方向性

1）ライフスタイルの変化への対応

日本のスーパーマーケット業界は、基本とする店舗形態を持ちつつ、消費者のライフスタイルの変化に合わせるために、さまざまなタイプの業態を模索しています。食を中心としたライフスタイルの変化要因として、大きくは2つの軸があり、それぞれ簡便化と拡大化の志向があります。

①時間節約

外で働く主婦が増えたことで、食事の準備にかけられる時間が減少しています。極力、手間をかけずにすませたいというニーズから、調理の手間が省ける商品や、調理済みの惣菜などの中食が人気です（簡便化志向）。また、休日は家事の時間を短縮してでも、レジャーに時間を費やしたいと考える傾向にあります（拡大化志向）。

②グルメ追求

グルメなど、食に関しての本物志向の消費者が多くなりました。それにともない、本物の食を誰もが簡単に追求できる外食需要は、近年高い水準で推移しています（簡便化志向）。スーパーマーケットでも、少々高額であっても味のよい惣菜や商品へのニーズが高まっています（拡大化志向）。

2）ワンストップコンビニエンス

従来のスーパーマーケット業界の政策は、セルフサービスによる低価格政策や大量販売政策だけでした。しかし、近年はストアロイヤルティ（店舗への愛顧心・忠誠心）を獲得するため、消費者のライフスタイルに合ったサービスと機能の複合化の追求を重要視しています。そして、価格とサービスを両輪としつつも、新たな業態の確立を目指しています（独創化）。

独創化の実現には、まとめ買いの利便性（ワンストップショッピング）の提供のみならず、各地域のニーズに合った品ぞろえやマーケティングを展開することが必要です。

そのためスーパーマーケットでは、より高級感のある惣菜などの販売から、インターネットや通信販売などで購入した商品の受け渡し、各種チケットの販売など、生活に密着したあらゆるサービス機能を提供する利便性（ワンストップコンビニエンス）を追求していきます。

3）利便性と品質性の追求

これまで消費者は、スーパーマーケットに最寄性を求めて購買行動を起こしてきました。しかし、今後のスーパーマーケットは、さらなる「利便性」と「品質性」を追求することが重要です。

●スーパーマーケットで追求すべき要素

	スーパーマーケットに求められる要素	マーチャンダイジング
① 利便性	スーパーマーケットの役割は従来の「食材提供業」から「家庭の台所機能の拡大」へと移りつつある。これは、女性の社会進出の増加やレジャーの高まりにともなって、時間に余裕のない消費者が増加していることが要因。スーパーマーケットには、タイムセービング（時間の節約）に対応したマーケティングやマーチャンダイジングの強化が求められる。	・生鮮６品の分類 ・生活関連部門の拡充 ・産地・海外の広域的マーチャンダイジング（エスニック等）
② 品質性	従来の「仕入れた生鮮食料品の鮮度を保ちながら、いかに長く保存させるか」から、「遠距離から届けられる商品をジャスト・イン・タイムで仕入れ、短時間で売り切るシステムの確立」という考え方への転換が重要。つまり、「鮮度管理システム」から「商品保存時間短縮機能」への移行であり、保存という概念を変えることが求められる。	・高級化志向の比重増加 ・開発商品の拡大（プライベート・ブランド）

1-13 店舗形態別

ホームセンターの特徴と商品政策

POINT

① 日曜大工商品が充実するDIY型ホームセンターとコモディティ商品中心のバラエティ型ホームセンター

② 地代が安い郊外でのロードサイドの立地が基本

■損益分岐点の低い店舗運営

スーパーマーケットやコンビニエンスストアなどコモディティ商品を扱うほかの店舗形態と比較すると、ホームセンターの商品回転率は低く、売場面積当たりの売上高も低めとなっています。

そのため、比較的少ない売上高でも利益を獲得しやすい損益分岐点（P.75、237）の低い店舗運営が求められます。つまり、ホームセンターには、売上高に占める人件費や地代家賃の比率を低く抑え、店舗を標準化させるといったローコストオペレーションでの店舗運営が求められているのです。

■ホームセンターの運営の形態 重要

近年の傾向として店舗の大型化があります。売場面積を拡大させて、品ぞろえ強化のために資材館の設置や、農業需要をねらった園芸コーナーの拡張などを行うケースが多くなりました。

1）DIY型ホームセンター

業者にも対応できるように、商品構成の専門化を推進しており、大工道具や園芸用品などに重点を置いた品ぞろえが中心になります。ねじやボルトなど、取扱アイテム数が非常に多く、商品回転率（P.93）が低い金物系の商品が多いため、売場での在庫管理が複雑です。基本的には本部で集中仕入を行います。

販売面では、セルフサービス販売方式を採用していますが、商品説明が必要な商品が多いことから、対面販売方式とセルフサービス販売方式の中間的なセミ・セルフサービス販売方式を行っています。

2）バラエティ型ホームセンター

紙類や洗剤、食料品などのコモディティ商品を中心に品ぞろえし、総合品ぞろえスーパーの弱点である、住生活用品と日用品を低価格で販売することで集客力を高めています。競合店との競争にも耐えられるよう、徹底したチェーンオペレーションで運営の効率化を追求しています。

■ホームセンターの商品政策

DIY型ホームセンターはDIY関連用品や園芸用品などの割合が高く、バラエティ型ホームセンターは家庭日用品の割合が高くなっています。近年、日用雑貨の販売に力を入れているドラッグストアが日用品を低価格で販売するようになり、バラエティ型ホームセンターとの競争が激しくなっています。

また、小ロット多品目で効率的に商品を調達するには、卸売業の協力や物流センターの整備が条件となります。それを満たすため、卸売業と小売業の両事業を並行して行う企業や、物流センターを自社で運営する企業もあります。さらに、海外から直接商品を調達して、仕入価格の低減をはかる企業もあります。

■ホームセンターの店舗・立地

ホームセンターの取扱商品には、車を使用して持ち帰る大型商品や、店舗外で販売される園芸用品や資材などがあるため、広い駐車場と大型の店舗施設が必要です。ローコストオペレーションを実現するためにも、地代が安い郊外でのロードサイドの立地が基本となります。店舗施設については、重量の大きい商品もしくは大型商品を置きやすくし、さらに店舗の建設費用を低減させる効果があるワンフロアの平屋建てとなっています。

売場面積は1,000㎡～10,000㎡とさまざまですが、バラエティ型ホームセンターよりもDIY型ホームセンターのほうが大きい傾向にあります。より大型のスーパーホームセンターであれば、6,000㎡を超える売場面積が一般的になってきます。

●ホームセンターの店舗・立地の特徴

① 広い駐車場と大型の店舗施設が必要

② 地代が安い郊外でのロードサイドが基本

③ 店舗はワンフロアの平屋建て

1-14 店舗形態別

ドラッグストアの特徴と商品政策

POINT
① 自分自身の健康に責任を持ち、軽度な体の不調は自分で手当てするのがセルフメディケーション
② 調剤部門と学術部門の設置が組織的な特徴

■ドラッグストアの定義

医薬品や化粧品、健康と美容（H&BC：Health & Beauty Care）に関連する商品や、日用雑貨、加工食品などがドラッグストア（DgS = Drug Store）で取り扱われる商品で、セルフサービス販売方式を採用しています。自分の健康は自分で守るというセルフメディケーションの推進役でもあり、専門知識を持った薬剤師によるアドバイスや、サプリメントと機能性食品の品ぞろえの強化によって、ライフスタイルコーディネートとしての役割を果たします。

1）セルフメディケーション

WHO（世界保健機関）では、自分自身の健康に責任を持ち、軽度な体の不調は自分で手当てすることと定義しています。

2）機能性食品

サプリメントなどの体調調節機能を持つ食品のことです。

■ドラッグストアの特徴

ドラッグストアは、メインターゲットを女性としているため、医薬品よりも化粧品や健康食品、トイレタリー商品を品ぞろえの中心として扱っています。また、「美と健康を提供する」というH&BCのコンセプトのもとに、化粧品や薬品、シャンプーといった物質的な区別よりも、その商品が提供する価値的な区分を重視しています。

ドラッグストアで取り扱う医薬品は高付加価値商品です。それで得られた利益を、食品などの生活必需品の低価格販売に用いることで来店客数を増やし、売上の増加をはかっているのもこの店舗形態ならではといえます。

また、ドラッグストアの組織的な面での特徴は、調剤部門と学術部門を設置

している企業があることです。

1）調剤部門

医療機関から出された処方箋を患者から受け取り、薬剤師による医療用医薬品の調合や、医薬品に関する情報提供を行う部門です。医療機関内に調剤薬局を持たない医薬分業が進み、ドラッグストアの売場に調剤施設を設置する流れが加速しています。

2）学術部門

製薬メーカーからの医薬品情報を収集したり、店舗の薬剤師の調剤およびカウンセリング教育などを行う部門で、本部に設置されます。

■ドラッグストアで取り扱う医薬品 重要

医薬品医療機器等法では、一般用医薬品は第１類医薬品、第２類医薬品、第３類医薬品の３つに分類されています。第１類医薬品は薬剤師でないと販売できませんが、第２類医薬品と第３類医薬品は、登録販売者でも販売できるようになっています。

1）一般用医薬品

病院の処方箋がなくても買うことのできる医薬品です。一般薬や大衆薬、市販薬、売場のカウンター越しで販売されることから OTC（Over The Counter）医薬品と呼ばれることもあります。

●医薬品医療機器等法での分類

① 第１類医薬品	一般用医薬品として使用経験が少ない、副作用が強いなど、安全上特に注意を要する成分を含む医薬品。
② 第２類医薬品	まれに入院相当以上の健康被害が生じる可能性がある成分を含む医薬品。
③ 第３類医薬品	日常生活に支障を来すほどではないが、身体の変調・不調が起こる可能性がある成分を含む医薬品。

2）医療用医薬品

医療機関の医師の診断と処方にもとづいて使用される医薬品です。

■業界の現状と課題

ドラッグストア（DgS）業界は、平成の約30年間で安定した成長を遂げてきました。現在DgSの企業数は409社、店舗数は21,284店、推定売上高は8兆363億円（対前年比4.6%増）となっています（日本チェーンドラッグストア協会「日本のドラッグストア実態調査　2020年度版」）。しかし、市場環境の変化もあり、取り組むべき課題も出てきています。

● DgS成長のポイント

① ワンストップショッピングの強化

② インバウンド（訪日外国人）需要の取り込み

③ 消費者の健康生活への高まりに対応できるストアフォーマット（店舗形態）の開発

1）ワンストップショッピング・ニーズ

本来、一般用医薬品を主に取り扱っていたDgSでしたが、より幅広い顧客ニーズに応えるため、調剤部門の併設も積極的に行っています。また、「食と健康」という新しい市場を創出し、飲食料品の取り扱いを強化。売上の増加とともに、自店ですべての買い物が済ませられるような戦略をはかっています。このことにより、食品を主な取り扱い商品とするスーパーマーケットやコンビニエンスストアもDgSの競合店となっています。

2）インバウンド

有力なDgS企業が、インバウンド（訪日外国人旅行者）対応店舗を積極的に出店したことで、DgSはインバウンドの買物場所として、CVS、空港の免税店に次ぐ存在になっています。

3）M&A

DgS企業によるM&A（企業の合併・買収）により、企業数は以前と比べて減少する一方、売上高上位の大手DgS企業が占める市場シェアが高まりました。これら店舗の拡大を進める大手DgSの戦略もあって、現在では2万店を超える店舗数を持つ業界になりました。

その結果、1店舗当たりの人口が減少するオーバーストア化の状況となっており、今後は店舗の差別化をはかることが大きな課題となっています。

1-15 店舗形態別 コンビニエンスストアの特徴と商品政策

POINT
① フランチャイズ・システムを導入
② 生鮮三品の導入で来店比率の低かった家庭の主婦や高齢者層もターゲットに

■コンビニエンスストアの特徴 重要

1）標準化

コンビニエンスストアは、本部の経営ノウハウや店舗施設、商品構成、サービス、オペレーションを標準化しています。そのうえで、売場面積30坪（約100㎡）の小型店舗に約3,000アイテムを品ぞろえするということを、日本でのコンビニエンスストア誕生以来貫いており、世界でも稀有なビジネスモデルとなっています。

2）フランチャイズ・システム

コンビニエンスストアなどで導入されているのがフランチャイズ・システム（P.31）です。フランチャイザー（本部）は商品開発や販売促進、人材教育などのチェーン店運営のノウハウを、フランチャイジー（加盟店）に提供します。フランチャイジーはそのノウハウに対して、ロイヤルティという形で対価を支払う契約を結びます。

フランチャイジーのオーナーは、小売業経営のノウハウがなく、自己資金が少なくても開業しやすいのが特徴です。フランチャイザーにとっても、レギュラーチェーンに比べて少ない資金で大量出店できるメリットがあります。フランチャイズ・システムは、売場面積や店舗面積、ストアフォーマットの運営の画一化・標準化とともに、多店舗展開を可能にする要因となっています。

3）流通革新

POSシステム（P.97）をいち早く導入することで、徹底した単品管理を行っています。また、仕入でもPOSデータと連動したEOS（P.110）を導入することで、店舗運営のシステム化を実現しました。

効率的な物流を意味するロジスティクス面でも、多頻度小口納品システムや、時間帯別、温度帯別の納品など、日本の流通機構の改革に大きな影響を与えました。

4）立地の多様化

かつては、駅前の商店街などの商業集積地への出店が中心でしたが、今日では、郊外はもとより都心のオフィス街や駅ナカ、病院や大学内など15坪程度の面積でも一定量の需要が見込める立地であれば積極的に出店しています。

■コンビニエンスストアの商品政策

1）単品管理

これ以上分類することができないSKU（絶対単品）レベルで単品管理を行っているため、売れ筋商品を徹底的に追求し、死に筋商品を速やかに排除できます。単品管理でのデータにもとづいて、3,000アイテムの品ぞろえのうち、3分の2を1年間で入れ替えることで、品ぞろえの新鮮さを実現しています。

2）主力商品

加工食品や日用雑貨などを中心としたグロサリーと、弁当や総菜、おにぎり、サンドイッチなどのファストフードが主力商品で、これらの加工食品と日配食品で売上の70%近くを占めています。また、大手コンビニエンスストアを中心に、グロサリーについてはプライベートブランド（PB）商品（P.162）の開発、ファストフードについてはオリジナル商品の開発に力を入れています。

3）サービス品目の拡大

24時間営業の店舗が大半を占めるコンビニエンスストアは、ATMの設置やチケット購入サービスにとどまらず、公共料金の収納代行も行うなど公共機関の窓口にもなっています。

近年では、高齢社会の進展に対応するため、宅配業者と提携して、店舗で取り扱っている商品の宅配事業も行っています。

4）生鮮三品の導入

成長の一途をたどっていたコンビニエンスストアも、店舗数の増加にともない成長の鈍化がみられます。新たな成長を遂げるべく、店舗での生鮮三品の導入が開始されています。

この新たな試みで、来店比率の低かった家庭の主婦や高齢者層もターゲットとし、幅広い客層の集客を目指します。

1-16 店舗形態別 スーパーセンターの特徴と商品政策

POINT
① EDLPにより低価格販売を実現
② 店舗構造はワンフロアでノーフリル型店舗を採用

■スーパーセンターの定義

スーパーセンター（SuC = Super Center）は、非食料品を中心としたディスカウントストアと、食料品中心のスーパーマーケットにドラッグストアを融合させた、衣食住遊のフルライン商品構成の大型小売形態です。世界最大手の小売業であるウォルマートが開発しました。

■スーパーセンターの特徴 重要

1）EDLP政策

エブリデイ・ロープライス（EDLP）という価格政策に特徴があります。スーパーマーケットは、チラシ広告などに掲載した商品を一定期間低価格で販売し、その期間が終了すると通常価格に戻すなど、同一商品の価格を上下させる価格政策をとるのが一般的です。

これに対して、スーパーセンターが行っているEDLPは、大部分の定番商品をいつでも低価格で販売します。EDLPを実現するために、一般的なスーパーマーケットより値入率（P.87）を低く設定し、粗利益率よりも商品回転率（P.93）を高めることで、利益を確保していきます。

また、チラシ広告を廃止するなどの方法で、販売費を徹底して低減するエブリデイ・ローコスト（EDLC）も行っています。

2）ルーラル立地とワンフロア構造

ルーラルとは田舎を意味します。ルーラルにはスーパーセンターに対抗できるフルラインでワンストップショッピングが可能な競争店が少なく、当該エリアで圧倒的な顧客シェアを獲得できる可能性があります。

また、ルーラルは地価が安いため、その分、低価格での商品提供を行うことができ、大規模な店舗施設や駐車場の整備をローコストで実現できます。

店舗施設はワンフロア構造が原則であり、陳列什器はウェアハウスラックというローコストの什器を用いています。ワンフロア構造は、エレベーターやエスカレーターといった設備を設置する必要がないため、建築コストを低く抑えることができます。そして、内外装の装飾を最小限に抑えたノーフリル型店舗が採用されています。

●スーパーセンターのポイント

① EDLP という価格政策

② ローコストを実現するルーラル立地

③ 建築コストを抑えるワンフロア構造・ノーフリル型店舗

■スーパーセンターの商品政策

EDLP による商品政策は、単品大量仕入でバイングパワーを活かして仕入原価の低減をはかり、低価格を実現することです。単品大量販売を行うため、スーパーマーケットなどに比べると、単品を陳列する際のフェイス数は多めになります。また、単品を大量陳列することによって、一つひとつの商品がより目立つ効果も生まれます。

スーパーセンターの商品カテゴリーごとの価格構成は、安さをアピールするため低いプライスラインを中心としています。スーパーセンターの代表的企業であるウォルマートは、商品カテゴリーごとの最低プライスラインに超低価格の PB 商品を配置することで、自店の安さをより一層印象付ける戦略をとっています。

●商品政策での基礎用語

① フェイス数	ゴンドラ（陳列棚）に商品を陳列した時に、顧客側に向けて並べられた商品の列の数をいう。
② プライスライン	商品一つひとつの価格のこと。商品カテゴリーごとに、プライスゾーン（価格帯）が設定され、そのプライスゾーンの範囲内でプライスライン（品目ごとの売価）が設定される。

1-17 店舗形態別 生協（消費生活協同組合）の特徴と仕組み

POINT
① **出資・利用・運営すべてを組合員自身が行う**
② **生協の事業には、物資の購買事業、利用事業、生活文化事業、共済事業、教育事業がある**

■生協の仕組み 重要

生協の仕組みには、次のような特徴があります。

1）出資・利用・運営

生協は、原則として組合員自身がすべてを行います。出資はもとより、共同購入やさまざまなサービスを受けるのも組合員自身であり、運営自体も組合員がさまざまな意見を出し合う形で参加します。すなわち、出資、利用、運営の３つの役割をすべて組合員が行う「三位一体組織」になります。

2）加入と運営

生協への加入に資格はなく、誰もが組合員になることができます。ただし、運営資金である出資金自体も組合員の出資からなるため、生協に加入するためには出資することが条件になります。出資金に応じて、事業で利益が出たときの配当金も出されます。出資金は脱退時に全額返金されます。

●生協の機関運営

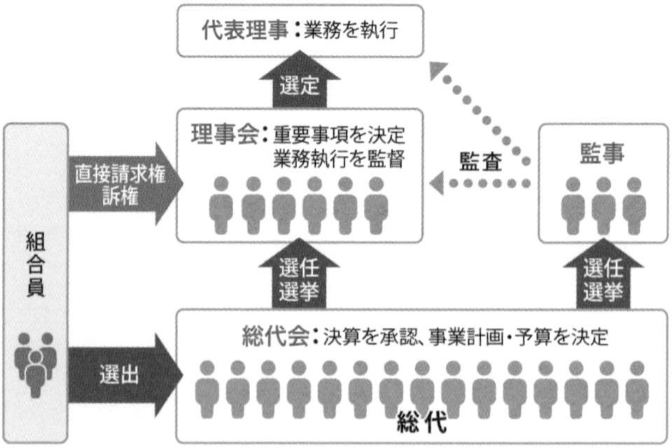

※出所：日本生活協同組合連合会 HP より

■生協の主な共同事業の内容

消費生活協同組合法において、生協で行うことのできる事業を次のように規定しています。

1）物資の購買事業

組合員の生活に必要な物資を生産・購入し、加工が必要なものは加工したうえで組合員に供給する事業です。

2）利用事業

組合員の生活に有用な共同施設を設置し、組合員に利用してもらう事業です。食堂や理容、病院、旅行業務などがあります。

3）生活文化事業

組合員の生活の改善や文化の向上をはかるもので、講習会や映画会、音楽会を開催する事業です。

4）共済事業

生命共済、火災共済、自動車共済などによって不測の事態から組合員の生活を守る事業です。

5）教育事業

職員に対する各種の講習会や研修会など、組合員と組合従業員の組合事業についての知識向上をはかる事業です。

■個配とコープネット

生協の特徴の一つが共同購入でしたが、社会の変化で変わりつつあります。

1）個配

従来、生協の原動力は、近所の組合員同士が数世帯で班を作って、生協からまとめ買いをする共同購入事業でした。しかし、近年は時間の都合で共同購入ができなかったり、近くに生協の店舗がないなどの理由により、個人宅配である個配事業が牽引役を果たしています。

2）コープネット

「よりよく、より安く、より便利に」を追求する、1都7県の地域生協が構築している新しいネットワークです。商品の共同開発、共同仕入、無店舗事業の商品企画などの機能統合を進め、会員に対するより安い商品提供やトータルコストの削減に努めています。

練習問題

次の設問で、正しいものには○を、誤っているものには×を選びなさい。

問題 1　所有権移転機能は、売買で商品の所有権が移転する諸活動のことで、売買契約は所有権移転の代表的なものになる。

問題 2　流通は循環システムの要として、生産と消費の橋渡しをすることにより、両者を結合する経済的役割を果たしている。

問題 3　真空地帯理論とは、小売業の発展を、提供される製品と小売サービスの組み合わせで説明したものである。

問題 4　フランスの小売業であるカルフールを起源とするハイパーマーケットは、売場面積が 10,000㎡以上の大型のセルフサービス店である。

問題 5　総合品ぞろえスーパーは、各店舗が個別管理するオペレーションにより効率化をはかる運営を行っている。

問題 6　ボランタリーチェーン（VC）は、本部からの戦略的な投資による、持続的な利益の還元を受けることができる。

問題 7　チェーンストアにおける規格化とは、商品や売り方を統一し、共通の商品と品ぞろえで対応することであり、店舗の整備は含まない。

問題 8　マス・マーチャンダイジングは、商品買付力を前提にしたうえでの、商品計画の立案から大量販売、保管や配送、ディスプレイなどあらゆる活動の全プロセスの総称である。

問題 9　専門店は、一般的にセルフサービス販売方式もしくは対面販売方式を採用している。

問題 10　バラエティ型ホームセンターでは、住生活用品と日用品を低価格で販売することで集客力を高めている。

問題 11　コストコはウォルマートの会員制スーパーマーケットであるサムズと並んで、ホールセールクラブの代名詞的な存在である。

次の設問の【　　】のなかに当てはまるものとして、最も適当なものを選びなさい。

問題 12　デフレ経済下における小売業経営の基本は、【　　】を低く抑えることにある。

[商品回転率　　値入率　　粗利益率　　損益分岐点]

問題 13　【　　】とは、フランチャイジーがフランチャイザーに月毎に支払う経営指導料のことをいう。

[オープンアカウント　　ロイヤルティ　　テリトリー権　　リベート]

問題 14　チェーンストアは、多数の店舗が同じ方法で継続的に運営される規格化、標準化、【　　】を行っていくことが求められる。

[一般化　　複雑化　　単純化　　効率化]

問題 15　ドラッグストア（DgS）業界の成長のポイントとしては、処方箋を扱う【　　】部門の取り込みなどによるワンストップショッピングの強化などが挙げられる。

[衣料　　調剤　　H&BC　　一般医薬品販売]

問題 16　スーパーマーケットは、通信販売などで購入した商品の受け渡しなど、あらゆるサービス機能を提供する【　　】を追求している。

[セントラルバイング・システム　　ワンストップコンビニエンス
マス・マーチャンダイジング　　ワンストップショッピング]

解答解説

問題 1　○　所有権移転は商流（商的流通）の機能であり、引き渡しまでに商品が破損するといったリスクがともないます。

問題 2　×　生産と消費の橋渡しをすることは、社会的役割です。経済的役割には取引総数単純化の原理と集中貯蔵の原理などがあります。

問題 3　×　真空地帯理論とは、価格やサービス水準に偏りが生じ、市場に真空地帯ができて、そこに新たな小売業が参入してくるというものです。

問題 4　○　ハイパーマーケットは、衣料、住関連用品などすべての生活必需品を品ぞろえし、価格訴求力も持つ大型のセルフサービス店です。

問題 5　×　総合品ぞろえスーパーは、本部が集中管理するチェーンオペレーションによって効率化がはかられています。

問題 6　○　VC は、加盟店によって結成された組織です。加盟店は本部の利益から、戦略的投資の利益還元を受けることができます。

問題 7　×　チェーンストアにおける規格化とは、一定の原則や基準にもとづいて、店舗や商品などを整備していくということです。

問題 8　○　マス･マーチャンダイジングは大量の商品の買付力を前提とします。

問題 9　○　専門店では、一般にセルフサービス方式、もしくは対面販売方式の2つの販売方式のどちらかを採用しています。また、スポーツ用品専門店やスーツ専門店、家電量販店など取扱品種を限定する場合と、アウトドア用品専門店など利用目的に合わせたものがあります。

問題 10　○　バラエティ型ホームセンターでは、総合品ぞろえスーパーの弱点である、紙類や洗剤などのコモディティ商品を中心に品ぞろえしています。

問題 11　○　ホールセールクラブは、商品持ち帰りの販売形態で、会員構成は事業者だけでなく、一般消費者も対象としています。

問題 12　**損益分岐点**　損益分岐点を低く抑えるためには、販売管理費（販売費及び一般管理費）を極力低く抑える必要があります。

問題 13　**ロイヤルティ**　ロイヤルティとは、フランチャイジーがフランチャイザーに支払う経営指導料になります。また、フランチャイジーがフランチャイザーに支払う加盟料をイニシャルフィーといいます。

問題 14　**単純化**　組織小売業であるチェーンストアは、規格化、標準化、単純化し、多店舗を運営します。

問題 15　**調剤**　DgS 業界では、調剤部門の取り込みが成長につながりました。ワンストップショッピングを可能にした飲食料品の拡充も、DgS 業界成長のポイントの一つです。

問題 16　**ワンストップコンビニエンス**　スーパーマーケットが追求する、あらゆるサービス機能を提供する利便性のことを、ワンストップコンビニエンスといいます。

2

マーチャンダイジング

小売業で最も大事なことは、
どんな品ぞろえをするかという点です。
品ぞろえを含む諸活動がマーチャンダイジングであり、
顧客の誘引性や満足度の向上、
ひいては売上や利益に大きく影響します。
ここでは、マーチャンダイジングの戦略的展開から、
商品計画、販売計画、仕入計画、
販売政策、物流政策までを学びます。

2-1 戦略的展開 マーチャンダイジングの概念

POINT

① 製造段階では製品（プロダクト）、流通・小売段階では商品（マーチャンダイズ）に変化

② マーチャンダイジングはメーカーから小売業までの一貫した流れで考慮

■マーチャンダイジングの意味 重要

マーチャンダイジングは、商品計画や商品化政策と呼ばれています。具体的には、自店のメインターゲットが欲する商品を、適正な数量、適正な価格、適正なタイミングで提供するための活動をいいます。

1）製品（プロダクト）と商品（マーチャンダイズ）

製造業（メーカー）が製造した製品（プロダクト）は、流通段階で商品（マーチャンダイズ）と、呼び名を変えます。つまり、マーチャンダイジングとは、流通段階、特に小売業段階での概念といえます。

●マーチャンダイジングの概念

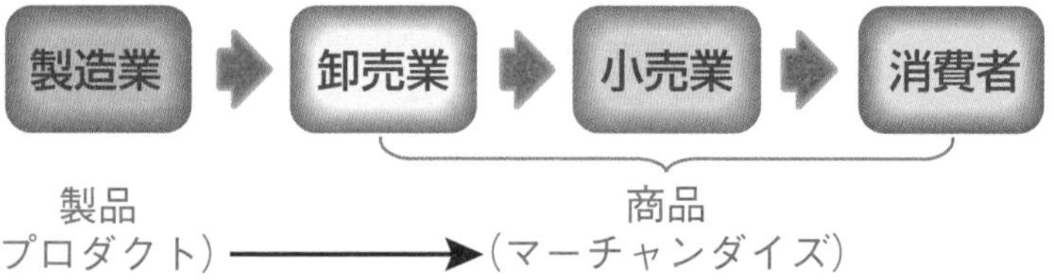

2）Merchandise と Merchandising

Merchandise は、一般的に名詞である「商品」という意味のほかに、動詞として「取引する」や「販売を促進する」という意味も持っています。また、Merchandise に ing を付けることによって、「売買活動」や「商いの活動」の意味も持ちます。

■マーチャンダイジングの定義

マーチャンダイジングについては、全米マーケティング協会（AMA）が定

義づけをしており、時代とともに次のように改定しています。

●マーチャンダイジングの定義の変遷

1948 年の定義	適切な**商品**や**サービス**を、適正な場所、時期、数量、価格によって、顧客に提供するための計画、活動。
1960 年の定義	企業のマーケティング目標を達成するために特定の商品、サービスを、最も役に立つ**場所**と**時期**と**価格**で、適切な数量を扱うことに関して計画し、管理すること。
2008 年の定義	インストア・ディスプレイを展開するメーカーの販売促進活動、および小売業における**品目（アイテム）**と商品の**ライン（品群）**の明確化。

2008 年の定義からも、マーチャンダイジングは小売業だけでなく、メーカーにも適用される活動であると AMA は定義しています。メーカーで製造された製品（プロダクト）が小売業の段階で商品（マーチャンダイズ）になるように、メーカーから小売業までの一貫した流れのなかでマーチャンダイジングを考えていくという方向性を示しています。

また、2008 年の定義では、小売業のマーチャンダイジングにおいてアイテム（品目）（P.69）とライン（品群）（P.68）を明確化している点が重要です。これは、ライン（品群）とともに、消費者が購入するそれぞれのアイテム（品目）レベルでもマーチャンダイジングを行っていくこと、すなわち商品管理の徹底を意味します。近年はその考え方が進み、ライン（品群）の代わりに、さらに分類を細分化したクラス（品種）（P.68）でマーチャンダイジングを行っていく方法にも注目が集まっています。コンビニエンスストアで行われている商品管理であり、品ぞろえの幅を、クラス（品種）単位で、深さをアイテム（品目）単位で構成し、商品管理を行っていきます。

●商品の分類

2-2 戦略的展開

マーチャンダイジング・サイクル

POINT
① マーチャンダイジング・サイクルは チェーンストア本部による商品計画が起点
② 自店と商圏にマッチした商品構成の確立が商品計画の基本

■チェーンストア本部の業務 重要

小売業では、商品計画から補充発注までのマーチャンダイジング・サイクルの各プロセスを適正に行うことが店舗運営の基本となります。チェーンストアでは、マーチャンダイジング・サイクルのなかの売価の決定や棚割等を含む仕入業務までを本部が担当します。

1）商品計画

自店と自店の商圏にマッチした商品構成を確立することが基本となります。売場づくりの流れにもとづいて、フロアゾーニング（品群構成）→フロアレイアウト（品種構成）→シェルフマネジメント（品目構成）→フェイシング（単品構成）へと細分化していきます。そして、年間の商品計画表を作成して、四半期（3か月）、1か月、1週間という単位で商品計画を立案していきます。

2）販売計画

1年間を52週に分解して、商品計画にもとづく週間単位の販売計画を立案します。

3）仕入計画

どのような商品を、どのくらいの数量で、いつ、どこから、いくらで仕入れるかを検討します。

4）仕入交渉

チェーンストア本部の商品担当者は、仕入先企業の担当者と交渉を行う前に、チャネルキャプテンであるメーカーから、商品の販売可能性を確認します。

5）仕入業務

品目ごとに取引数量、仕入原価、リベート（目標達成奨励金）、アローワンス（販売促進費）などの取引条件交渉を行います。

6）値入、価格設定

小売業の政策と実施方法を、カテゴリーごとに明確にしてから設定します。

7）棚割、販売促進企画

ともに本部が企画・決定するのが一般的です。

8）店舗への送り込み

専門スタッフのディストリビュータは、時期、数量、販売方法などを店舗ごとに調整して、本部で一括して仕入れた商品を送り込みます。

■店舗の業務

1）荷受、検品

納品されたときに荷受と検品（保管を含めて検収）を行います。

2）保管、値付

売場に補充できない商品は、店舗のバックヤードに保管されます。

3）ディスプレイ、売価変更

定番商品などは、棚割表にしたがって速やかに補充します。

4）商品管理

在庫量は適切か、それぞれの商品の回転率はどうかなどを検討し、商品計画や仕入計画などにフィードバックします。

5）補充発注

店頭在庫が減少した定番商品について行われます。

●チェーンストアのマーチャンダイジング・サイクル

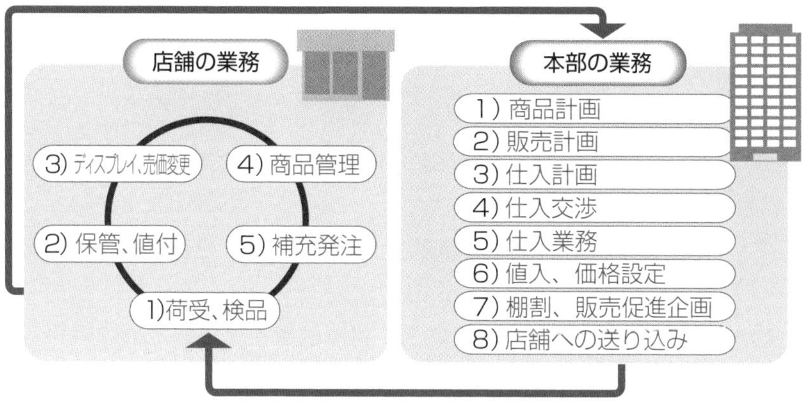

2-3 商品計画の立案

カテゴリー別商品計画の立案

POINT
① 経営方針や戦略目標に合わせた商品計画を立案
② 商品計画は、商品をカテゴリーごとに機能や用途にもとづき明確に分類することから始まる

■カテゴリー別商品計画のプロセス 重要

商品計画を立案するうえで大切なのは、小売業の経営方針や販売戦略をいかに反映できるかということです。そのうえで、顧客ニーズに合わせたカテゴリーごとの販売政策がバランスよく調整されており、商品計画の実行時にはメインターゲットに強く伝達できるものでなければなりません。

商品計画の立案、実行の流れは次のようになります。

1）業績・活動などの分析ならびに評価

過去数年間の販売実績の推移と、現状のカテゴリー別市場の傾向を分析します。同時に、商品構成能力の評価や販売能力の評価、売場づくりなどの評価も行い、新たな商品計画に反映していきます。

2）商品計画の作成における重点的目標の設定

カテゴリー別の売上高と粗利益高を計画することは、商品計画で欠かせない基本事項です。売上高を増加させて粗利益率を向上させるには、商品計画のどの部分をどのように改善すべきかという視点を持って取り組み、たとえば次のような重点的目標を設定する必要があります。

◎売上高の増加
→重点的目標：品種構成の拡大化と品目構成の縮小化（絞り込み）
◎粗利益率の向上
→重点的目標：品種構成の縮小化（絞り込み）と品目構成の拡大化

また、商品回転率（P.93）の向上、付加価値を高めるための販売促進活動などの目標設定も行います。

3）商品計画の作成

カテゴリー別の商品計画の作成をする際は、次の６つの方針を明記することが大切です。

●商品計画作成時の方針

- ① **品種構成確立**　商品カテゴリーをどこまで延ばすか＝水平化。
- ② **品目構成確立**　一つひとつの品目（アイテム）数をどこまで増やすか＝品ぞろえの垂直化。
- ③ **定番商品と提案型商品との均衡**　売れ残りのリスクに配慮。
- ④ **商品カテゴリー別販売方法の明記**　一部の商品に偏らない仕組み。
- ⑤ **収益性向上**　ROI（当期純利益÷総投資額×100）で投資の適切な回収を判定。
- ⑥ **カテゴリーの役割を明確化**　各カテゴリーに役割を設定。

4）商品計画を実行に移す各手段の決定

商品計画を実行に移すために、①カテゴリー別の商品配置、②月別売上指数と商品改廃計画の作成、③広告やプロモーションなど販売促進策の内容と実施時期、④ビジュアルマーチャンダイジング（P.138）を中心とする売場づくりの概要、を決定する必要があります。

なお、商品改廃計画は、時期によって売れ行きが違ってくる定番商品について、月ごとに品ぞろえの改廃と売場変更を行うための計画です。

5）販売計画や仕入計画の策定および販売

作成した商品計画にもとづいて、マーチャンダイジング・サイクルにしたがって販売計画（P.70）や仕入計画（P.78）を整備し、実際に販売活動を行っていきます。

6）結果の分析と調整

商品計画で実際に販売した結果を、次期に向けて分析します。まずは、営業数値の分析です。売上高や純利益率、商品回転率の昨年対比などによって分析します。

次の品ぞろえの分析では、計画どおりに販売できたか、価格政策は適切であったか、仕入れ計画の差異はどうだったか、などを分析します。ほかに、プロモーションの分析、業界比較や競争店比較も行っていきます。

2-4 商品計画の立案

商品構成における商品選定と分類

POINT
- ① 商品選定では、ライフスタイルアソートメントへの意識が必要
- ② 商品分類の方法は生産体系型から生活体系型へ

■商品選定

商品選定では、顧客のライフスタイルにもとづいて売場を構成するライフスタイルアソートメントを意識する必要があります。

■商品分類 重要

商品分類は、大分類から中分類、小分類、細分類へと分類していきます。その分類の過程で、小売業は経営方針による独自の基準を設定していきます。大切なことは、常にパーセンテージで商品分類の構成比をとらえることです。

1）グループ

衣料品、食料品、住居関連というように、最も大きくグルーピングした商品分類のことをいいます。

2）デパートメント

店舗における売上の単位になります。百貨店（デパートメントストア）はこの単位で売場をつくっていきます。〈例：紳士服、婦人服、子供服〉

3）ライン

デパートメントをより細分化したもので、機能別などで分類したものになります。〈例：Tシャツ、Yシャツ〉

4）クラス

顧客が便利に選べるような品種で分類された仕入の単位になります。以前はメーカーごとのクラスが大部分でしたが、現在は顧客ニーズごとのクラスになってきています。〈例：半袖Tシャツ、長袖Tシャツ、ビジネス用Yシャツ〉

5）サブクラス

共通の目的を持つ品種として、クラスをさらに細分化したものです。〈例：

白の半袖Tシャツ、綿100%のビジネス用Yシャツ〉

6）アイテム

価格帯やブランド、デザインなど、同一の単品をまとめたものです。色やサイズなどは異なります。〈例：特定のブランドのスーツ、同じ価格帯のYシャツ〉

7）SKU

1つの商品をいいます。色別、サイズ別などこれ以上分類できない最小の単位（絶対単品）となります。

●小売業の商品分類基準

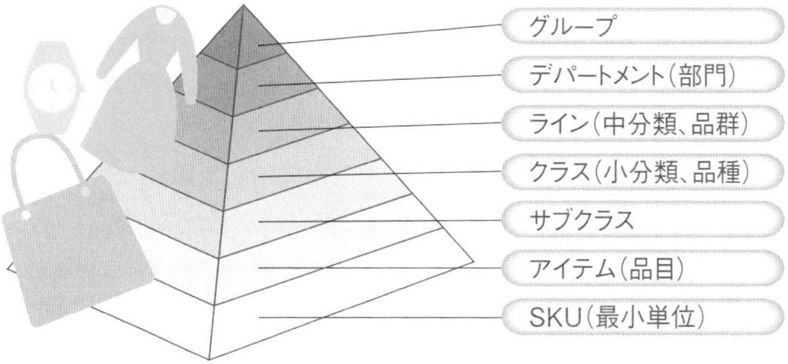

※中分類、小分類の基準は小売業によって異なる。

■商品分類の変化

以前の商品分類は、メーカー側の都合を優先した生産（ブランド）体系型商品分類が用いられていました。しかし、最近では、顧客が商品を比較しやすい生活（シーン）体系型商品分類に変化してきています。それにともない、ゴンドラ設定の方針として従来の「商品カテゴリー」から「需要カテゴリー」へと移行しています。

1）生産（ブランド）体系型商品分類

大分類をメーカー別に、中分類を各メーカーのブランド別に、さらに小分類をそのブランドの用途別に分けるといった、化粧品や医薬品、トイレタリー用品の売場で用いられている分類です。

2）生活（シーン）体系型商品分類

顧客のニーズに寄り添った分類が生活（シーン）体系型商品分類です。ブランドにとらわれず、大分類にヘアケア、中分類にシャンプーやリンス、小分類にストレート用やウェーブ用などのように、生活体系で分類していきます。

2-5 販売計画　販売計画の戦略的立案

POINT
① 販売計画は内部環境と外部環境の分析から
② カテゴリーマネジメントとは顧客ニーズに合わせた売場をつくろうとする考え方である

■販売計画の立案から販売管理までの流れ

販売計画の立案から販売計画を実行し、販売管理を行うまでは、次のような流れで行います。

1）自社の販売業績の分析と業界の動向調査

POS データ（P.97）による販売業績などの内部環境の分析と、商圏別や顧客層別、該当する業界などの外部環境の動向を分析します。

2）販売予測

内部環境や外部環境の分析からカテゴリーごとに市場需要の予測を行い、そこから全体的な販売目標を予測します。

3）販売計画の作成

カテゴリーごとにどの程度の売上と利益が確保できるかを、財務面などから総合的に判断して全体の販売目標を決定します。それを月ごとに割り当てていきます。

4）販売計画の戦略的展開

販売計画は、月単位で行うのが一般的です。しかし小売業は週単位で販売活動を行っているため、販売計画も週単位で行うほうが効果的です。

5）販売活動の管理

販売員の管理を意味します。管理者は、販売員が販売計画にしたがって適切な行動をしているかを多面的に監督・指導します。それによって、販売計画と実績に大きなズレが生じなくなります。

6）販売業績の管理

販売業績の管理には、単品レベルでの把握ができる POS システム（P.97）の活用が不可欠です。業績管理をするうえでは、数量によって管理するだけでなく、時間帯別、価格帯別の販売情報にも注目していきます。

●販売計画の立案から販売管理までのフロー

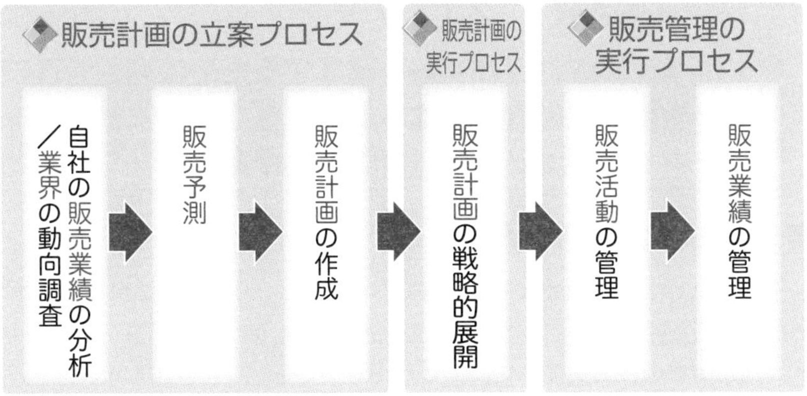

■カテゴリー別販売管理方法 重要

小売業が販売する多数の商品を、ある基準でグルーピングし、それらを単位として販売促進や販売管理を行っていくことをカテゴリーマネジメントといいます。従来のように売場を品目（アイテム）や品群（ライン）、部門（デパートメント）などの単位で構成するのではなく、顧客ニーズに合わせたカテゴリー（通常はクラス：品種）ごとに築きあげていく方法です。

カテゴリーマネジメントでは、顧客のさまざまなライフスタイルの場面（シーン）から商品カテゴリーを組み立てて、それを小売業とメーカーなどのサプライヤーが協働で戦略的ビジネスユニット（単位）として提案していきます。

●カテゴリーマネジメントの取り組み手順

① メインターゲットの設定

② カテゴリーの定義と役割の設定

③ 購買促進企画の作成

④ サプライヤーとのパートナリング

⑤ 業績の評価・分析

2-6 販売計画 予算編成の機能と種類・方式

POINT
① **予算編成は目標利益を達成するための利益管理技法**
② **予算編成の方式には、トップダウン方式とボトムアップ方式、折衷方式がある**

■予算編成と予算の種類 重要

予算編成とは、一定期間の目標利益達成のために必要な計画を額面で示した、利益管理のための技法です。予算という目標値を使って、将来の経営を推進することが予算編成の最大の目的となります。

●予算編成の機能

① 計画機能	予算は、小売業の諸計画を額面（貨幣額）で示したものであり、予算編成をすることで、経営目標を数字での具体的な計画へと発展させることができる。
② 調整機能	各部門の予算案を小売業全体で調整することで、垂直的調整と水平的調整がある。
③ 統制機能	予算と実績を比較して差異分析をすることで、経営者は改善措置がとれるようになる。

総合予算として体系づけられている予算の種類には、次のものがあります。

1）経常予算

毎期繰り返し行われる経営活動の予算のことをいい、損益予算と資金予算に区分されます。なお、通常、経常予算は損益予算のなかにある売上高予算を中心にして編成されます。

●経常予算の区分

① 損益予算	損益計算書項目の収益と費用を示す予算。
② 資金予算	短期の財務予算で、運転資金や現金資金の予算。

2）資本予算

個別に実施されるプロジェクトの予算です。具体的には、設備予算や研究開発予算などで、長期的視点にもとづいた予算となります。

●予算の例

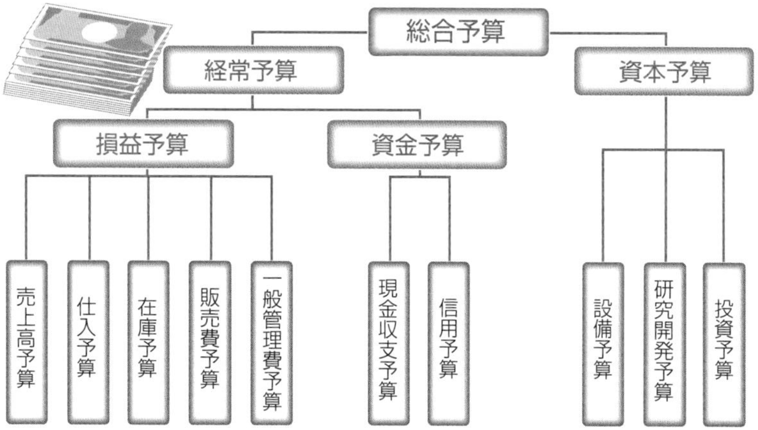

■予算編成の方式

予算編成の方式には、次のようなものがあります。

1）トップダウン方式

経営者や経営陣であるトップマネジメントが設定した利益目標にもとづいて、末端の現場まで予算を割り振っていく方式です。トップ主導ということで予算が一方的になりがちで、各部門の意見が反映されにくいという問題があります。また、予算達成のモチベーションの低下も招きます。

2）ボトムアップ方式

予算を実行する立場である各部門が予算案を編成して、これをまとめて小売業全体の予算とする方式です。この方式は、トップの意見が反映されにくく、現状維持の予算になりやすいという問題があります。

3）折衷《せっちゅう》方式

トップダウン方式とボトムアップ方式の両方を採り入れた方式です。トップが方針を示し、それにもとづいて各部門が予算を作成し、その後、全社的な調整をはかります。近年は、トップダウン方式に近い折衷方式が主流です。

2-7 販売計画

利益計画による小売業の総合的管理

POINT
① 予算差異分析は価格要因と数量要因に区分
② 損益分岐点とは、売上高と費用の損益がゼロになる売上高である

■予算統制

予算が計画どおりに実行できたかどうかを把握し、可能な限り計画に近づけていく活動のことを予算統制といいます。この予算統制を行うための技法が予算差異分析であり、予算と実績の違いである「差異」を価格要因と数量要因に区分して、将来の予算編成や経営に活かしていきます。

■差異分析 重要

販売価格差異は、実際と予算の販売価格の差でどの程度、売上高に差異が生じたかを示します。なお､販売価格に販売数量をかけた金額は売上高になります。

販売価格差異＝(実際販売価格－予算販売価格)×実際販売数量

販売数量差異は、実際と予算の販売数量の差によってどの程度、売上高に差異が生じたかを示します。

販売数量差異＝予算販売価格×(実際販売数量－予算販売数量)

【計算例】

表のような条件を与えられたときの、販売価格差異と販売数量差異の計算例は次のようになります。

	予　算	実　際
販売価格	280 円	300 円
販売数量	180 個	200 個

販売価格差異＝(300円－280円)×200個＝4,000円
販売数量差異＝280円×(200個－180個)＝5,600円

この計算例では、実際の販売価格、販売数量ともに予算を上回っているので、販売価格差異、販売数量差異ともに、計画よりも実際のほうがよい結果（結果がプラス）であることを示す有利差異となります。一方、実際の販売価格、販売数量が予算を下回った場合（結果がマイナス）は、不利差異となります。

●不利差異の原因

◎販売価格差異

①競争価格の激化

②流通チャネルの選定ミス

③予算以上の割引政策

◎販売数量差異

①商品需要の低迷

②衰退期の商品

■損益分岐点分析 重要

利益計画の策定で、売上高から費用を差し引いた額がゼロ、すなわち売上高と費用が等しくなるときの売上高を損益分岐点といいます。費用は、固定費と変動費に分けられます。

固定費とは、売上高の増減とは無関係に支出される費用で、売上高がゼロでも生じる費用となります。具体的には人件費や不動産賃借料、水道光熱費、減価償却費などになります。変動費は、売上高の増減に比例して支出される費用で、小売業の場合、そのほとんどは売上原価になります。利益がゼロの場合、この２つの費用を加算したものが損益分岐点になります。

損益分岐点＝固定費＋変動費

売上高から変動費を引いて求めた利益は限界利益といいます。売上高を生み出すために、絶対に必要な費用を差し引いた金額のため、このように呼んでいます。固定費の回収に貢献する利益でもあるため、貢献利益と呼ぶ場合もあります。

●限界利益と売上高、変動費、固定費、利益の関係

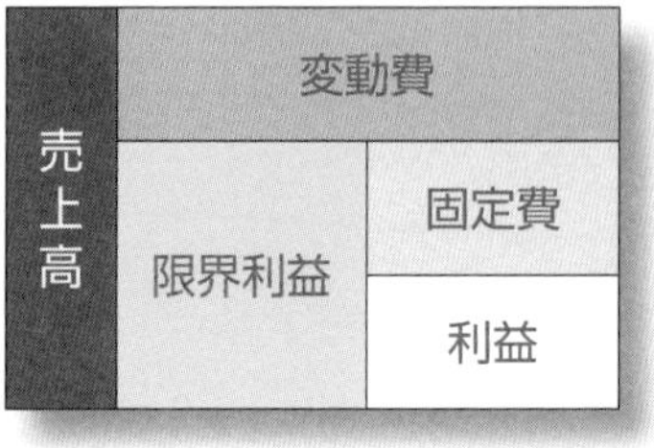

そして、限界利益と固定費とが等しくなる点が損益分岐点になります。損益分岐点に関連する計算式には、次のようなものがあります。

$$①\text{損益分岐点（P）}=\frac{\text{固定費（F）}}{1-\dfrac{\text{変動費（V）}}{\text{売上高（S）}}}$$

$$②\text{変動費率（\%）}=\frac{\text{変動費（V）}}{\text{売上高（S）}}\times 100\text{（\%）}$$

$$③\text{限界利益率(\%)}=(1-\text{変動費率})\times 100\text{(\%)}=\left(1-\frac{\text{変動費（V）}}{\text{売上高（S）}}\right)\times 100\text{(\%)}$$

$$④\text{損益分岐点比率（\%）}=\frac{\text{損益分岐点（P）}}{\text{売上高（S）}}\times 100\text{（\%）}$$

$$⑤\text{目標売上高}=\frac{\text{固定費（F）}+\text{目標利益}}{\text{限界利益率}}$$

$$=\frac{\text{固定費（F）}+\text{目標利益}}{\left(1-\dfrac{\text{変動費（V）}}{\text{売上高（S）}}\right)\times 100\text{(\%)}}$$

次の表のような店舗の、損益分岐点と損益分岐点比率の計算例を見ていきましょう。

売上高	10,000 万円
変動費	7,000 万円
限界利益	3,000 万円
固定費	2,700 万円
利益	300 万円

変動費は売上高の 70%

【損益分岐点の計算例】

上記の表の店舗は、現在の売上高が 10,000 万円で利益は 300 万円となっています。損益分岐点は上記の店舗の利益がゼロのときの売上高になりますので、それを計算します。金額を求めるために、表の売上高と変動費、固定費を計算式に当てはめてみます。

$$\text{損益分岐点} = \frac{2{,}700\text{ 万円}}{1 - \dfrac{7{,}000\text{ 万円}}{10{,}000\text{ 万円}}} = 9{,}000\text{ 万円}$$

したがって、この店舗は売上高が 9,000 万円のときに、利益がゼロになるということです。なお、売上高の変化にともない、変動費と売上高から変動費を引いた限界利益も変わってきます。

売上高	9,000 万円
変動費	6,300 万円
限界利益	2,700 万円
固定費	2,700 万円
利益	0 万円

変動費は売上高の 70%

【損益分岐点比率の計算例】

損益分岐点比率とは、現在の売上高に対する損益分岐点の割合のことで、現在の売上高から損益分岐点比率まで下がると利益がゼロになるというものです。

$$\text{損益分岐点比率} = \frac{9{,}000\text{ 万円}}{10{,}000\text{ 万円}} \times 100\ (\%) = 90\%$$

損益分岐点比率が 90% ということは、この店舗は現在の売上高の 90%になると利益がゼロになるということを意味します。

2-8 仕入計画 仕入計画の策定

POINT
① 小売業は、消費者が欲求する商品を仕入れるべき
② 仕入計画策定のために、顧客や市況、仕入先など、綿密な調査が必要

■仕入計画策定の要素 重要

小売業の仕入活動は、「適正な商品を、適正な場所で、適正な時期に、適正な数量を、適正な価格で、適正な方法で」行うことが求められています。また、仕入活動を行ううえで大切なことは、仕入れるべき商品は消費者が欲求するものであるということです。すなわち、小売業がどのような商品を、いつ、誰から、どのような方法で、どのくらいの数量を仕入れるかの判断は、消費者のニーズにもとづいたものでなければならないのです。

1）仕入商品選択の要素

仕入商品の選択では、これまでの販売実績を分析して、利益貢献度の高い商品を把握しておくことが必要です。そして、仕入商品選択の判断基準の要素として、商圏内の市場調査による顧客ニーズの分析や、品ぞろえと商品回転率（P.93）の関係の分析を行う必要があります。

2）仕入数量決定の要素

品目ごとの見込販売数量と在庫数量の予測を的確に行い、仕入数量を決定します。見込販売数量は、商品ごとの売上傾向と、季節での変動を考慮する必要があります。

3）仕入時期選定の要素

季節商品は、需要期に先駆けて仕入れます。一方、流行商品は、流行しているライフスタイルを見極めて、適切に仕入を行うことが大事です。

4）仕入価格設定の要素

仕入価格は、仕入数量、仕入時期、仕入先との条件によって異なってきます。仕入数量と仕入価格との関係性から見ると、大量仕入を行うことで数量割引が適用されるため、仕入単価を引き下げる効果が生まれます。

仕入価格は、取引条件とも密接に関係しています。取引条件には、物流コストや、返品の可否、輸送時の保険料なども含まれますが、これらをメーカーが負担するのか、もしくは小売業が負担するのかで実質的な仕入原価は異なってきます。

また、どのような価格帯の商品を仕入れるか、プライスゾーンとプライスライン（P.86）の設定も重要になってきます。

■仕入計画に必要な各種調査

仕入計画を行う前に、次のような調査によってデータを集めます。

1）商圏内顧客層の需要動向調査

商圏の慣習や習癖、嗜好を知るための調査です。

●需要動向調査の種類

① 通行量調査（トラフィックカウンツ）	入店者、買い物客、ショーウインドウを見る人の数、店頭通行者の属性や数などを把握。
② 流行性調査（ファッションカウンツ）	来店客の服装や持ち物の水準を把握。
③ 消費者調査（コンシューマパネル）	多数の消費者と調査の契約を結び、食卓に出てくる食費などの水準を調査。

2）市況調査

統計などの２次資料で状況を把握します。そして、一般市況と競争店の状況を把握したうえで、自店の売上高の実績を正しく評価します。

3）新たな仕入先企業の調査

需要と供給の動きに対応するため、業界団体への紹介依頼などで、新しい仕入先を探す必要があります。展示会、見本市への参加や、インターネットによる商品の検索なども有効です。

4）価格調査

各商品の原価と品質、マークアップ（値入　P.86）・マークダウン（値下）に注目して価格調査を行います。

2-9 仕入計画
仕入活動の戦略的展開

POINT
- ① 委託仕入では、小売業に商品の所有権はない
- ② 当用仕入では、少量の商品を必要に応じてそのつど仕入れる

■主な仕入形態 重要

小売業の業態や業種によって、仕入の形態は異なります。

1）委託仕入

メーカーや卸売業などの売り手が所有している商品を小売業に預け、その商品を販売するように依頼する方法で、小売業が商品を販売したときに売り手は小売業に対して手数料を支払います。ファッション業界や貴金属、書籍などの業種で採用されている仕入方法で、商品の所有権は売り手にあります。

●委託仕入のメリットとデメリット

◎メリット

- ①売れ残りの返品が可能
- ②仕入資金の節約になる
- ③高額商品でも仕入がしやすい
- ④売り手にとっては価格を一定に維持してもらえる

◎デメリット

- ①売れなければ返せばよいとの思いから安易な仕入が行われる

2）消化仕入

メーカーや卸売業が小売店に商品を引き渡します。そして、小売店にある商品が店頭で売れたときに、その売れた商品だけを仕入れて販売したとみなす仕入方法で、売上仕入ともいいます。委託仕入では小売業が保管責任を負いますが、消化仕入では小売業は保管責任を負いません。

3）当用仕入

少量の商品を必要に応じて、そのつど仕入れる方法です。小口仕入ともいい、流通機構が整備されたことにより、小売業では一般的な仕入方式になってきています。この方法と相反する方法が、大量仕入になります。

●当用仕入のメリットとデメリット

◎メリット

- ①商品がいつも新鮮な状態
- ②在庫の保管場所をとらない
- ③商品回転率*が高まり、仕入資金が少なくてすむ
- ④売れ残り商品を大量に保有するリスクを回避
- ⑤相場の変動によるリスク増加を回避
- ⑥資金の固定化を防ぎ、金利負担を軽減

＊＝P.93 参照

◎デメリット

- ①大量仕入による仕入価格の割引が受けられない
- ②欠品が起こりやすい
- ③品ぞろえの豊富さで顧客ニーズにこたえられない危険がある

4）集中仕入

チェーンストアで採用されている仕入方法です。本部などが、特定の商品を一括して大量に仕入れます。大量仕入よりもはるかに仕入数量を増大させることが可能で、大幅に仕入コストを下げることができます。この仕入方法を実施するためには、集中的な商品管理を行える組織があり、大量販売が行え、物流センターや倉庫施設がある、などの条件が必要です。

■発注システムの実際

小売業の受発注システムは電子化が進んでいます。

1）EOS（Electronic Ordering System）＝補充発注システム

企業間をオンラインで結び、受発注データの交換を行います（P.110）。

2）EDI（Electronic Data Interchange）＝電子データ交換

企業間をオンラインで結び、商取引のためのデータをコンピュータ間で交換することをいいます（P.103）。

2-10
仕入計画

購買慣習からの消費財の分類

POINT
① **消費財の購買慣習による分類は、最寄品、買回品、専門品の３区分**
② **購買頻度は最寄品が一番高く、専門品が一番低い**

■消費財の分類 重要

経営学者のコープランドは、消費財を購買慣習基準として、最寄品、買回品、専門品の３区分に分けました。それぞれの分類の特徴は、次のとおりです。

1）最寄品

購買頻度は高く、客単価が低く、購買を決定するまでにかける時間と労力を最小限にしようとする商品で、コンビニエンスグッズともいいます。

この商品の粗利益率は低く、価格競争に陥りやすいのが特徴です。日常の生活の必需品である食品や、日用雑貨などが該当し、コンビニエンスストアやスーパーマーケットなどで扱われています。

2）買回品

購買頻度は低く、時間や労力をかけても、消費者が納得できる商品を購入する傾向がある商品です。ショッピンググッズともいい、自分に合ったものを買い求めようとする傾向が強くなります。商品の粗利益率は最寄品よりも高く、専門品よりも低くなります。

この商品に該当するのは、ショッピングセンターや百貨店などで販売される服飾品や家具、高額ではない文化用品などです。

3）専門品

購買頻度は極めて低い商品で、ブランドロイヤルティ（ブランドへの忠誠心）やストアロイヤルティ（店舗への忠誠心）が購入に大きく影響する商品で、スペシャリティグッズともいいます。

商品の粗利益率は買回品よりも高くなります。商品は高価格帯が多いため、商品情報や店舗情報をしっかりと収集し、購入までにかなりの労力を払うような商品です。

●消費財の分類と特徴

	最寄品の特性	買回品の特性	専門品の特性
購買頻度	高い	低い	極めて低い
購買ポイント	商標で習慣的に購入する	小売店のムードや演出に影響される	商標に対する信用や小売店の店格（店舗のグレード）を重視する
価格傾向	単価は低い	単価は比較的高い	単価は極めて高い
購買慣習	計画性は少なく、利便性を優先する	計画的に購入される	商品情報の入手など計画性が高い
購買意識	時間と労力をかけない	時間と労力をかけ、それを楽しむ	時間と労力を惜しまず、納得してから購入する
購買行動	近くにある店舗で購入する	商品を比較検討できるよう、店舗が集まった場所で購入する	専門性の高い小売店で購入する
商品性格	量産商品、規格化された商品で、取扱店舗は多い	ファッション性やデザインなど、個性化された商品が多い	価格より品質を重視し、小売店の信用と商品の商標、アフターサービスも購入に影響する
販売側の視点	商品回転率（P.93）と、仕入頻度が高い。粗利益率は低く、低価格の商品が多い	商品回転率は低く、粗利益率が高い。接客サービスにも重点を置く	商品回転率は低く、粗利益率が高い。オリジナリティや小売店の店格、接客サービスにも重点を置く

2-11 仕入計画

消費財の仕入政策・最寄品、買回品

POINT
① 商品の販売動向にもとづいた発注が基本
② 死に筋商品を減らすためにも、データにもとづき、的確な発注を行うことが必要

■発注の視点 重要

小売業では、商品の販売動向にもとづいた発注が行われるのが基本となります。主な発注の視点には、主に次のようなものがあります。

1）単品動向の把握

売れ筋商品の動向を把握するため､毎日の売上情報のチェックが必要ですが、本質的な販売動向を知るためには、短期的な動向だけではなく、商品に応じた一定期間における販売動向を調べる必要があります。

2）売れ筋商品動向の把握

容易に単品管理が行えるPOSシステムは、発注で欠かすことのできないシステムです。単品管理により売れ筋商品を把握することで、売れ筋商品の在庫の適正化をはかり、販売機会ロスを防止することができます。

3）プロダクトライフサイクルと売れ筋商品の発注ポイント

流行性に富む売れ筋商品ほど、メーカーの在庫もすぐになくなります。そして、売場で的確な発注ができずに、販売機会ロスを生じさせることが多くなります。しかし、流行性に富む売れ筋商品は、商品の一生ともいえるプロダクトライフサイクル（P.199）が短いのも特徴です。販売機会ロスを解消すべく後から発注したものの、出荷がされた頃には一転して死に筋商品になるケースも少なくないため、発注時は在庫過多にならないよう細心の注意が必要です。

一方、定番商品のプロダクトライフサイクルは、流行性の商品に比べて人気のピークがゆるやかであり、商品の成長期から安定した売上高となります。再発注時は、販売動向のデータを読み取り、追加の補充計画を検討します。

4）死に筋商品の発生と対応

商品が死に筋商品となる理由には、仕入段階での選定ミスや、初回仕入数量

の過剰、１回当たりの発注数量の多さ、プロダクトライフサイクルの読み違えなどが考えられます。死に筋商品を減らすためにも、データにもとづき、的確な発注を行うことが必要です。同時に、日頃の戦略的な業務として「死に筋商品の発見と排除」を遂行する必要があります。排除の方法として、死に筋商品の値下がありますが、商品の品質の悪さを印象付けてしまうというマイナス面も考慮して実施するようにします。

■最寄品と買回品の仕入政策の留意点 重要

最寄品と買回品は仕入を行う際、次の点に留意することが重要です。

●最寄品の仕入政策の留意点

① 仕入原価を抑制	仕入原価を低く抑え、計画的に販売数量を増加。
② 仕入先企業の確保	欠品が生じない安定的な仕入数量を仕入れられる仕入先を確保。
③ 商品回転率の向上	売れ筋商品に集中した仕入政策を行い、商品回転率を高めて販売数量を増加。
④ 在庫コスト低減	大量に仕入れすぎて保管コストや在庫コストが高まるような仕入政策はしないようにする。

●買回品の仕入政策での留意点

① 需要の変化に対応	月単位、週単位など短期的に商品計画の策定期間を設定することで、ターゲット顧客のニーズに対応する。
② 広い品目構成	顧客の求める品目、価格帯などは異なるため、できる限り幅広い品ぞろえを行う。
③ プライスゾーン決定	プライスゾーン（P.86）を店舗のイメージに合わせる。そのなかでプライスラインを設定する。
④ 複数の基準で分類	スタイルや材質、柄、サイズなどの基準で分類し、プライスラインに反映する。
⑤ 取扱商品一覧表を作成	分類した基準で取扱商品一覧表を作成し、再発注の必要性などにより修正していく。
⑥ 販売動向の追跡	季節性、流行性の高い商品の販売動向を追跡し、売れない商品は値下して処分する。

2-12 販売政策 価格政策と売価政策

POINT
① プライスゾーンは価格帯の設定、プライスラインは価格そのものを指す
② 値入率には売価値入率と原価値入率がある

■価格政策の概要 重要

小売業では、販売価格のことを売価といい、商品を仕入れた価格である仕入原価に自店の利益を加えて売価とします。この商品の売価を決めることを値入といい、加えられる自店の利益分を値入額といいます。

●値入額と仕入原価、売価の関係

■プライスゾーンとプライスライン

プライスゾーンを設定することによって、小売業は顧客層の絞り込みを行うことができます。また、プライスラインを設定することは、買い物のしやすさにつながります。

1）プライスゾーン

特別価格帯（超高価格帯）、高価格帯、中価格帯、低価格帯に分けられます。プライスゾーンを設定することで、店内の商品構成が価格面でアンバランスにならないように調整することができます。

2）プライスライン

それぞれのプライスゾーンのなかに設けていきます。プライスラインの商品

価格の設定では、顧客が商品を比較しやすいように、カテゴリーごとの品目を顧客ニーズに適合する価格帯に整理・分類し、そのうえで商品一つひとつの価格を設定していきます。この方法をプライスライン政策といいます。

●プライスゾーンとプライスラインのイメージ

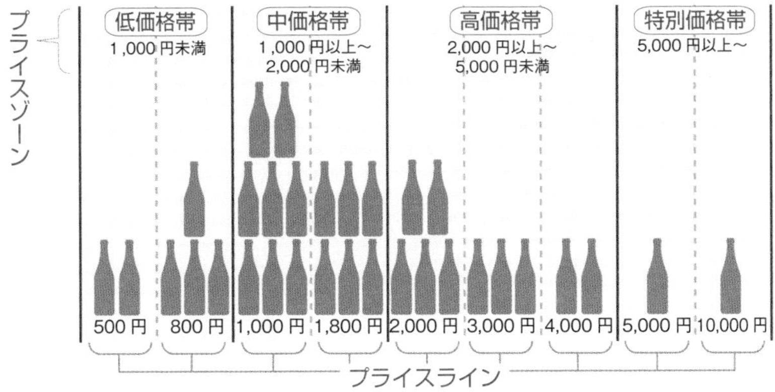

■値入額の設定 重要

商品の適正な売価を設定し、適切な粗利益を確保するためには、適正な利益を確保するための値入額と値入率を計算する必要があります。

値入額が仕入時に計画した利益であるのに対して、粗利益額は実際に販売したことによって得られる売買利益額です。仕入れた商品を売価どおりに売り切ると、値入額と粗利益額は等しくなります。しかし、値下や割引等を行うと粗利益額のほうが低くなります。

1）値入率

値入率には､売価基準の値入率（売価値入率）と､仕入原価基準の値入率（原価値入率）があります。売価基準の値入率のほうが、原価基準の値入率よりも低い数値となります。一般的な小売業では、売価基準による値入率が用いられるケースが多いです。

売価、仕入原価、値入額、売価値入率の関係は次のような式であらわすことができます。試験では、値入額や売価値入率を求めるだけでなく、値入額や売価値入率が示されて、ほかの金額を求めることもあります。よって、どの金額を求められても、対応できるようにしておかなければなりません。

値入額＝売価－仕入原価

$$売価値入率（\%）＝\frac{値入額}{売価}\times 100＝\frac{売価－仕入原価}{売価}\times 100$$

【売価値入率の計算例】

仕入原価が 800 円、売価が 1,000 円の場合の売価値入率の計算は、次のようになります。

値入額＝ 1,000 円－ 800 円＝ 200 円

$$売価値入率＝\frac{200円}{1,000円}\times 100（\%）＝20\%$$

【売価値入率が与えられている場合の計算例】

仕入原価が 600 円、売価値入率が 40% であるときの売価を求めると、次のようになります。

$$40（\%）＝\frac{売価－600円}{売価}\times 100 \qquad 売価＝1,000円$$

■価格弾力性

価格弾力性とは、価格の変化に対する需要の変化の割合をいい、需要の変化率を価格の変化率で割って算出します。価格弾力性が 1 よりも大きい場合は価格弾力性が高く、価格の変化で需要量が大きく変化します。また、1 よりも小さい場合は価格弾力性が低く、価格が変化しても需要量はあまり変化しません。

生活必需品である最寄品は価格弾力性が低く、買回品などの嗜好品は価格弾力性が高くなります。また、ブランド品のような競合商品の少ない独自の商品は、代替が困難であればあるほど価格弾力性は低くなります。

■売価政策の実際とその他の商慣行

売価政策、商慣行にともなう用語には、次のようなものがあります。

1）マークアップ

値入のことです。売価（販売価格）を決めるために、仕入原価に利益を加えることをいいます。

2）リベート

メーカーが、卸売業や小売業に支払う利益の割戻金のことをいいます。一定期間の取引高を基準として支払われます。この売価政策は、販売先に商品をたくさん買ってもらうことを目的としています。販売先の企業の販売実績に応じて、リベートの金額などに差があり、秘密裏に行われます。

3）アローワンス

メーカーが流通業に対して提供する、販売奨励金と同じ性格の費用のことをいい、チラシ広告などに対する広告アローワンス、一定期間の陳列に対する陳列アローワンス、キャンペーンなどに対する販売促進アローワンスがあります。

この売価政策も、販売先に商品をたくさん買ってもらうことを目的としていますが、公開して支払っている点がリベートとの大きな違いです。

4）マージン

売価（販売価格）から仕入原価を差し引いた粗利益です。売上高に占めるマージンの割合を粗利益率と呼びます。

5）コミッション

主に卸売業で発生するもので、メーカーの代理として小売業に商品を販売した際に、メーカーから卸売業が受け取る一定の手数料や歩合のことです。メーカーから卸売業へは商品の所有権移転は行われないため、販売価格や販売条件についてはメーカー主導で決定されます。

6）返品

欧米では、ケイビエット・エンプターという買い手が商品のリスクを負うという考え方がありますが、日本では小売業から卸売業、メーカーへ返品することは当然という風潮がありました。しかし、近年はその削減に取り組むべきであると考えられています。

7）協賛金

小売業の求めに応じてメーカーや卸売業が負担する、小売業の店舗のリニューアルといった各種イベントにかかる費用です。実際は、形を変えた名目だけのリベートであったり、小売業の決算対策であることも少なくありません。

2-13 販売政策 棚割の戦略的方法

POINT

① 棚割はより多くの利益を確保するための小売マネジメント手法
② 棚割システムで、売上と利益の最大化を追求

■棚割の意義

これまでは、経験にもとづいて行われることも多かった棚割ですが、POSデータの活用などに対応して、科学的データにもとづいた「意味（コンセプト）の明確な棚割」が小売業には求められています。より多くの利益を生み出す根源として、棚割と、商品分類基準にもとづいて作成される棚割表は、商品化政策（マーチャンダイジング）における重要な要素となります。

小売業のみならず、メーカーにとっても、自社製品の売り上げに大きく影響してくる棚割に対する関心は、かつてに比べて一層高くなってきています。

■棚割の定義

棚割の定義は、「一定のゴンドラスペースにおいて、顧客が買い求めやすいように商品を用途や機能別などのテーマ設定で分類・整理し、効果的な組み合わせを行うことによって、より多くの利益を確保するための小売マネジメント手法」となります。

つまり棚割は、陳列棚であるゴンドラのなかの、さまざまな商品（単品）について、顧客がみつけ出しやすく、比較しやすく、選びやすいようにディスプレイすることです。そのことで、より多くの商品を販売し、小売業に多くの利益をもたらす手法になります。

■棚割の考え方

棚割は、小売業の基本的な商品政策にもとづくとともに、変化する消費者のライフスタイルに店舗としてどう応えていくのかが問われる、売場の表現手法といえます。棚割は、次の考え方がベースとなっています。

●棚割の考え方

① 売場の主役は商品

② 顧客が買い求めやすいように商品を配置すること

③ 棚割をスムーズに行うためには、あるテーマにもとづく商品分類が必要

④ 商品選択基準が小売業の力

■棚割システムの戦略的活用 重要

小売業では、さまざまな商品を顧客に見やすく、買い求めやすく陳列するため、棚割表を作成していきます。その際に大切なことは、基本的な戦略を棚割表に反映させることです。棚割表作成においては、次のような流れと視点で取り組むようにします。

1）ストアコンセプトにもとづくゾーニング、フロアレイアウト

新規出店や既存店のリニューアルでは、店舗のポジショニングにもとづいてストアコンセプトを決めることから始めます。それにもとづき、部門単位のスペース配分であるゾーニングの設計、そして品種単位のロケーション配置であるフロアレイアウトを決めます。

2）ディスプレイパターン

ゴンドラの種類を含んだ、ストアコンセプトに合致するディスプレイパターンを品種単位で決定します。

3）戦略的陳列方法

棚割での陳列は常に戦略的な配慮が求められます。たとえば、売れ筋商品を棚中央に多フェイスで並べて、見せ筋商品をその両脇に配置するといった方法が該当します。

4）プラノグラム

効果的な棚割表を作成するには、近年はコンピュータを活用するのが一般的です。スケマティック・プラノグラム（購買需要予測型棚割システム）と呼ばれる棚割システムでは、最適な棚割パターン作成によって、ゴンドラの利益を最大化することを実現。購買需要の予測に裏付けされて作成された棚割表に則

して、ゴンドラのSKU（単品）の配置や入れ替えをすることで、店舗の収益性を向上することができます。

また、商品ブランド力や商品の形、包装形態、色やサイズなどにもとづいて、さまざまな棚割パターンを作成できるのもこのシステムのメリットです。

5）単品のフェイシング

棚割ではSKU（単品）の考え方が重要であるとともに、品目ごとの売れ行きに応じてフェイス数を増やしたり、減らしたりすることも大事です。この業務をフェイシングと呼んでおり、店舗では売れ筋商品の動向に注視しつつフェイシングの見直しをはかります。

フェイシングでは、販売データなどをもとに仮説を立てて、フェイス数を調整していきます。そこで得られた販売成果を検証し、再び仮説を立てます。この繰り返しを行うことで最適なフェイシングへとつなげていきます。

フェイシングで気をつけなければならないのは、ある程度のフェイス数まで増やすと、それに応じて売上増加率が減ってくるということです。したがって売上増加率が低下し始める直前の段階が、適正なフェイス数ということになります。

6）ディスプレイの実施

ゴンドラへの配置を行います。

■棚替の理由

売場を活性化させるために棚割を入れ替えることが棚替です。小売業は次のような理由で棚替を行います。

●棚替の主な理由

- ① 季節商品の入れ替え
- ② ゴンドラエンド、コーナーでの季節商品の提案
- ③ 新商品の導入と死に筋商品排除のための入れ替え
- ④ 新コンセプトによる棚割変更
- ⑤ 店舗のリニューアル

2-14 商品管理の意義と方法

商品管理政策

POINT
① 商品回転率は、売上に対して平均在庫が何回使われたかをあらわす指標
② 店舗運営には在庫の質とバランスの調整が必要

■商品管理 重要

商品管理は、倉庫の在庫をコントロールする在庫統制や、売場の商品をコントロールする商品在庫統制よりも広い概念になります。

1）商品回転率

売上に対して、平均在庫が何回使われたかをあらわす指標です。算出には次のような方法があります。

①売価で求める方法
商品回転率＝売上高÷平均在庫高（売価）

②原価で求める方法
商品回転率＝売上原価÷平均在庫高（原価）

③数量で求める方法
商品回転率＝売上数量÷平均在庫数量

なお、平均在庫高を求める場合は、上の①、②の式を、平均在庫高（売価）＝売上高÷商品回転率、平均在庫高（原価）＝売上原価÷商品回転率と変形して算出します。平均在庫高の算出方法は、そのほかに次のものがあります。

①平均在庫高＝（期首棚卸高＋期末棚卸高）÷2

②平均在庫高＝（期首棚卸高＋中間棚卸高＋期末棚卸高）÷3

③平均在庫高＝［$\frac{1}{2}$（期首棚卸高＋期末棚卸高）＋1月から11月までの月末棚卸高］÷12

④平均在庫高＝［$\frac{1}{2}$（期首棚卸高＋期末棚卸高）＋51週末の棚卸高］÷52

2）過剰在庫の概念

店舗運営には、在庫の質とバランスの調整が必要になってきます。在庫が少なければ欠品を招いて販売機会ロスとなってしまい、顧客が自店から離れていく要因になります。しかし、それを恐れて過剰に在庫を持つことは、ひいては店舗の経営を圧迫することになります。

小売業が過剰在庫を抱えることで次のような問題が発生します。

●過剰在庫の諸問題

① 在庫商品の仕入資金が膨らみ、在庫金利が拡大

② 売れ筋や新商品のスペースを狭め、売上増加の機会を失う

③ 商品が損傷したり、汚れたりするため商品ロスが増加

④ 単品の整理整頓が不十分となり、売れ筋商品の把握が困難に

⑤ 死に筋商品を増加させ、値下処分を行うことで粗利益が減少

■在庫の削減方法

小売業では合理的に在庫を減らし、適正な在庫にすることが重要になってきます。商品をゴンドラに投入した後も、カテゴリー単位で売れ行きをチェックし、販売パターンの修正を繰り返しながら、適正な在庫になるよう調整していきます。

在庫を減らすには、次のような方法があります。

1）商品回転率を同一に維持

売れていない商品の在庫は減少させ、売れている商品の在庫は増加させることになります。結果として、売れていない商品は売場から排除し、売れている商品で品ぞろえすることになります。

2）最小在庫量と最大在庫量の決定

発注の頻度や納品日、商品特性を考慮して決定します。

3）商品の絶対量の削減

無条件に在庫をカットする方法です。在庫金利を減らす意味でも即効性がありますが、売れ筋商品の欠品の恐れなど悪影響も出てきます。

2-15 商品管理政策 帳簿在庫と実際の在庫の差である商品ロス

POINT
① 商品ロスは値下ロス、商品廃棄ロス、棚卸ロスの3種類に分けられる
② 棚卸ロスの発生原因には外的要因と内的要因がある

■商品ロスとは

帳簿上の在庫（帳簿在庫）と、一定の期間（一般的には１年）における商品の在庫を明らかにする実地棚卸によって判明する在庫（実在庫）は、本来一致するはずです（帳簿在庫数量の求め方は P.147 参照)。

しかし、実際は帳簿上の在庫よりも実地棚卸によって確認した在庫のほうが少なくなるのが普通です。この帳簿在庫と棚卸でカウントした実際の在庫の「差」が商品ロスであり、小売業では商品ロスを縮減することが利益確保に重要な意味を持ちます。

なお、在庫は金額と数量の２つの方法で表されますが、商品ロスは金額で把握する方法がとられています。

●帳簿上の商品ロス

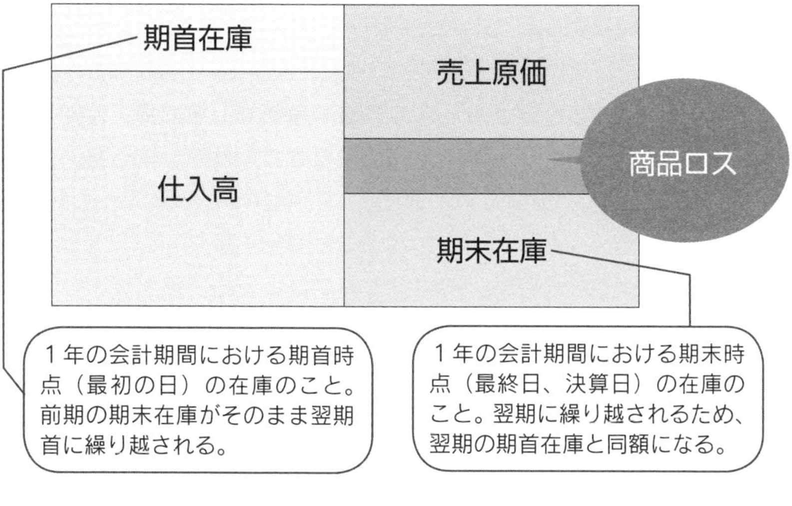

■商品ロスの種類と発生原因 重要

帳簿上では残っているはずの商品がないという商品ロスは、さまざまな場面で発生します。商品ロスの発生原因には、値下ロス、商品廃棄ロス、棚卸ロスの3つのケースが挙げられます。

1）値下ロス

売価は商品を仕入れた段階で設定しますが、その売価を値下などによって引き下げたときに発生するロスです。値下の原因としては、需要予測のミス、天候の読み違えなどの発注ミスによって、過剰に仕入れてしまった商品が売れ残った場合などが該当します。

たとえば、スーパーマーケットでは、その日に作ったお弁当や惣菜などは閉店までにすべて売り切るため、閉店前には値引販売が一般的に行われています。これにより、本来得られる利益は得られませんが、仕入原価すべてがロスになるという最悪の事態は避けることができます。

2）商品廃棄ロス

野菜や肉類など、生鮮食品などは鮮度が低下すれば売れなくなってしまいます。また、ダメージを受けて破損してしまった商品など、値下しても売れなければ廃棄するしかありません。売れない商品、いわゆる死に筋商品も最後は破棄することがあります。

これら廃棄処分した損失分のロスが商品廃棄ロスです。このロスは、その商品の仕入原価分が全額、損失となるため、小売店にとっては利益を圧迫する要因となります。

3）棚卸ロス

帳簿上の在庫と棚卸を行ったときの在庫の差額で、棚卸損、棚卸減耗ともいいます。このロスも仕入原価分がすべて損失になってしまうため、小売業の経営面でのダメージは大きくなります。

①外的要因

万引や盗難が挙げられます。万引きは商品ロスでの比重も大きく、小売業にとっては対策が不可欠です。

②内的要因

従業員の不注意や不正行為、棚卸ミス、レジの打ち間違い、検品ミスなどが該当します。

2-16 商品管理政策

POSシステムの活用

POINT
① POSシステムの第1段階活用はレジ機能である
② バーコードはバーシンボルとコードで構成されており、バーシンボルをスキャナで読み取る

■ POSシステムの定義

POSシステムは、販売時点情報管理を意味します。POSシステムを利用することで、小売業は単品別の詳細な情報であるPOSデータを収集することが可能になり、なおかつその情報を活用することができます。

なお、POSシステムでの情報収集は、顧客の購入した商品の代金を小売店側が受け取る際に、バーコードをPOSレジのスキャナで読み取ることで行うことができます。

■ POSシステムの段階的活用

POSシステムは、さまざまなレベルで小売業に効果をもたらします。POSシステムの活用は、次の3段階に分けることができます。

【第1段階】

レジ機能としての活用レベルです。基本的な販売管理であり、単品別の売上数量と集計が行われます。

【第2段階】

売れ筋商品や死に筋商品の商品管理への活用レベルです。

【第3段階】

時間帯別や価格帯別の販売状況、何と何を同時購買するかといったバスケット分析などの応用レベルです。

■ POSシステムのハードメリットとソフトメリット

POSシステムによって、商品販売や顧客ニーズなどについて詳しく分析することができるようになりました。POSシステムを活用することによって得

られるメリットは、導入後すぐに効果が得られるハードメリットと、情報の活用によって得られるソフトメリットに分けられます。

●ハードメリット

① 顧客サービスの向上	レジ入力が商品のバーコードをスキャンするだけですむため、チェックアウト時間が短縮され、レジでの待ち時間を少なくすることができる。
② レジでの人的作業の合理化	レジ操作が容易になるため、レジ教育の実習時間が短縮できる。
③ 値付作業の省力化	商品のパッケージに付いているバーコードを読み取るため、値付作業を省略することができる。

●ソフトメリット

① 死に筋商品の把握	死に筋商品を発見することができ、原因の究明や品ぞろえからの排除などを速やかに行うことができる。
② 欠品と過剰在庫の防止	詳細な単品情報を収集できるため、それぞれの商品の売れ行きを把握しやすく、欠品や過剰在庫を未然に防ぐことができる。
③ 品ぞろえの向上	新商品の詳細な売れ行き状況を知ることができ、新商品と死に筋商品の入れ替えなど、常に新しい商品構成を構築していくことができる。

■商品コードの種類と概要 重要

日本のPOSシステムでは、13桁のJAN（EAN）コードのほかに、アメリカやカナダで使用されている12桁のUPC（Universal Product Code）の読み取りができます。

1）JANシンボル

バーコードはバーシンボルとコードで構成されています。バーシンボルをスキャナで読み取ることで情報を読み取ります。また、バーシンボルの下のコードを入力することでも、情報を読み取ることができます。

● JANコードの例

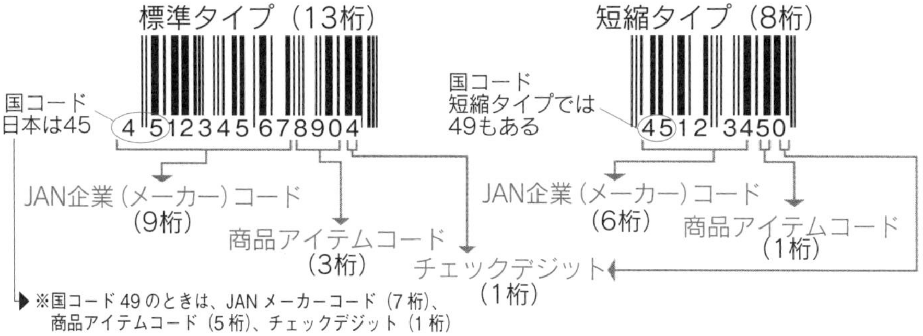

※出所：GS1 Japan（流通システム開発センター）ウェブサイト　https://www.dsri.jp/jan/about_jan.html

2）集合包装用商品コード

集合包装用商品コードは、企業間の取引単位で設定される商品識別コードです。物流用の商品コードであり、国際標準化されている 14 桁の ITF シンボルによって表示されます。

この集合包装用商品コードは、国際的には GTIN-14 と呼ばれ、ケース、段ボール、パレットなどの集合包装に対して設定され、受発注、納品検品、仕分け、棚卸管理等に使用されています。

あくまでも企業間の商品識別コードなので、小売店で消費者が購入する場合は、ケース売りのように形状が集合包装だったとしても、集合包装用商品コードは用いられず、JAN コードが設定されることになります。

● ITF シンボルの例

出所：GS1 Japan（流通システム開発センター）ウェブサイト　https://www.dsri.jp/jan/itf.html

2-17 物流政策

物流システムへの取り組み

POINT
① 総合品ぞろえスーパーは
クロスドック型トランスファーセンター物流が基本
② コンビニエンスストアの物流では共同配送を採用

■小売業の物流システム

小売業の物流システムは、品ぞろえの幅と商品特性という観点から４つの領域に分かれます。

●物流システムの４つの領域

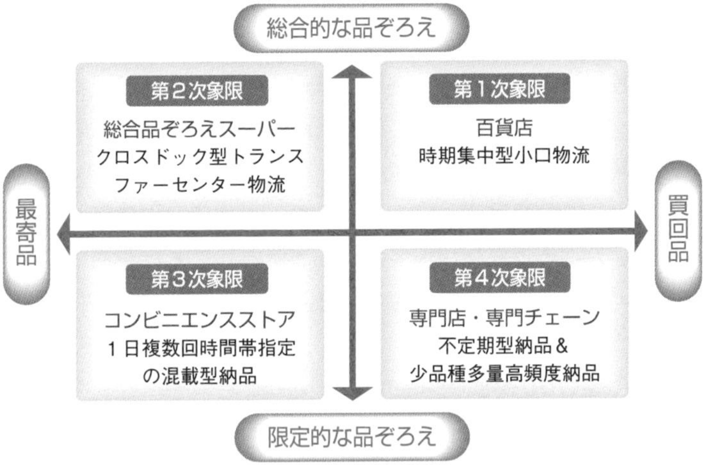

総合品ぞろえスーパーが位置づけられる第２次象限では、多品種多量の商品を品薄、欠品させずに安定供給するクロスドック型トランスファーセンター物流を基本としています。

この方式は、入荷用の商品受入口と出荷用の商品送り出し口を結合させることにより、従来の物流センターにおける中間の無駄な機能を取り除いたもので、その分、商品を早く出荷できるというメリットがあります。

■総合品ぞろえスーパー業界の物流 重要

総合品ぞろえスーパー業界では、各店舗へサプライヤーが別々に納品する方式から、各サプライヤーの納品を一括してチェーンストアの物流センターなどに納品する、統合型物流（一括統合型納品）システムへ移っています。これにより、各店舗での検品、荷受作業の手間を大幅に減らし、コスト削減を実現しています。

現在の総合品ぞろえスーパーでは、次の３つの方法によって物流センターを運営していますが、競争店との価格競争に対抗するため、新たな物流システム構築への模索は続いています。

1）トランスファーセンター（TC）

在庫を持たない通過型センターです。複数のサプライヤーの商品をケース単位で受け入れ、各店舗別で商品分野別に仕分けを行う、仕分けセンターとしての機能を持ちます。

2）ディストリビューションセンター（DC）

在庫を持つ在庫型センターです。店舗からの発注を受けるごとに在庫から商品をそろえる、オーダーピッキングによって出荷する機能を持つ物流センターです。

●TCとDCの物流

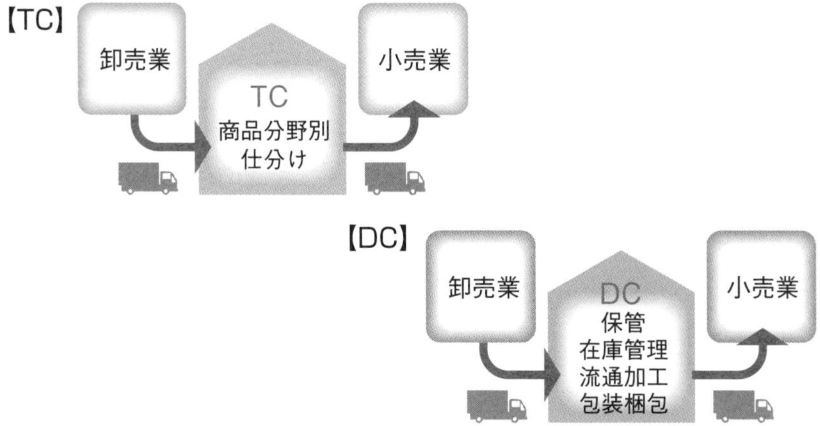

3）プロセスセンター（PC）

生鮮食品の食材を加工、調理してプリパッケージを行うセンターです。スーパーマーケットなどのバックヤード機能の代行拠点として位置付けられる物流センターになります。

この物流センターの設営によって、小売業は店舗での加工処理を減らすことができ、店舗運営のロスやコストを軽減することができます。

■コンビニエンスストア業界の物流

コンビニエンスストア業界の物流では、高頻度少量の発注に対応する調達物流と、時間帯を指定した計画配送であるジャストインタイム（JIT）物流システムの２種類が採用されています。これらを実現するため、共同配送という統合納品方式の物流システムを行っています。

共同配送では、納品する商品ごとに複数のサプライヤーが共同出資した配送センターが使われます。複数のサプライヤーが共同出資した配送センターは、第三者物流（サードパーティーロジスティクス：３PL）と呼ばれ、荷主に対して物流システムの改善などを提案しています。包括的に物流業務を受託する物流企業であり、受託の対象は輸送だけでなく、保管や在庫管理、流通加工などの業務も含まれます。

この配送センターにサプライヤーがそれぞれ店舗へ納品する商品を持ち込み、店舗別に仕分けをしたうえで店舗へ納品します。

●コンビニエンスストアの共同配送例

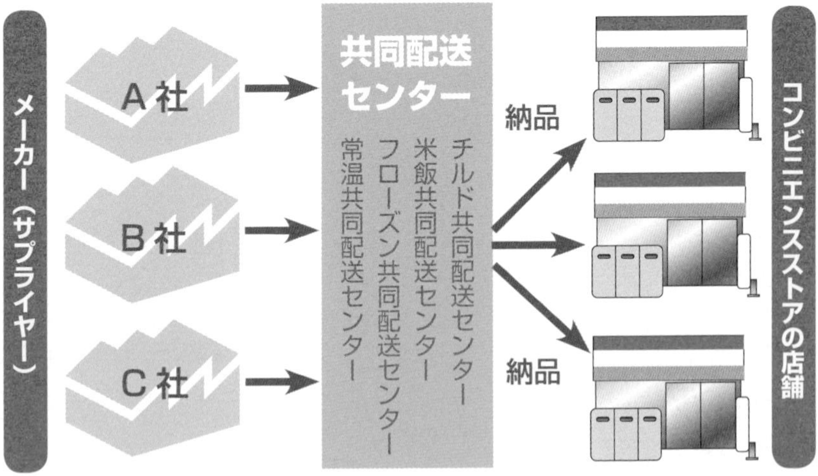

■統合型物流システムの展開

近年は、メーカーから小売業までをオンラインで結ぶことで、効率的な流通網を構築しています。

ポイントとして、以下のようなシステムがあります。

1）VMI（Vendor Managed Inventory）

ベンダー主導型在庫管理といわれるもので、仕入先企業が小売業の在庫管理を行うものです。このシステムには次の２つの方式があります。

① CRP（Continuous Replenishment Program）

連続補充方式といわれるもので、小売業の店舗や物流センターの在庫管理を仕入先企業である供給業者が行うものです。

② CPFR（Collaborative Planning, Forecasting and Replenishment）

共同需要予測・補充といわれるものです。このシステムは、小売業と製造業が協力しながら、販売計画を立て、需要を予測して商品の補充を行う仕組みです。

2）DCM（Demand Chain Management）

ディマンドチェーン・マネジメントと呼ばれるものです。消費者を起点として、小売業がイニシアティブをとることで、メーカーまでの流通を合理化するものです。

3）EDI（Electronic Data Interchange）

電子データ交換といわれるもので、異なる企業間において、商取引のためのデータをコンピュータ間で交換することをいいます。通信回線を介するもので、標準的な規約（プロトコル）を用いるのが特徴です。

4）SCM（Supply Chain Management）

サプライチェーン・マネジメントと呼ばれるもので、サプライチェーン（製造業から小売業までの流れ）の全体最適化を実現するために、製品やサービスの流れを総合的に管理する手法です。

5）SCM ラベル

商品出荷の際、運搬用に梱包した荷物に貼る、商品の内容を示したラベルのことをいいます。

練習問題

次の設問で、正しいものには○を、誤っているものには×を選びなさい。

問題 1　マーチャンダイジング・サイクルにおけるチェーンストア本部の業務の起点は販売計画である。

問題 2　商品構成では、常にパーセンテージで商品分類の構成比をとらえることが大切である。

問題 3　クラスは、顧客が便利に選べるような品種で分類された単位で、顧客ニーズによって常に変動する。

問題 4　集中仕入のメリットには、在庫管理を商品センターに集中できるため、各店舗に在庫を置く必要がないことが挙げられる。

問題 5　リベートは日本では見られないが、欧米では一般的な商慣習である。

問題 6　最寄品は、日常の生活用品で購買頻度が低く、個人によって欲求が異なる。

問題 7　チェーンストアの場合、棚割、販売促進は、一般に本部が企画・決定をする。

問題 8　当用仕入は、ロット単位で商品を大量に仕入れることから、数量割引によって仕入単価を引き下げることができる。

問題 9　商品分類の方法において、Y シャツのなかのビジネス用か、カジュアル用かといった機能別の商品区分をサブクラスという。

問題 10　POS システムは補充発注システムを意味し、POS システムを利用することで小売業は POS データを収集することが可能になる。

次の設問の【　　】のなかに当てはまるものとして、最も適当なものを選びなさい。

問題 11　色別、サイズ別など、これ以上分類できない最小の単位を【　　】という。

［ライン　クラス　アイテム　SKU］

問題 12　日本で用いられているバーコードはJANコードであり、アメリカやカナダで使用されているのは12桁の【　　】である。

［UPC　EAN　ITFシンボル　GTIN］

問題 13　棚割とは、商品を販売しながら、どれだけより多くの利益を獲得できるようにするか、その効率アップのための【　　】マネジメント手法である。

［スタッフ　店舗　小売　インストア］

問題 14　損益分岐点とは、利益計画において売上高と【　　】の損益がゼロになる売上高をいう。

［特別収益　費用　税金　利益］

問題 15　予算編成とは、将来の一定期間における小売業の【　　】を達成するために必要な計画を貨幣額によって示したものである。

［経営戦略　目標売上　目標利益　販売計画］

問題 16　小売業が商品カテゴリーごとに設定した、価格の上限と下限の幅（範囲）のことを【　　】という。

［プライスライニング　プライスポイント
プライスライン　プライスゾーン］

問題 17　【　　】とは、売上高の発生に関係なく必要となる費用のことである。

［許容費用　変動費　固定費　特別経費］

解答解説

問題 1　×　チェーンストア本部の業務の起点は、商品計画です。その後の業務が、販売計画となります。

問題 2　○　仕入れる商品を売りやすいように分類するとき、金額ではなくパーセンテージで構成比をとらえることで、バランスのよい商品構成にすることができます。

問題 3　○　小売業の商品分類基準では、ラインをさらに細かく分類したものがクラスで、顧客ニーズによって常に変動する単位です。

問題 4　○　設問のとおり。なお、集中仕入を行う条件としては、商品を各店舗に配送するための機能を持った物流センターや、一時的に大量に商品を保管できる倉庫施設が挙げられます。

問題 5　×　リベートは一定期間の取引高を基準として、メーカーが卸売業や小売業に支払う利益の割戻金であり、日本固有のものです。

問題 6　×　最寄品は、購買頻度が高く、慣習的に購入する割合が高い商品です。

問題 7　○　設問のとおり。棚割はスペース当たりの販売効率を向上させるという点からも非常に重要です。棚割の巧拙で売上額が大きく変化します。

問題 8　×　当用仕入は、売れ行きに応じて必要な数量を、そのつど仕入れる方法です。数量割引の効果を得られるのは大量仕入になります。

問題 9　×　サブクラスとは、クラス（品種）をより具体的に分類した単位です。Yシャツのなかのビジネス用かカジュアル用かはクラスになります。

問題 10　×　POS システムは、販売時点情報管理を意味します。補充発注システムは EOS のことです。

問題 11　**SKU**　1つの商品のことであり、色別、サイズ別など、これ以上分類できない最小の単位（絶対単品）となります。

問題 12　**UPC**　日本のバーコードは 13 桁の JAN（EAN）コードであり、12 桁の UPC はアメリカやカナダで使用されているものです。

問題 13　**小売**　棚割こそが、小売業にとってより多くの利益を確保するための小売マネジメント手法といえます。

問題 14　**費用**　損益分岐点とは、商品の仕入や販売に要した費用と、商品の販売によって得た収益が等しく、利益も損失も生じない売上高をいいます。なお、費用は固定費と変動費に分けられます。

問題 15　**目標利益**　予算編成は目標利益を達成するために編成されます。

問題 16　**プライスゾーン**　プライスゾーンを設定することによって、小売業は顧客層の絞り込みを行うことができます。

問題 17　**固定費**　固定費とは、売上高の増減に左右されない費用であり、代表的なものに、人件費、減価償却費、水道光熱費があります。

3

ストアオペレーション

店舗運営のことをストアオペレーションといい、
商品のディスプレイや従業員の作業割当計画、
販売員による接客販売などを網羅します。
将来にわたって、継続的に店舗が営業、存続できるように、
また、適切な売上と利益を生み出すためにも、
ストアオペレーションがとても重要な役割を果たします。

3-1 店舗運営サイクル

売上と利益向上のためのストアオペレーション

POINT
① 売上高は客数×客単価で求める
② 販売機会ロスを防止するには、欠品を減らし、的確な販売を行い、新製品や売れ筋商品を知る

■売上を増加させる要素

ストアオペレーション次第で、店舗の売上高や利益は変わってきます。一般的に、売上高は次の計算式であらわすことができます。

売上高＝客数×客単価

したがって、売上高の向上には客数（入店客数×買上率）や客単価を高める必要があります。しかし、客数を急激に増やすことは難しいため、客単価をいかに上げるかが小売業の戦略になってきます。なお、客単価を増やすには、買上点数を増やすか、一品単価を高く設定するかという２つの方法があります。

また、小売業の儲けの指標で大事なのが営業利益です。これは下の式で求められるため、売上総利益を増やすか、もしくは販売費及び一般管理費を抑えることが営業利益を増加させる方法になります。

営業利益＝売上総利益（粗利益）－販売費及び一般管理費

■売上と利益を向上させる方法

買上点数を増加させる最も基本的な方法は、販売機会ロスの発生を極力抑えることです。このほかにも、クロスマーチャンダイジングという方法があります。これは、１つの商品（主商品）に関連する商品（副商品）をセットにして購買させる手法であり、鍋の具材とスープや、焼肉の肉とタレの組み合わせなどが該当します。

●販売機会ロス防止の方法

① 欠品の発生防止

② 不的確な販売方法の修正

③ 新製品や売れ筋商品に関する情報収集

■売上総利益の向上

小売店経営の基礎的な利益は売上総利益です。売上総利益は、売上高に粗利益率を掛けたものであり、この粗利益率を向上させることが売上総利益の増加要因になります。

●粗利益率向上の要素

① 仕入価格の引き下げ

② プライベートブランド（PB）商品の販売

③ 値入率の高い商品の推奨販売

④ 値下・値引を減らす

⑤ 減耗（商品の破損や汚損、万引きなどの商品ロス）を減らす

■販売管理費の低減 重要

利益を左右する費用として、人件費、店舗の賃借料、広告宣伝費や光熱費などの販売管理費があります。売上や粗利益に対してこの販売管理費の割合を下げる、ローコストオペレーションが今の小売業には求められています。

●ローコストオペレーションの実現方法

① 粗利益に応じた適切な労働分配率＊と労働生産性＊の向上

② 売上や粗利益に応じた適切な店舗賃借料

③ 費用対効果の高い広告宣伝費

④ 光熱費の低減

＊＝P.229、230 参照

3-2 店舗運営サイクル

発注システム・商品の前出し作業・補充

POINT
① EOSで効率的な補充発注を可能にする
② 最低陳列数量を下回ると販売数量が減少する
③ 前出し作業は棚の奥の商品を前に出す作業

■補充発注で用いるEOS

定番商品の維持管理を行う店舗での作業が補充発注です。売れた商品を補うべく、決められた棚割表にもとづいて棚における商品数であるフェイシング（P.126）を維持し、欠品を防ぐことが最大の目的となります。補充発注には定期的に発注する方法と、定量的に発注する方法があり、多くの小売業が受発注システムを使って効率的に補充発注を行っています。

代表的な受発注システムがEOSで、売場の発注担当者が端末機を使って商品と数量を入力し、店舗のストアコントローラーや本部を通じて仕入先企業へ発注します。

■最低陳列数量と欠品 重要

在庫量が一定以下になったとき、販売数量が急速に減少する一定量のことを最低陳列数量といいます。

販売数量が減少する理由は、商品棚に並べられた商品が最低陳列数量を下回ると、顧客はその商品を売れ残りとみなすためです。売上にも影響してくるため、販売員は最低陳列数量を正確に把握し、適正な在庫を維持する必要があります。

最低陳列数量よりも少なくなった状態が欠品です。欠品を防ぐには、欠品になってからでは間に合いません。補充発注をしてから、その商品が入荷するまでの期間である発注リードタイムも考慮して補充発注を行う必要があります。

したがって、売場の担当者はカテゴリーごとの最低陳列数量を正確に把握しておく必要があります。なお、最低陳列数量は商品によって異なります。

●商品の販売動向データ

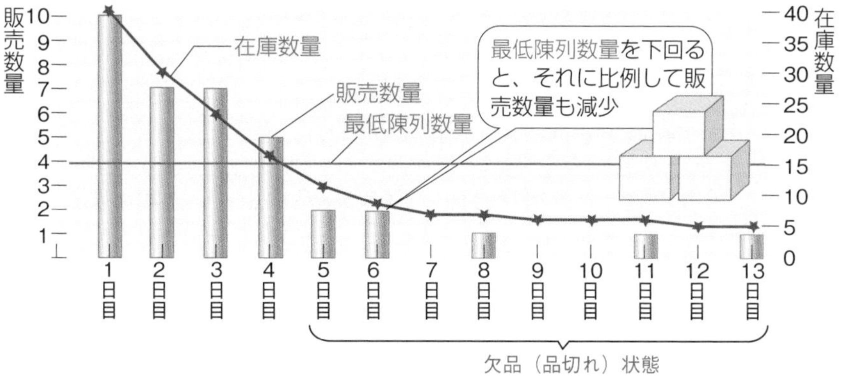

■前出し作業

前出し作業では、定番のゴンドラの奥に売れ残っている商品を一番前に引き出して、フェイス（P.126）を平面に整えます。商品のボリューム感を生み出し、商品を見やすく、取りやすくすることが前出し作業のねらいです。なお、清潔感を演出する「クリンリネス」も、前出し作業に含まれます。

1）実施頻度

スーパーマーケットやドラッグストアなどでは、1日に4回程度、前出し作業を実施します。そのほかの小売店でも、顧客の購買状況に配慮しつつ、午前と午後の2回以上は前出し作業を実施します。

2）作業時間

1回5分から10分程度、手短に行います。

3）主な売場

全売場で同じように前出し作業を行うのではなく、ゴンドラエンドや季節定番コーナーなど、顧客の立寄率が高い重点的な売場を中心に行うことが重要です。

4）実施上の留意点

品目ごとに、ゴンドラの奥に向かって最低でも2列以上の陳列数量になるよう整えたり、ハンディモップを使って商品の埃《ほこり》を落としながら、両手で前進立体陳列を徹底します。

また、棚ラベルの位置やPOP広告とその内容をチェックします。POP広告が破損していたり、きちんとついていなかったりする場合、正しく修正します。

●前出し作業での主な留意点

① 統一的方法を採用して効率的に作業を行う

② 前進立体陳列の徹底

③ 入口からよく見えるようにディスプレイ

④ 分類の異なる商品が混在している場合は正しい売場へ戻す

⑤ 棚ラベルの位置や POP 広告とその内容をチェック

⑥ 不良品、破損品、有効期限切れ商品にも注意をはらう

⑦ 欠品スペースは空けておくか、入荷予定日を記したカード類を添える

⑧ 顧客の邪魔にならないよう配慮する

⑨ 作業中でも顧客に明るく挨拶をする

⑩ 場所と作業上のポイントを考慮し、効率的かつ迅速に行う

■商品の補充 重要

商品カテゴリー別の売場での品薄や欠品に備えて、一定の商品数量を整える作業が補充です。仕入業者から納品された商品を売場にディスプレイすることを意味し、スーパーマーケット業界では品出しとも呼ばれています。補充は入店した顧客へ商品の豊富感を訴求するため、入口周辺の売場から店内の奥へと行っていくのが基本です。また、売れ行きの速い商品はフェイスを大きくとることで、補充作業の効率化をはかります。陳列棚に並べられない商品はバックヤードで保管し、売れ行き状況に応じて補充していきます。

補充を行うのは、次のようなときです。

1）絶対的欠品（品切れ）

陳列棚に商品がまったくない状態です。

2）相対的欠品（品切れ）

品目ごとに設定した最低陳列数量に達していない状態です。

3）商品が少なくなった場合（品薄時）

決められている棚割表の基準にしたがって、売れた分だけ補充します。

4）決められた時間帯

1日の予定を決めたワークスケジューリングにのっとって補充します。

補充には、次のような手順があります。

●補充の手順

① 補充商品の選定（売場を巡回）

② 補充商品の取り出し（バックルーム）

③ 商品を運搬するためカートラックへ積載

④ カートラックで運搬

⑤ 先入れ先出し法で適正な在庫数量を陳列（リセット）

⑥ 段ボール整理

⑦ 商品の高さのばらつきや、商品とプライスカードの一致を確認

陳列（リセット）は、商品の陳列棚の奥から商品を入れる「先入れ先出し法」で行い、商品とプライスカードが一致しているかを配慮し、商品が横にずれないよう仕切り板を利用します。なお、補充商品のバックヤードからの取り出しは、入荷日付の古い商品から選び出すようにします。

●カートラックの種類

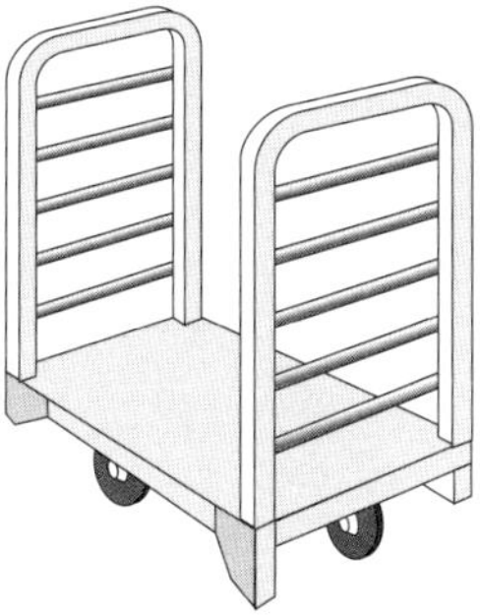

▲カートラック
大きいため混雑時の補充には使わない。

▼カット台
住居・食品用で混雑するときの補充に使う。

▶アルミトレイカート
パッケージ商品の補充とストックに使用。

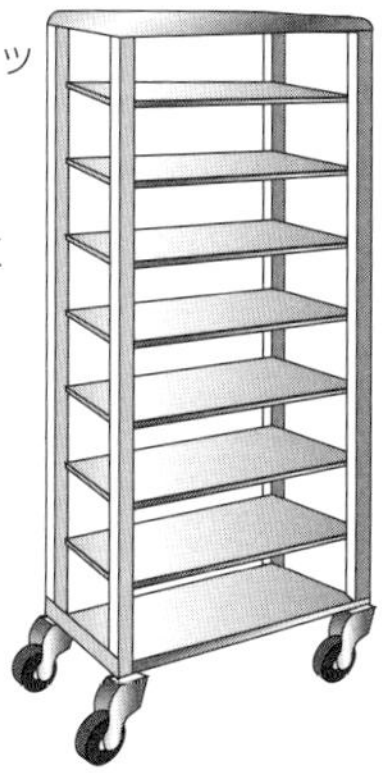

3-3 店舗運営サイクル 売場でのディスプレイの方法

POINT
① 商品を立体的にみせる前進立体陳列が基本
② 変形陳列は、プッシュアウト陳列、ウイング陳列、ステップ陳列、パイルアップ陳列の４種類

■ディスプレイの基本 重要

ディスプレイの基本は次のようになります。

1）前進立体陳列

商品の陳列面を立体的にみせる技術のことで、あらゆる商品に使用することができます。売場の迫力を出すと同時に、商品に触れやすくなるというメリットがあります。

●前進立体陳列の効果

①ボリューム感	ゴンドラ内の商品の表面を正面に向けて並べることでボリューム感を出すことができる。
② 視覚に訴求	視覚に訴えることで、顧客の手が商品に自然と伸びてしまうという心理的な効果も生み出す。
③ 戦略的要素	小売業にとって売りたい商品を積極的に販売するという、戦略的な要素を売場に反映することができる。

2）フェイスアップ

一部の小売業では、前進立体陳列の作業を行うことをこのようにいいます。定番ゴンドラを多用するスーパーマーケットやコンビニエンスストアでは大切な作業になります。

■変形陳列のパターン

前進立体陳列だけでは、売場が単調なイメージになってしまうため、一般的に変形陳列を売場に採り入れてアクセントをつけます。変形陳列はあくまでも売場にアクセントをつけるためのものであるため、売場全体の 20%以内の採用にとどめておくべきです。

1）プッシュアウト（突き出し）陳列

ゴンドラや冷凍ケースの本来の陳列ラインよりも前面の通路側に突き出したような陳列です。後面の定番商品に関連する新商品、育成商品を陳列する際に使用します。

2）ウイング（翼型）陳列

ゴンドラエンドや平台の横の両側もしくは片側に突き出して行う陳列です。鳥の羽を広げたような形から「ウイング」と名付けられています。認知度を高めたい商品やついで買い商品、売り切りたい商品の陳列で使われます。また、ゴンドラエンドや平台の関連商品の陳列にも使われます。

3）ステップ（ひな壇）陳列

商品を階段状に積み上げたり、ひな壇の什器を使って陳列する方法です。積み上げる場合、積み重ねても変形しない、食品で用いられるトレーパックや箱、缶詰などを３段以上積み上げます。

4）パイルアップ（積上げ）陳列

商品を組み合わせて、垂直に高く積み上げる陳列方法です。積み重ねても安定感を失わない中・大型商品の陳列に使用します。

■さまざまなディスプレイでの留意点 重要

ディスプレイパターンにはさまざまな種類があり、それぞれ留意点があります。

1）フォワード陳列（前進立体陳列）

補充発注では、先に仕入れた古い商品を前方へ移動させ、新しい商品を後方へ回します。上下に積んである場合は古い商品を上へ積み上げ、新しい商品は下へ積みます。この陳列を実践することで、賞味期限切れによる商品ロスを防ぎます。また、ずっと下に積まれた商品は、潰れたり、汚れたり、破損したりするので、商品補充時に上へあげることは商品管理の面でも有効です。

2）カラーストライプ陳列

同じ色の単品を縦型に陳列して、陳列面にストライプ（縦じま）模様をつくり、顧客をひきつけて購買させるディスプレイです。セルフサービス販売を行う店舗で用いられています。シンプルなデザインの商品のほうが効果が出やすいディスプレイです。

3）コーディネート陳列

ストアコンセプトを主張するのに適しており、主に対面販売を行う店舗で使われています。生活のシーンに合わせてテーマを設定し、主力商品を中心として色やデザインを統一した関連商品を周辺にディスプレイします。陳列什器には、胴体だけのトルソーやスタンド、オブジェなどを組み合わせます。

4）ハンガー陳列（ネット陳列）

ハンガーを用いたディスプレイ方法で、衣料品の陳列に使われます。このディスプレイには、斜めの多点掛けや商品を横向きに掛けて（袖をみせて）豊富なアイテムから選びやすくするスリーブアウトなどがあります。サイズを探しやすいように、ハンガーにはサイズ表示部品を付けておきます。

3-4 店舗運営サイクル 棚卸と在庫管理

POINT
- ① 棚卸は金額や数量で実際の在庫高を明らかにすること
- ② 棚卸は限られた時間内に完了させるため、前準備をしっかり行う

■棚卸の目的 重要

棚卸とは、一定時点での在庫高を、金額や数量で明らかにすることです。

小売店では、日々の仕入や販売を行っていくなかで、帳簿在庫と実在庫の食い違いが発生します。その違いを棚卸ロスといいます。棚卸ロスをそのままにしておくと、売場にある正確な在庫の数がわからず、発注や利益管理に大きな影響を及ぼします。そのため、最低でも年２回は正確な実在庫をチェックし、データの修正を行う必要があります。

●棚卸ロスの種類

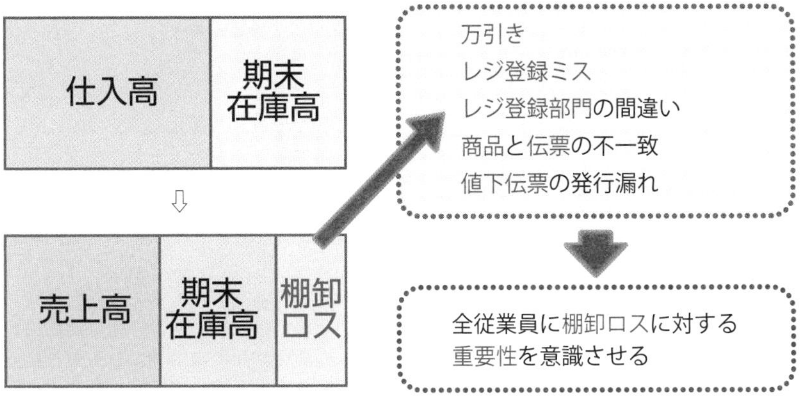

■棚卸の実施

棚卸の作業は、一時的に店内の商品すべての動きを止めた状態で行います。限られた時間内で作業を終わらせる必要があるため、前準備をしっかりと行うことが求められます。

棚卸は１人で実施するのではなく、棚卸責任者、棚卸実施運営者、計画・前準備・進行責任者など、全員の協力のもとで行います。チームとしての効率性をより高めるためにも、必ず棚卸の計画と実施後の反省の資料を作成し、後任者に引き継ぐようにします。

これらの資料を残すことで、新しい店舗に配属された新任者の円滑な作業が可能になります。

■棚卸の実施プロセス

総合品ぞろえスーパーにおける棚卸のプロセスは次のようになります。

●棚卸のプロセス

① **棚卸実施日の出勤者を確認**
出勤者リストを作成し、各マネジャークラスに提出する。

▼

② **棚卸を行わない人員の確保**
棚卸実施日に、受付（保安）、食堂、事務、交換・レジ係など、棚卸以外の業務を行う必要最低限の人員を確保しておく。

▼

③ **予備人員の確保**
病欠などに備えて、予備人員として２～３人確保しておく。

▼

④ **作業の割り当て**
正社員を難しい作業が必要となる住居関連に割り当て、本部の応援者は衣料や加工食品などのわかりやすい売場へ割り当てる。

▼

⑤ **投入組数の決定**
売場別の投入組数（各売場の人員の組み合わせ）を決定。前回の売場別投入組数および終了時間のデータを把握し、棚卸作業が所定時間よりも遅れた売場は、在庫金額や数量を考慮して組数を増やす。早く終わった売場は、組数を減らす。

▼

⑥ **全従業員に周知**
正式に人員の割り振りが決定したら一覧表を作成し、ストアマネジャーの承認を得て、全従業員に周知する。事前に各マネジャーと協議したうえで、ストアマネジャーの了承を得ておくとよい。

3-5 店舗運営サイクル

レジチェッカーの役割

POINT
① レジチェッカーは、精算業務を行うだけでなく、レジ回りの顧客の状況を把握することが必要
② 袋詰めをする際は商品特性を考えて詰める

■レジチェッカーは接客の重要ポジション

レジチェッカーとは、精算担当者のことです。セルフサービス販売方式の小売業では、レジは数少ない接客の場所であり、顧客の状況などを察知しながら、臨機応変に対応していくことが求められます。顧客の買い物を締めくくる、とても重要な役割をレジチェッカーは担っているといえるでしょう。

■レジでの接客 重要

セルフサービス販売方式を主体とする小売店のレジチェッカーには、欠かすことのできないポイントがあります。

1）接客マナー

接客マナーの基本的な要素は、特別な技能以前の絶対に必要なものといえます。

●接客マナーのチェックリスト

① 正しい姿勢で接客をする
② 決められた身だしなみになっていること
③ 決められた用語を使い、丁寧な応対をする
④ 商品の取扱いが丁寧であること
⑤ 接客サービスに不公平感がないこと
⑥ 金銭の受け渡しが丁寧であること
⑦ 待機中に無駄話をしないこと

2）アイコンタクトの重要性

レジチェッカーは、精算業務を行うだけでなく、レジ回りの顧客の状況を把握しなければなりません。

①自分が担当するレジに並んでいる顧客の状況を判断して、顧客にとってストレスのない買い物ができるように配慮します。

②顧客がレジに来たときは、相手の目をみて笑顔であいさつし、その後、買い物かごを引き寄せます。

3）親切なコミュニケーション

レジチェッカーは、目の前の顧客だけでなく、周りの顧客の状況も把握し、瞬時に判断する能力や、親切な気配りが必要です。

①レジが混雑していないとき、年配の顧客には積極的に袋詰めを行うといったサポートをします。

②釣り銭の渡し方でも、最初に紙幣を渡し、その後に小銭を渡すなどの配慮が必要です。 ※新型コロナウイルス感染症対策で内容が変更される可能性があります。

4）袋詰めの方法

レジチェッカーが袋詰めをする際は、商品特性を考えて詰めなければなりません。

●袋詰めの注意点

① 硬い商品から整理

② 牛乳は縦置きが基本

③ レジチェッカーから見て袋の左上から順番に置いていく

④ 卵や魚類などのやわらかい商品は一度カゴから出しておく

●袋詰めの例

3-6 補充型陳列 補充型陳列（オープンストック）

POINT
① **補充型陳列は、見やすく、選びやすく、手に取りやすいのが基本**
② **機能的陳列棚へのディスプレイには縦割展開がある**

■補充型陳列 重要

補充型陳列は、消耗頻度や使用頻度の高い定番商品を補充し、継続的に商品を販売するためのディスプレイ方法です。見やすく、選びやすく、手に取りやすいディスプレイが基本となり、セルフサービス販売の小売店で用いられています。販売店側からすると、売場を管理しやすい、販売数量を増やしやすいといった機能的なディスプレイが重視されます。

●補充型陳列の留意点

① **前進立体陳列にする**　見やすく、整然としたイメージがつくれる。

② **安定的なディスプレイにする**　商品に触っても崩れない安定感。

③ **売場の清潔感を大事にする**　定期的な清掃や整理で清潔感を維持。

④ **ゴンドラ最上段のディスプレイの高さを統一**　全体の引き締め効果。

⑤ **ディスプレイのパターンを決定**　誰でもできるディスプレイに。

■陳列棚へのディスプレイ・縦割（垂直型）展開 重要

陳列棚へのディスプレイでは、重点商品、売れ筋商品を顧客が買い求めやすいように、適切な位置にディスプレイすることが重要です。機能的なディスプレイで考慮しなければならないのが、陳列棚の縦割（垂直型）展開です。

縦割展開とは、容量やサイズなどが異なる同じ種類の商品を陳列棚に縦割で並べることであり、容量の小さい商品はゴンドラの上部へ、大きい商品は下部へディスプレイするのが基本です。

●什器内のディスプレイ

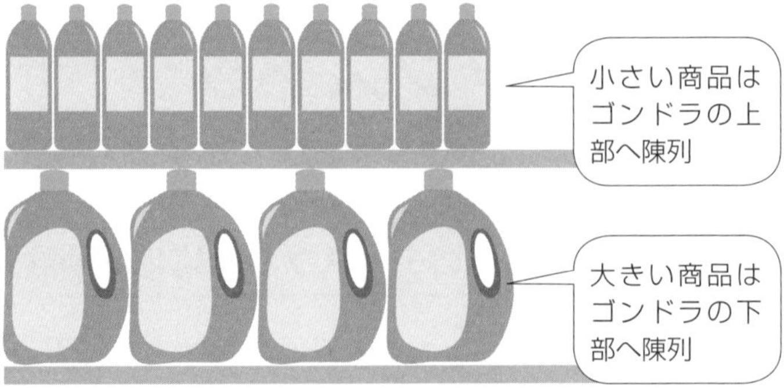

この方法であれば、顧客はゴンドラの前にいたまま視点を上下させるだけで複数の商品の比較検討ができます。心理学的見地にもとづいても、至近距離では人は目を横（左右）よりも縦（上下）に動かす傾向があるとされており、縦割展開が有効であることの根拠になっています。

●陳列棚の縦割（垂直型）展開

■補充型陳列における見やすい幅

顧客にとって買いやすい売場をつくるためにも、見やすい陳列幅を設定することが大事です。たとえば、ゴンドラ什器の 50cm 前に顧客が立って商品を見た場合、顧客の目で見渡すことのできるゴンドラ什器の範囲は約 120 度になります。通路の幅を考慮すると、ゴンドラ什器 1 本当たりの陳列幅は、1.5 ～ 2.0m が限界ということになります。

●ゴンドラの前での見やすい幅の限界

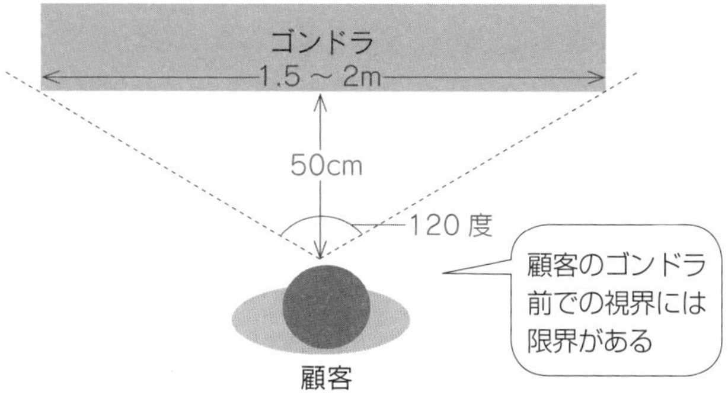

さらに、購買頻度が高いにもかかわらず粗利益率の低い商品は陳列棚の下部へ、販売数量は少ないが粗利益率の高い商品はゴールデンライン（最も触れやすい腰の位置）へ戦略的にディスプレイするなど、商品回転率や粗利益率を考慮することも縦割展開では不可欠です。

●陳列棚のゴールデンライン

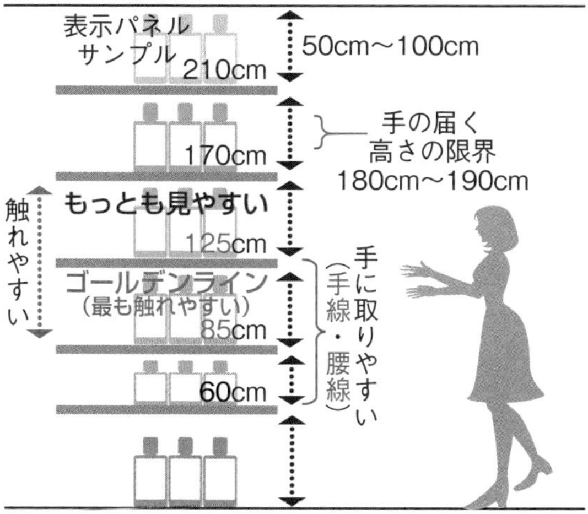

3-7 補充型陳列

フェイスとフェイシング

POINT

① 陳列棚の最前列に同一、かつ複数の商品（単品）を横や縦に戦略的に並べる方法がフェイシング

② 商品の売れ行きでフェイシング数は決まる

■フェイス

商品の一番の特徴をアピールできる面がフェイスです。陳列時は、このフェイスをいかにみせるかがポイントになります。留意点は、どの面をみせれば商品の価値を適切に伝えられるか、陳列、補充、整理を効率化できるか、ということになります。

●フェイス決定の条件

■フェイシング 重要

陳列棚の最前列に同一、かつ複数の商品（単品）を横や縦に戦略的に並べる方法がフェイシングで、商品の販売量を左右する要因となります。陳列棚のなかで並列的な陳列の数（フェイス数）が多いほど顧客の目をひきやすくなり、商品の表現や主張も伝わりやすくなります。

●商品の売れ行きとフェイシング

▲2フェイス。1フェイスよりも訴求力はあるが売れ行きは弱い。

▲4フェイス。顧客への訴求力は圧倒的に高くなる。

フェイシングは棚割の一部でもあります。しかし、棚割が陳列棚全体の効率化を考えて陳列棚単位で商品を配す一方、フェイシングは陳列棚に並べられた単品を基準としてディスプレイする点で異なります。

原則、フェイシングでは消費者ニーズの強い商品が優先されることになります。つまり、商品の売れ行きでフェイス数は決まります。たとえば、1週間の販売個数が100個、60個、20個の品目の場合、陳列棚でのフェイシングは5対3対1の比率でとります。また、戦略的に売れ行きのよい上位2品目だけに絞り、11対7などとすることも考えられます。

このような売れ行きのよくない商品（死に筋商品）を店頭から排除することも、ディスプレイの科学的技術として不可欠といえます。計画的なフェイシングで商品ごとの商品回転率の平均化をはかることができ、陳列棚全体の商品回転率を高めることができるのです。

●フェイシングの例

3-8
補充型陳列

補充型陳列での原則と戦略的な方法

POINT
① 単一ブランド集合訴求型陳列と多数ブランド複合訴求型陳列には売上増加効果がある
② 戦略的な補充型陳列は売上を増加させる

■補充型陳列の原則

補充型陳列では、次の４つの原則を守るのが効果的です。

1）マグネットで顧客をひきつける

顧客が商品を購入するまでの流れは、①来店してもらい、②商品を探し、③商品をみて、④商品を選び、⑤商品に触れて、⑥買う、という順序です。

●顧客の買物の順序

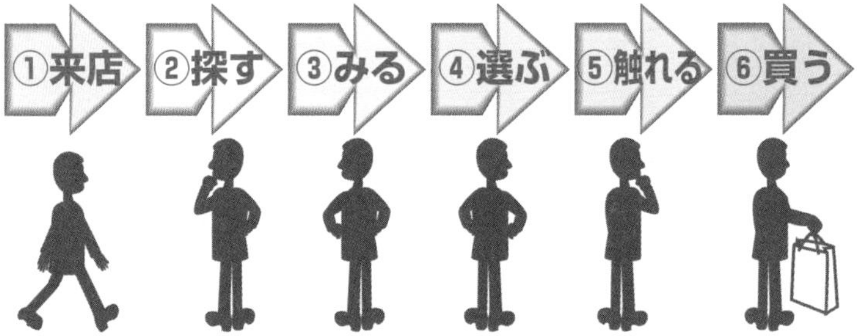

③の商品をみてもらうための方法が、顧客をひきつける効果のあるマグネットの設置です。マグネットとは、買いやすい売場づくりのために、各売場の入口や主通路の突き当たりなどに設置された売場のコーナーのことになります。

2）見やすく選びやすい陳列

至近距離での人間の視野は限られています。したがって、③見やすく、④選びやすい（選ぶ）陳列棚を考える際は、ゴンドラ什器の見やすい幅と商品の見やすい位置を考慮して陳列する必要があります（P.124）。

3）サイズ区分での並べ方

③見やすく、④選びやすくする（選ぶ）ためにも、商品のサイズが異なる商品を１つの什器内で縦にディスプレイする際は、上に小さい商品を、下に大き

い商品を陳列すると安定感が生まれます。棚のなかで横に並べる場合は、向かって左から右に小→中→大と並べます。また、平台では、通路側から奥に向かって、小→中→大と並べます。

4）ハイターン・ローストックを実現させる陳列

商品の回転が速いことがハイターンであり、効率的な在庫をあらわすのがローストックです。この２つは売場づくりの基本となります。なお、ローストックは前進立体陳列と、ボリューム感を出すために上げ底を用いた陳列（上げ底陳列）によって実現できます。

■補充型陳列での売上増加のためのディスプレイ方法 重要

補充型陳列で売上を増加させるためのディスプレイ方法として、次のようなものが挙げられます。

1）単一ブランド集合訴求型陳列

特定のブランドの商品をまとめて並べる単一ブランド集合訴求型陳列は、活気とボリューム感、安さを表現することができ、売上を増加させる効果があります。

●単一ブランド集合訴求型陳列での留意点

① 訴求効果を考慮	商品のフェイスがたくさんまとまったときの訴求効果を考慮する（ビルボード化）。
② パッケージの連続性を活用	パッケージの配色がきれいに見える面を活用したり、パッケージの面の連続性を活用する。
③ 見やすいPOP広告	プライスカードや商品に付けるPOP広告は、文字を大きく見やすくする。

2）多数ブランド複合訴求型陳列

陳列ゴンドラに少数ブランド商品を１列に配置したディスプレイ（少数ブランド単独訴求型陳列）よりも、商品カテゴリーごとに複数のブランドであるマルチブランド（多数ブランド複合訴求型陳列）で数多くまとめて配置したほうが、売上を増加させる効果があります。

3）ゴンドラエンドや店頭部分、レジ近くでの大量陳列

セルフサービス販売方式のチェーンストアでは、ゴンドラエンド（エンド陳列）や店頭部分、レジ近くなどでディスプレイするスペースを大きくとり、商品を大量陳列すると売れる確率が高まります。

●ゴンドラエンドのディスプレイ

■戦略的な補充型陳列

新商品のエンド陳列や定番商品のゴンドラ陳列を戦略的に行うことで、売上を増加させることができます。ゴンドラ陳列では、商品のブランド力の強弱によって配置する場所を変えたり、エンド陳列では、育成商品を中央に配置したり、新商品などを売れ筋商品で挟み込んだりします。

1）戦略的ゴンドラ陳列

ブランド認知力の強い商品と弱い商品を戦略的に組み合わせることで、弱い商品へ目を向けやすくします。

●ブランド力の異なる商品の組み合わせ

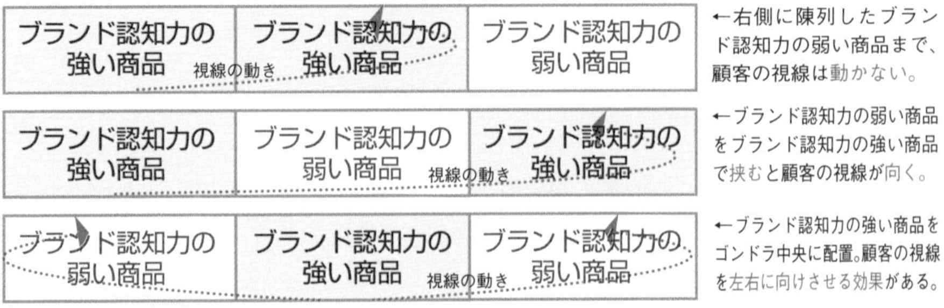

2）戦略的エンド陳列

①育成商品中央配置型

上２段の中央に育成商品を広めのスペースで陳列し、購買しにくい最上段の育成商品は、注目を高める役割にとどめます。

最上段の左右のスペースは、関連する補完的な商品を陳列し、２段目に最もテーマに合った商品を陳列します。

●育成商品中央配置型の例

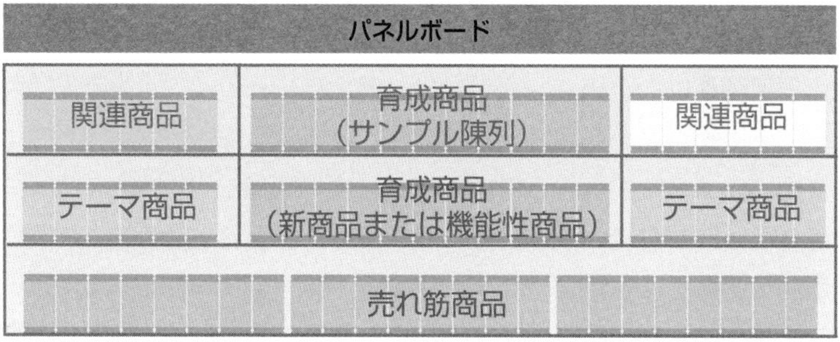

②ダブルアタック（挟み撃ち）型

最上段はPRゾーンとして新商品を売れ筋商品で挟み込み、２段目を推奨ゾーンとして売れ筋商品を新商品で挟み込みます。下段は買い得ゾーンとして新商品を低価格の売れ筋の必需品で挟み込みます。

●ダブルアタック型の例

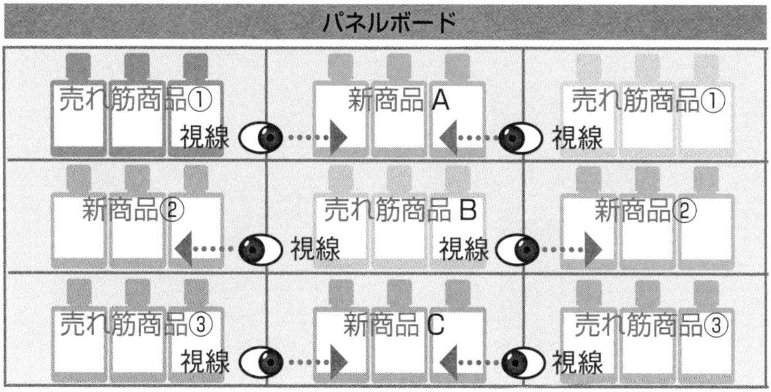

3-9 展示型陳列（ショーディスプレイ）

展示型陳列

POINT

① **展示型陳列は、対面販売の店舗で主に行われており、専門品が対象**

② **美しさと鮮明さ、流行性や季節性も十分に考慮**

■展示型陳列の目的

展示型陳列とは、小売店が売りたいと考えている商品を、審美的かつ感動的に、視覚に直接訴えるディスプレイです。店頭のショーウインドウなどを活用して演出（ショー）的な手法を採り入れ、流行商品などをタイムリーなテーマをもってディスプレイします。初めて来店した顧客にも小売店のコンセプトや推奨商品を認知してもらいやすく、店舗のイメージアップにつながります。

展示型陳列は、対面販売を行う百貨店や専門店で主に行われている陳列方法で、購買頻度の高い定番商品を扱う補充型陳列とは異なり、専門品が対象商品になります。また、補充型陳列のように作業効率の追求による売上増加を目的とするのではなく、小売店の個性を表現し、顧客満足度を向上させることが目的になります。

●展示型陳列の例

●展示型陳列の目的

① 商品特性を的確に表現	品質や機能、デザイン、価格だけでなく、使い方や満足感を伝達する。そのためにも、接客技術の強化や、手に触れて体感できるディスプレイにすることが求められる。
② 何が重要であるか適切に認知させる	店舗内で適切なスペースを確保し、余計な装飾物を付加することなく、商品が持つ特質を損なうことのないよう美しく演出する。

■重点商品の展示型陳列方法 重要

展示型陳列を用いてディスプレイする場合は、人目につく場所に顧客の目をひきつけて、衝動的な購買を促進する集視ポイント（アイキャッチャー）を設置します。陳列の際は、商品の絞り込みによって重点商品を選定し、テーマをもって訴求することが重要です。不特定多数の顧客でなく、主要客層にターゲットを絞り込むことも忘れてはなりません。

表現する際には、美しさと鮮明さが不可欠であり、流行性や季節性も十分に考慮します。テーマと重点商品との関係性について、POP広告で顧客に訴求する必要もあります。

●展示型陳列のあり方

① 重点商品の選定	テーマにそって商品を適切に絞り込むことで、重点商品をアピールする
② 品ぞろえ・ディスプレイで工夫	品ぞろえやディスプレイは、より多くの商品を売り込むことを考慮する
③ 広告的・心理的効果	さまざまな売場の要所で広告的効果、心理的効果を発揮させる
④ 集視ポイント設置	人目につく場所に集視ポイント（アイキャッチャー）を設け、売場の回遊性を向上させる

3-10
展示型陳列

展示型陳列（ショーディスプレイ）の具体例

POINT

① **着せつけ陳列では着装感を訴求**

② **貼りつけ陳列は壁面に商品を貼りつける方法で、少ないスペースで集視ポイントをつくれる**

■展示型陳列のパターン 重要

展示型陳列では、顧客の目をひき、購買したいと思わせる必要があります。そのためには、高度な技術を駆使したディスプレイをする必要があります。演出を最大限に行うこと（ショーマンシップ）が、展示型陳列での目的を達成するカギとなります。

展示型陳列には、次のようなパターンがあります。

1）着せつけ陳列

マネキン人形に衣類を着せつけて、実際の着装感（着たときのイメージ）を訴求する方法で、衣料品のアピールに最も効果があります。

商品を引き立たせてみせることができますが、ある程度広いスペースを必要とし、1か所の設置について多くのマネキン人形は使えないというデメリットもあります。

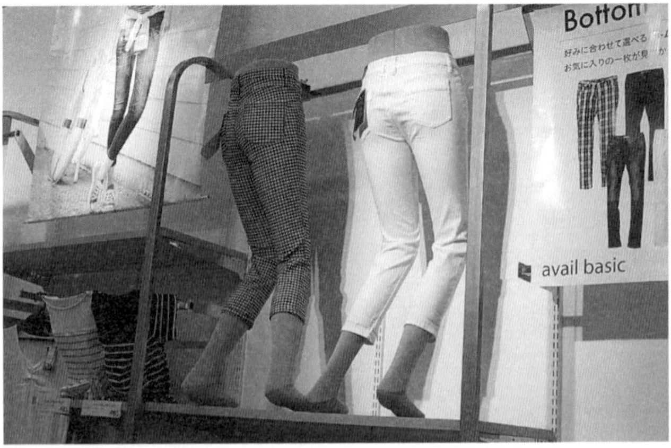

2）吊下げ陳列

天井から、フックやハンガーなどを使って商品を吊り下げる方法です。さまざまなポーズが演出できたり、変化をみせられたりするのが特徴です。顧客の視野に合った角度で吊り下げることが必要で、ステージのマネキン人形と併用する際は吊る商品に高低差をつけます。

3）掛け陳列

細い柱などを人体に見立てて、それに商品を掛けて着せつけたようにしたり、豪華な椅子に腰かけたようなマネキン人形に商品を掛けたりする方法です。見本の展示などで用いられています。

4）貼りつけ陳列

壁面やボードに商品をピンや鋲などで貼りつける方法で、少ないスペースで集視ポイントをつくることができ、高感度な売場づくりに効果的です。注意すべき点として、商品が引き立つように後方の配色を考慮する、商品の特徴を訴求するようポーズをつける、商品のデザインのよさが隠れないようにする、商品の特徴を書いたPOP広告を添付する、といったことが挙げられます。

5）スタンド陳列

スタンド・ハンガーを使った方法で、ジャケットやワンピースなどの陳列に適しています。メリットは、着装感を出すことができ、ステージなどで高低をつければ何段もディスプレイできることです。また、スペースが少なくてもディスプレイが可能で、マネキン人形と異なり商品の取り外しも簡単です。

6）シンボライズ陳列

商品と主題のモチーフを組み合わせることで、ディスプレイのねらいを象徴的に表現します。たとえば、夏の虫除け対策というテーマで、夏らしく提灯型のバルーンをあしらい、殺虫剤の必要性を効果的に訴えるやり方などがあります。季節やトレンドなどディスプレイのテーマにしたがって、集約的かつ端的に顧客に訴えるのが特徴です。

7）ドラマチック陳列

物語の主人公になったかのような連想をさせることで、購買促進をはかる陳列方法です。子供服などの陳列で主に用いられ、物語のワンシーンを商品やマネキン人形、ぬいぐるみでつくり上げることで、顧客の目をひくと同時に商品への欲求を高める効果を生み出します。

3-11 戦略的ディスプレイ

ビジュアルマーチャンダイジング（VMD）への取り組み

POINT
① 売場を色彩や照明、商品構成によって演出するのがビジュアルマーチャンダイジング（VMD）
② 売場に３か所のプレゼンテーションを想定する

■ビジュアルマーチャンダイジング（VMD）

ビジュアルマーチャンダイジング（VMD）は、そのまま訳せば視覚的商品演出方法となり、見やすく、選びやすく、買いやすい売場を、色彩や照明、商品構成によって総合的に演出することです。小売店でのマーチャンダイジング（商品政策）について、その意図や政策、実施プログラムを商品、情報、環境と整合させて、視覚的に訴求するものになります。

●ビジュアルマーチャンダイジングの展開要素

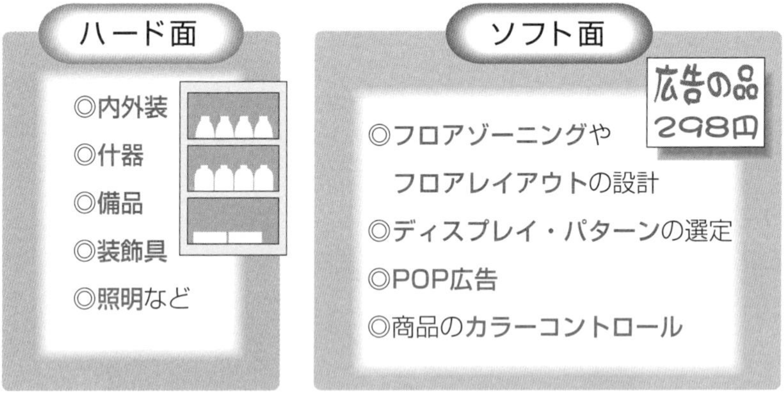

■ビジュアルマーチャンダイジングの展開場所 重要

買回品や専門品を買うとき、顧客は注意から始まり、興味、欲望、記憶、行動という AIDMA の法則にもとづいて購入に至ります。

ビジュアルマーチャンダイジングの展開においても、購入までの段階を踏む AIDMA の法則にのっとって、次の３か所の売場（プレゼンテーション）を段階的に想定していきます。

1）ショッププレゼンテーション（SP）

ショップという概念の演出場所で、ビジュアルプレゼンテーション（VP）と同意義です。ショーウインドウやステージを活用して、季節のテーマなどにより重点商品や流行商品を展示します。AIDMA の法則では、注意、興味の段階になります。

2）コーナープレゼンテーション（CP）

売場に特定のテーマを持たせたコーナーという演出場所で、ポイント･オブ･プレゼンテーション（PP）と同意義です。平台やトルソー（胴部分のマネキン）を置き、そこに特定テーマにもとづく商品をディスプレイし、飾り付けて演出します。AIDMA の法則では、興味、欲望の段階になります。

3）アイテムプレゼンテーション（IP）

一つのスペースに、特定のアイテムを訴求するための演出場所をつくる方法です。顧客が実際に商品を手にとって選ぶことのできる場所であり、商品特性や商品のデザイン、商品の色で分類し、ハンガーラックや陳列棚を使ってディスプレイします。AIDMA の法則では、欲望、記憶、行動の段階になります。

● VMD の展開における階層的プレゼンテーションの方法

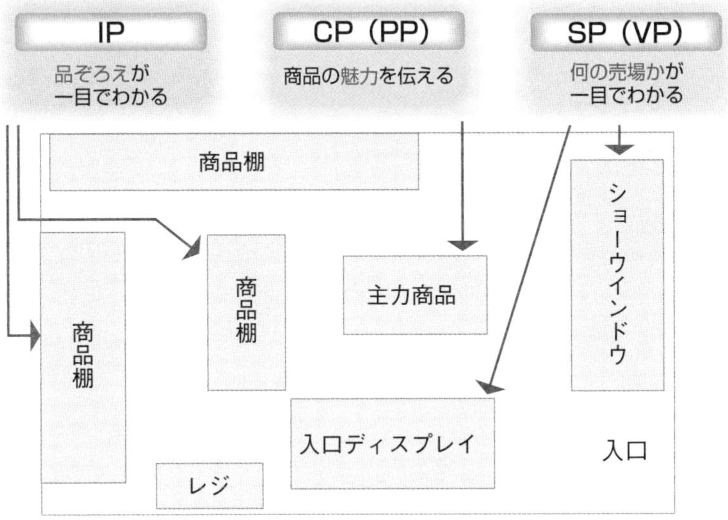

3-12
作業割当の基本

ワークスケジューリングの基本知識

POINT
① 作業割当を作成し、効率的な店舗運営を行う
② 作業割当表は、従業員の能力を考慮し、「どの仕事を」「いつ」「誰がやるか」などを割り当てた一覧表

■従業員１人当たりの生産性（販売効率）

製造業と比べて利益率が低くなる小売店では、投入した労働量に対してどれくらいの生産量（販売量）を上げられたかを示す労働生産性が重視され、労働生産性を高めて人件費をカットすることが最重要課題となります。労働生産性は人件費に大きな影響を及ぼします。人件費は「労働時間１時間当たりの粗利益高」を意味する人時生産性（P.228）にも関係してきます。

■作業工程と作業割当 重要

作業割当（ワークスケジューリング）は、小売業の店舗運営で用いられており、「誰が」「何時から何時まで」「どこで」「どの作業を行うか」について、従業員全員がわかるようにしたものになります。その情報を記したものが作業割当表です。

小売業は無駄なく適正な利益を生み出すため、売場の規模を配慮して最適な作業人員の構成を示した作業割当表を作成する必要があります。

1）人員配置

小売業での作業にかける人員数の決定は、多過ぎても、少な過ぎても、効率的な店舗運営に支障をきたすため、作業割当表の作成は細心の注意をはらう必要があります。店舗の来店数は、営業時間のどの時間帯でも同じということはなく、曜日や季節でも大きく異なります。したがって、作業割当表の作成時はこれらの要素も考慮しなければなりません。

2）作業内容

店舗の作業は、売場であるフロア、バックヤード、レジ、カウンターといった各部署ごとに分けます。

■作業割当表の作成のポイント

作業割当表では、店長やマネジャーがいなくても店舗業務ができるように、その日に誰がどこで何の作業をするかをしっかりと記す必要があります。作業に応じた時間帯別の作業割当表を作成することで、人員配置のバラツキがなくなり、従業員間の仕事量の均衡がはかられます。

●作業割当表の例

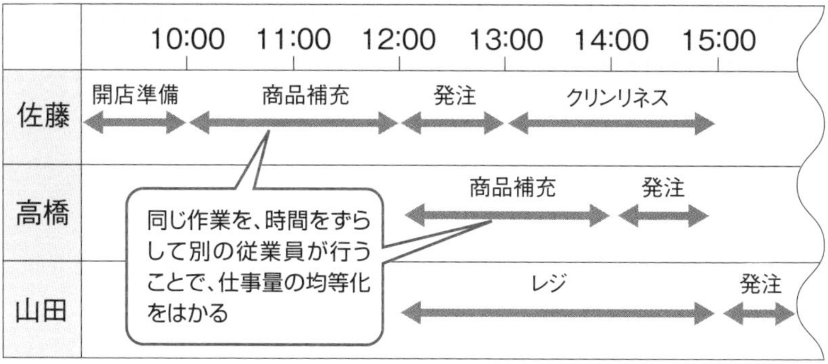

作業割当表の作成では、次の点に注意します。

1）重点作業と補助作業

店内作業は、すべて同じ重要度ではありません。重点作業は、売上に直接結びつく作業であり、レジ操作、品出し（補充）、発注などが該当します。したがって重点作業へ優先的に従業員を割り当てるようにします。一方、補助作業は棚割管理、バックヤード管理など、売上に間接的に影響するものが該当し、出勤者が少ない場合は人員を割り当てません。

2）余裕を持った作業割当

急な欠勤など想定外のことにも対処できるよう、スケジュールにゆとりを持たせて割り当てる必要があります。

3）従業者の適性

作業割当では、個人別の習熟度や知識レベル、接客スキルを把握し、最適な人材を割り当てるようにします。

4）週間ベースで作成する

作業割当表の作成では、パートタイマーなどの予定変更も想定し、週間ベースでのスケジューリングを行います。

3-13 作業割当の基本　パートタイマー・アルバイトの活用

POINT

① やる気を引き出すためにも、処遇面からの配慮およびマニュアルの整備・トレーニングが重要

② パートタイマー等を活用するうえで作業別マニュアルは不可欠

■小売業でのパートタイム労働者

日本の企業では、正規社員に対するパートタイマーやアルバイト（非正規社員）の比重が増加しています。たとえばパートタイムの労働者は、2018 年には約 2,120 万人と、雇用者の約 4 割を占めるまでになっています（総務省統計局「労働力調査」）。

特にチェーンストアの小売業では、パートタイマーやアルバイトがいなければ経営が成り立たないのが実情で、店舗でパートタイマーに一定の責任と権限を与えるなどして、成果を上げています。顧客の立場に近いメリットを活かし、パートタイム労働者が売場づくりから関わるケースも珍しくありません。

●パートタイマー・アルバイト活用の特徴

メリット	デメリット
① 人件費が安い	① 長期的戦力になりにくい
② 期間雇用契約を結ぶことができる	② 働く時間、日数が限定される
③ 労働力を必要なときに必要なだけ調達できる	

■パートタイマー・アルバイト活用の仕組みづくり 重要

パートタイマーやアルバイトのやる気を引き出すためにも、処遇面からの配慮およびマニュアルの整備・トレーニングが重要になってきます。

1）処遇面配慮

正規、非正規にとらわれず優れた人材を適切に評価することは、小売店の経

営面によい効果を生み出し、店舗での人間関係にも好影響を及ぼします。

●パートタイマー・アルバイト活用での留意点

① 円滑な人間関係	店舗での人間関係の悪さが原因でやる気をなくすことのないよう、ミーティングや話し合いを定期的に開催。
② 能力による給料差	大きな戦力であるベテランのパートタイマーやアルバイトが定着するよう、実績に応じた定期的な時給アップや表彰制度などのインセンティブをつける。
③ 融通をきかせた勤務シフト	主婦や学生に対して一方的な勤務スケジュールの押付けをせず、家庭や学校を最優先させる生活リズムの維持に協力し、勤労意欲を減退させないよう配慮。
④ 正規社員との区別を排除	給与や勤務時間などの待遇面以外にも、社内の意識の面でも正規社員とパートタイマー・アルバイトとの区別をつけない。

2）マニュアル整備

作業ごとの目的を達成するために、処理過程についての手順を文書化したものが作業別マニュアルです。作業別マニュアルに必要な要素は、目的（何のために）、方法、手順、道具、量、質、期限の7つであり、チェーンストアの経営を行う小売業や外食産業などにおいて、パートタイマー・アルバイトを即戦力とするための作業別マニュアルは、必要不可欠なものです。

チェーンストアでは、チェーンオペレーションという本部主導の標準化された店舗運営システムを構築し、それにもとづいた作業別マニュアルを作成しています。これにより、誰もが正確に仕事をこなせる仕組みをつくり上げ、低コスト運営を実現しています。

3）OJT 実施

チェーンストアなどでは、接客方法や消費者のニーズに応えていくための品ぞろえ、ディスプレイについて、体系的なプログラムにもとづいて従業員教育に取り組んでいます。しかし、パートタイマーやアルバイトに充実した教育機会を設けることは時間的にも困難なため、実際の仕事 (実習) を通じて店舗実務を身につけさせるのが一般的です。この教育方法を OJT（オン・ザ・ジョブ・トレーニング）といい、正社員がトレーナー役となって実施されます。なお、店舗外のセミナーなどの教育方法は Off-JT といいます。

3-14 LSPの役割

レイバースケジューリングプログラム

POINT
① **レイバースケジューリングプログラムの留意点は、作業発生を予測し、作業を標準化すること**
② **作業割当計画では固定作業と変動作業を割り出す**

■レイバースケジューリングプログラム（LSP）の定義

レイバースケジューリングプログラム（LSP）とは、誰が、いつ、どの作業を、どのくらい行うかを定めた、作業割当計画のことをいいます。POS システムで曜日別、時間帯別売上数量データが把握できるようになったことで、レイバースケジューリングプログラム活用の有効性が高まってきています。

レイバースケジューリングプログラムの目的は、人員を増やさずに顧客サービスを高めること、そして残業時間の削減や単純作業のアルバイトへの移行と、それにともなう主任クラスの知的労働時間の増加にあります。

レイバースケジューリングプログラム導入での留意点は、作業をシステム化・標準化することです。また、作業の発生をどこまで予測できるかという点も計画を立てるうえで重要です。

●レイバースケジューリングプログラムの効用

① 売上の確保	LSP によりサービスレベルの向上に取り組み、売上を確保する。特にレジは最も LSP で改善しやすい部門である。
② 本部による店舗作業の把握	LSP 導入のための作業の標準化により、本部は店舗の作業を把握しやすくなる。
③ 作業コストの把握	作業コストの管理で、どうすることが利益につながるかを把握する。
④ アルバイトの管理	作業の発生量がわかり、必要な人数や時間が前もってわかるため、就業時間の計画が立てやすく、作業を効率化しやすい。

■レイバースケジューリングプログラムの立て方 重要

レイバースケジューリングプログラムを立てるには、次のような段階を経ることになります。

1）労働生産性の把握

店舗作業を分類し、分類ごとに何人時かかるかを調べます。その基準値をRE 値といい、作業やサービスレベルをより具体的な数値であらわしたものになります。なお、人時とは人が一定時間で行う作業のことであり、１人時は一人が１時間で終わる作業（マンアワー）を意味します。

2）日常業務での作業割当計画立案

売上数量などに関係なく時間の決まっている固定作業と、客数や売上数量、入荷量で作業時間の変化する変動作業を割り出して計画を立てていきます。変動作業はコンピュータを使用して予測します。

3）フィードバック

作業時間計画と実際の作業との間の時間的なズレをみつけ出します。そして、ズレが生じた理由を調べて改善します。

●レイバースケジューリングプログラムでの改善サイクル

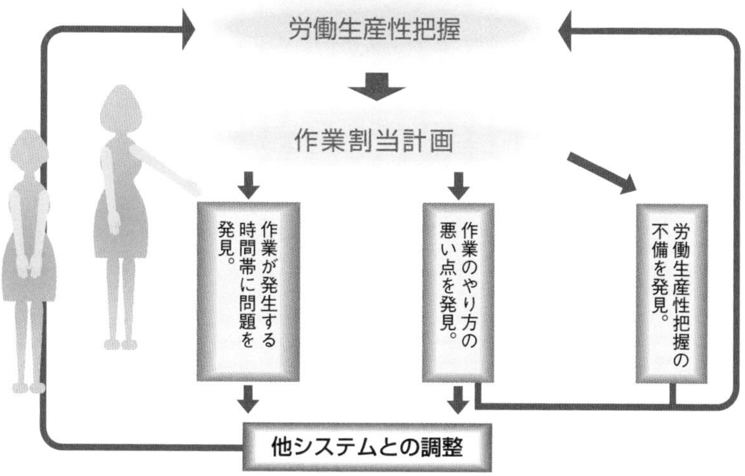

3-15 LSPの役割

レイバースケジューリングプログラム活用での発注作業の改善

POINT
① 発注リードタイムは、発注日から商品が入荷されるまでの日数
② 発注数の計算で在庫管理の効率化をはかる

■発注についての用語 重要

発注業務は重要な店舗作業の一つであり、まさに小売業の生命線といっても過言ではありません。発注についての基本的なポイントを以下に記します。

1）発注期間日数

発注日から次回の発注日までの日数をあらわします。

2）入荷日数（発注リードタイム）

発注日から商品が入荷されるまでの日数をあらわします。

3）安全在庫日数

最低で何日間分の在庫を持てばよいか、という日数をあらわします。品切れを防止するための指標です。

4）平均日販数

1日でどの程度の商品が売れているかということをあらわします。

5）安全在庫数量

ボリューム感や安全性から判断して、最低限必要な在庫数をあらわします。

6）最大在庫数

発注から入荷までの販売数を考慮したうえで最大となる在庫数をあらわします。

7）発注点

あらかじめ定めておいた発注しなければならない在庫数をあらわします。

8）発注ロット

1ロット発注したときの入荷数（1箱に入った商品の数）をあらわします。

9）帳簿在庫数量

実際の在庫数を数える棚卸をすることなく、計算のみで出された現時点の在庫数をあらわします。

10) 発注数量

理論的に計算された必要な発注数をあらわします。

11) 前回の在庫数量

前回から繰り越された在庫数をあらわします。

12) 仕入数量

一定期間に仕入れた商品の数をあらわします。

13) 販売数量

一定期間に販売された商品の数をあらわします。

■発注数の計算手順

小売店の発注作業で最も時間を費やすのは発注数量を決めることです。自動発注システムを構築しているチェーンストアの計算手順を使うことで、在庫管理の効率化をはかることが可能になります。

以下、グロサリーの発注のケースで見ていきます。まずは最大在庫数、発注点、帳簿在庫数を求め、それらを使って発注数を算出していきます。

最大在庫数は、発注期間日数の増減で変動します。発注期間日数を短縮すると、最大在庫数は少なくなります。少ない在庫で運営できるようになりますが、発注回数が増え、発注にともなう作業も増えます。発注期間日数を長くすれば、最大在庫数は増えますが、発注回数は減り、発注作業も減少します。

●発注数量計算の流れ

【第1段階】 最大在庫数量＝（発注期間日数＋入荷日数＋安全在庫日数）×平均日販数

【第2段階】 発注点＝（入荷日数＋安全在庫日数）×平均日販数

【第3段階】 帳簿在庫数量＝前回発注時の在庫数量＋仕入数量－販売数量

【第4段階】 発注数量＝最大在庫数量－帳簿在庫数量

3-16
LSPの役割

発注作業での人時の計算と改善

POINT

① **人時計算に必要なのは、発注品目数と1品目当たり発注時間**

② **棚札方式や画面でのオーダーブック方式で発注作業を改善**

■発注作業における人時の計算 重要

発注作業での人時の改善には、発注作業を細かく分解して、人時計算ができるプログラムを作成する必要があります。基本となるのは、発注対象の商品は何品目あるか（発注品目数）、1品目の発注にどれだけ時間がかかるか（1品目当たり発注時間）、という2点です。発注対象の商品は、発注率を用いて正確な発注対象の品目を求めなければなりません。仮に対象商品が1,000品目あったとしても、実際に発注される品目がそのうちの2割（発注率20%）であれば、200品目となります。

発注時間は実地調査して平均をはかり、その数値を基準とします。1品目当たりの基準値を30秒とすると、200品目の発注作業には6,000秒を要します（発注変動作業）。この数値に発注端末の準備などの作業（発注固定作業）の所要時間を加えた時間が1回当たり発注時間です。仮に発注固定作業を840秒、週当たりの発注回数を2回として次の計算式に当てはめると、週当たり発注人時は3.8人時になります。

●発注作業の人時計算モデル

発注品目数＝発注対象品目数×発注率

発注変動作業＝発注品目数×1品目当たり発注時間

1回当たり発注時間＝発注変動作業＋発注固定作業

週当たり発注人時＝1回当たり発注時間×週当たり発注回数÷1時間（3,600秒）

■発注作業における人時の改善

計算式にもとづいた発注作業の改善策は、次のとおりです。

1）発注率の抑制

多頻度発注を繰り返すことによって、作業にかかる人時は増えます。したがって、売れ筋商品は店頭在庫を増やすこと、すなわち１回の発注ロットを大きくすることで、発注の頻度を減らすことができます。結果として発注率抑制につながってきます。

2）１品目当たりの発注所要時間の削減

削減方法としては、発注方式の変更が考えられます。発注端末機器の技術水準が高度化し、作業時間の短縮に大きく貢献しているからです。たとえば一つひとつ発注数を記入する従来のオーダーブック方式よりも、直接棚札からバーコードを読み取る棚札方式や画面によるオーダーブック方式のほうが作業の効率化をはかることができ、作業時間を削減できます。

3）発注の固定作業の減少

発注データの伝送スピードや発注エラーの対処の改善により、発注の固定作業は年々削減されてきています。

4）発注回数の減少

これを減少できれば、検収時間や補充時間の減少にもつながってきます。商品カテゴリーごとに商品特性や購買行動を分析し、定期的に発注回数を変更して適切な回数に減らしていきます。

●オーダーブック方式（従来式）と棚札方式

オーダーブック方式

手順１
・発注する商品を探す
・発注数を決める
・オーダーブックに発注数を記入
以上を発注品目数分、繰り返す

↓

手順２
・オーダーブックから商品のバーコードを読み取る
・発注数を入力する
以上を発注品目数分、繰り返す

↓

手順３
・本部のコンピュータへ伝送

棚札方式

手順１
・商品の棚札のバーコードを読み取る
・発注数を決める
・発注数を入力する

↓

手順２
・本部のコンピュータへ伝送

3-17 人的販売

販売員の実践知識

POINT
① 購買心理過程にのっとった接客販売プロセスの展開で顧客満足度を向上させ、固定客化させる
② 商品説明ではセリングポイントを伝える

■販売員の実践知識 重要

販売員はプロとしての意識を持って接客し、顧客のニーズやウォンツに対応した提案をするなど、購買に結びつくよう努力しなければなりません。売場では購買心理過程にのっとって接客販売プロセスを展開し、最終的に顧客満足に結びつけ、固定客化を促進します。

●顧客の購買心理過程

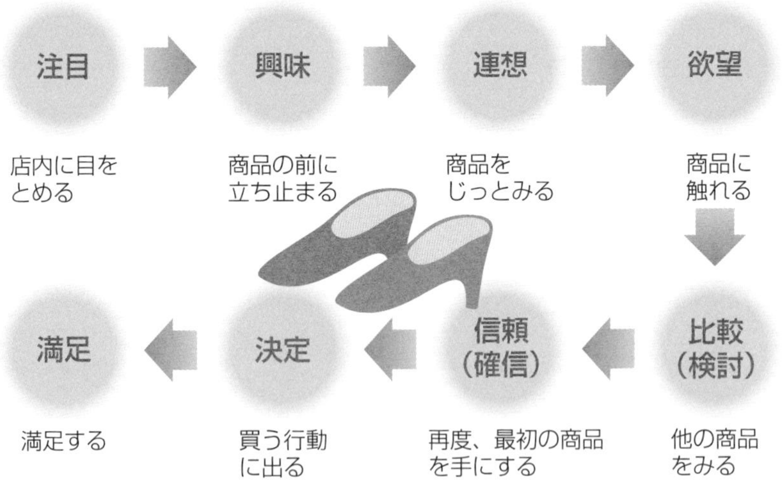

販売員の接客販売プロセスには次の段階があります。

1）待機

顧客に近づく機会を待つことです。素早く的確に顧客に近づけるよう、準備を整えつつ決められた売場の守備位置に立ち、顧客がどういう状態にあるかを

観察します。その際、商品の整理や補充をしながら待機する動的待機を実践すると顧客に圧迫感を与えません。

顧客の心理過程としては、無関心の状態から「注目」の段階になります。

2）アプローチ

顧客に声をかけて近づくことです。成功のポイントはタイミングにあります。タイミングを逃さずに、「今この商品が売れているんですよ」などといった言葉で相手のふところに入り込みます。

顧客の心理過程としては、「興味」から「連想」までの段階にあります。

●顧客にアプローチするべきタイミング

- ① 1つの商品をじっとみている
- ② 眺めていた商品に触れた
- ③ 足を止めて商品をみた
- ④ 商品を探している様子
- ⑤ 開店直後、閉店直前に来店した
- ⑥ 悪天候時に来店した

3）商品提示

商品を顧客にみせながら、優れている点や用途などを伝えます。顧客の反応を観察し、購入の際に何を優先しているのかを読み取ることが重要です。顧客がどのような点に興味を持っているのか、商品選択での悩みや不満は何なのかをヒアリングすることも忘れてはなりません。

顧客の心理過程としては、「欲望」の段階にあります。

●商品提示の方法

- ① 商品を使う状態にしてみせる
- ② 商品に触れさせる
- ③ 商品の特徴をはっきりみせる

4）商品説明

商品の特徴や効用を端的にあらわした言葉であるセリングポイントを顧客に伝えます。「お若い方ですと、こちらのほうが新進気鋭のデザイナーが手がけた商品なので、人気がありますよ」などと、商品を使う顧客の立場を考えて、商品の優れている点などをアドバイスすると効果的です。

衣類や宝飾品であれば、「こういった色のバリエーションもありますよ」などと、比較できる商品を２、３点用意し、実際に身に着けてもらいます。

顧客の心理過程としては、「比較」から「信頼」の段階にあります。

5）クロージング

顧客が購買を決定する最終段階のことをいいます。販売員が商品選択のプロセスをリードしてきたとしても、顧客に満足感を得てもらうため、最終的に顧客自身で決定することが大切です。

したがって顧客の意思を尊重し、「今のお客様の服装にもよくお似合いですね」など、顧客の好みやニーズにあった商品を薦めてクロージングを完了することが理想です。

顧客の心理過程としては、「決定」の段階にあります。

6）金銭授受

顧客が購買を決めたのであれば、販売員にとっては商品の代金を受け取る段階になります。金銭授受で大事なことは、必ず金額を口に出して確認することです。

顧客の心理過程としては、クロージングと同じように、「決定」の段階にあります。

●金銭授受での注意点

- ① 買上金額の口頭での確認
- ② 預かった金額をその場で口に出して確認
- ③ レジで釣り銭を確認
- ④ 釣り銭のお札は向きをそろえ、小銭はひと目でわかるよう並べる
- ⑤ 釣り銭の金額を口に出して渡しながら確認

7）包装

基本的な包装技術を身に付けたうえで、顧客への感謝の気持ちを持ちながら、美しく、スピーディに包装します。

顧客の心理過程としては、クロージング同様、「決定」の段階にあります。

8）お見送り

感謝の気持ちを表現して挨拶し、顧客を見送ります。お辞儀は正しく、かつ美しく行います。顧客に名刺を渡したり、一言添えたりすることで販売員自身を印象づけておくことも大事です。さらに、顧客が見えなくなるまでお見送りするなど、余韻のあるサービスを行うことで顧客の満足度は一段と高まり、次回の来店へとつながってきます。

顧客の心理過程としては、「満足」の段階にあります。

●購買心理過程８段階と販売員の対応

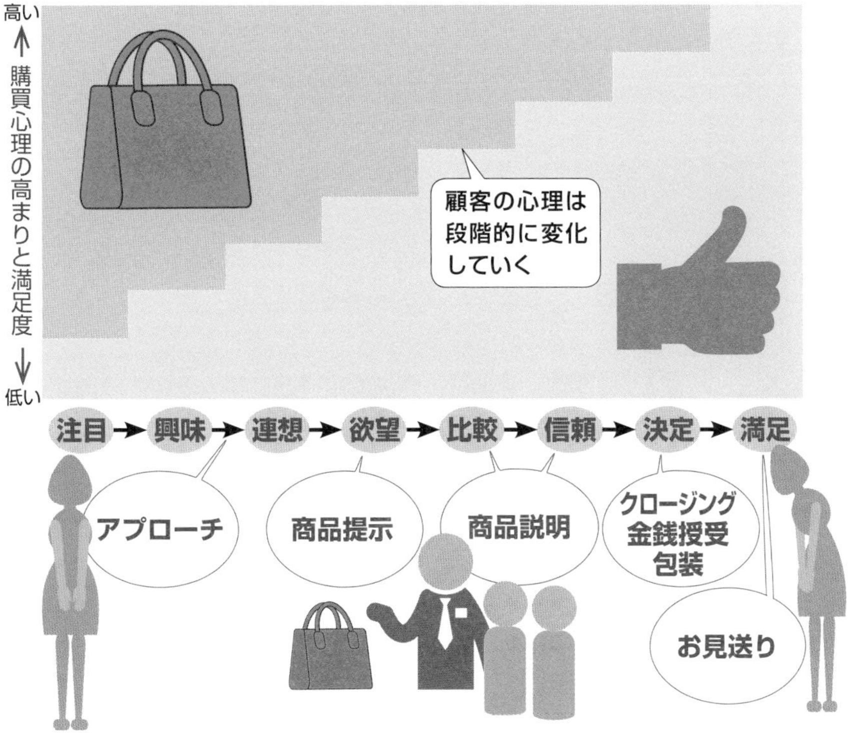

練習問題

次の設問で、正しいものには○を、誤っているものには×を選びなさい。

問題 1　作業割当では、個人別の習熟度や知識レベル、接客スキルを把握し、最適な人材を割り当てるようにする。

問題 2　1回当たり発注時間は、発注変動作業の所要時間に発注品目数を加えることで求めることができる。

問題 3　レジでの接客において袋詰めを行う場合、硬いものは下に、やわらかいものは上に入れる。

問題 4　商品補充を行う際は、先に入れた古い商品を後方に移動し、新しい商品を前方に補充する。

問題 5　スタンド陳列は、スタンド・ハンガーを使った方法で、ジャケットやワンピースなどの陳列に適している。

問題 6　欠品とは、商品がゴンドラ什器からすべてなくなった状態ではなく、最低陳列数量を割った状態と考えるべきである。

問題 7　ステップ（ひな壇）陳列は、商品を階段状に積み上げて陳列する方法で、積み重ねても変形しない商品に適している。

問題 8　小売店として売りたい商品は、腰から肩までの触れやすい位置を中心とした、ゴンドラ什器のゴールデンスペースへ戦略的にディスプレイする。

問題 9　一つのスペースに、特定のアイテムを訴求するための演出場所をつくる方法をアイテムプレゼンテーションという。

問題 10　棚割管理、バックヤード管理などの重点作業には、優先的に従業員を割り当てるようにする。

次の設問の【　　】のなかに当てはまるものとして、最も適当なものを選びなさい。

問題 11　パイルアップ（積上げ）陳列は、商品を組み合わせて垂直に高く積み上げる陳列方法で、積み重ねても安定感を失わない【　　】の商品の陳列に使用する。

[小型商品　　軽量商品　　中・大型商品　　高額商品]

問題 12　パートタイマー・アルバイトを活用するうえでは、ベテランのパートタイマーやアルバイトが定着するよう、実績に応じた定期的な時給アップや表彰制度などの【　　】をつけることが小売業に求められる。

[インプレッション　　インセンティブ　　OJT　　トップオブマインド]

問題 13　在庫量が一定以下になったとき、【　　】が急速に減少する一定量のことを最低陳列数量という。

[買上率　　粗利益率　　販売数量　　買上客数]

問題 14　【　　】とは、不測の要因で単位当たりの販売数量が変動することを予測したうえで、欠品を防ぐために最低限必要な在庫数量をいう。

[安全在庫数量　　最大在庫数量　　平均日販数　　帳簿在庫数量]

問題 15　1人が1時間かけて終わる作業のことを1人時、もしくは【　　】と呼ぶ。

[マンアワー　　マンパワー　　RE 値　　変動作業]

問題 16　売上高は【　　】と客単価 を掛けたものである。

[客数　　粗利益　　利益　　一品単価]

解答解説

問題 1　○　作業割当では、従業員間の仕事量の均衡をはかりつつ、それぞれの従業員の適性に配慮することも大事です。

問題 2　×　１回当たり発注時間は、発注変動作業の所要時間に発注固定作業の所要時間を加えることで求めることができます。

問題 3　○　袋詰めや包装では、商品の特性や形状を考えて行います。

問題 4　×　先に入れた古い商品を前方に移動し、新しい商品を後方に補充する方法を先入先出法といい、商品補充ではこの方法を実践することが求められます。

問題 5　○　メリットは、着装感を出すことができ、ステージなどで高低差をつければ何段もディスプレイできることです。

問題 6　○　なお、最低陳列数量を割った状態の品切れを相対的欠品といい、補充発注するうえでは、相対的欠品を意識することが重要です。

問題 7　○　商品を積み上げる場合、トレーパックや箱、缶詰などを３段以上積み上げます。

問題 8　×　顧客が最も手に取りやすく商品に触れやすい高さは、ゴールデンラインです。

問題 9　○　設問のとおり。アイテムプレゼンテーション（IP）とは、１つのスペースに、特定のアイテムを訴求するための演出場所をつくる方法で、ハンガーラックやゴンドラなどを活用して演出します。

問題 10　×　棚割管理、バックヤード管理は補助作業です。売上に直接結びつく重点作業には、レジ操作、品出し（補充）、発注、清掃作業などがあります。

問題 11　**中・大型商品**　積み重ねても安定感を失わない中・大型商品の陳列に使用します。

問題 12　**インセンティブ**　定期的な時給アップや表彰制度などのインセンティブをつけることで、パートタイマーやアルバイトが店舗に定着するようになります。

問題 13　**販売数量**　在庫量が一定以下になったとき、販売数量が急速に減少する一定量のことを最低陳列数量といいます。この最低陳列数量は、商品によって異なります。

問題 14　**安全在庫数量**　安全在庫数量とは、ボリューム感や安全性から見て、欠品を防ぐための最低限必要な在庫数量になります。

問題 15　**マンアワー**　マンアワーとも呼ばれる１人時とは、１人が行う１時間当たりの仕事量のことをいいます。

問題 16　**客数**　売上高は、客数と客単価を掛けたものになります。なお、買い上げ点数と一品単価を掛けることで客単価になります。

4

マーケティング

商品、サービスをメーカーから消費者へ
円滑に移転するためのビジネス活動がマーケティングです。
小売業に特定するならば、店頭にディスプレイされる
商品の流通合理化を実現して、
消費者のニーズを満たすことを意味します。

4-1
マーケティング戦略

小売業の4P理論「プレイス」

POINT
① 商品化政策と業態を一定期間で見直すことが重要
② 無差別的セグメントはコミュニティ対応、差別的セグメントはライフスタイル対応

■小売業の理論 重要

小売業において、消費者のニーズを満たし、目標を達成するのにマーケティング・ミックスの理論が用いられます。プレイス、プロダクト、プライス、プロモーションを組み合わせたこの手法は、4P理論とも呼ばれます。この4Pを組み合わせたマーケティング・ミックスの実施において、小売業ではプロダクトに該当する商品化政策（品ぞろえ政策）が大きな課題となってきます。

●メーカーと小売業の4P

	メーカー	小売業
プレイス（Place）	流通チャネル（販売ルートと管理）	店舗立地の選定・店舗開発
プロダクト（Product）	製品計画	商品化政策（品ぞろえ政策）
プライス（Price）	一定価格（製造コスト＋利益）	価格変動（時期や地域、売れ行きを考慮）
プロモーション（Promotion）	市場でのシェア拡大（マス媒体での広告展開）	店頭での狭域的な販売促進（ディスプレイ、各種イベント等）

■立地選定と業態開発

小売業は、流通機構において消費者に近い位置に存在しています。このことを考えると、小売業、特にチェーンストアにおけるマーケティングでは、スト

アアロケーションが重要になります。すなわち計画的、戦略的に自己の店舗を地域に割り振って配置し、消費者のニーズに合った商品を購入しやすいように環境を整備します。さらに購買行動が変化する消費者に合わせるため、品ぞろえである商品化政策だけでなく、業態も柔軟に変革させる必要があります。

立地条件の変化にも対応しなければなりません。この場合、スクラップ&ビルド（店舗を閉店したり、出店したりすること）といった戦略的な対応も検討します。店づくりや商品構成、そして販売促進のあり方も見直し、立地環境に適合した業態を確立していかなければなりません。

このような戦略の立案や計画策定を行うためには、判断材料となる情報を得るために市場調査が有効です。

■立地と商品特性に合わせた顧客セグメント

業態の開発は、小売業のマーケティングにとって重要な要素となりますが、顧客のニーズや購買行動は絶えず変化しているため、商品化政策と業態について一定期間で見直すことが求められます。業態開発の戦略を立てるためにも、立地や商品特性に合わせて顧客対応のスタンスを明確にすることが求められます。

1）無差別的セグメント

小商圏に立地し、最寄品や消耗品を中心に販売する小売業では、顧客の動員範囲が狭いため、顧客をセグメント（区分）しにくくなります。そのため、店舗をコミュニティ（地域社会）に対応させて、商圏内の顧客の主流層にターゲットを合わせていく戦略をとります（無差別的マーケティング戦略）。

2）差別的セグメント

商業集積地に立地した買回品、専門品を販売する小売業では、ターゲットを絞り込んで、それら顧客のパーソナリティ（ライフスタイル）に対応したマーケティングを展開します。

■店舗形態別小売業のポジショニング

小売業の優位性を発揮するためには、業態的な特性をしっかりと打ち出すことが大切です。業績不振に陥っている小売業は、特化度合いが低く、ポジショニングの明確化がはかれていません。次のページの図においても、中心に近づいた状態にあります。

●小売業のポジショニング

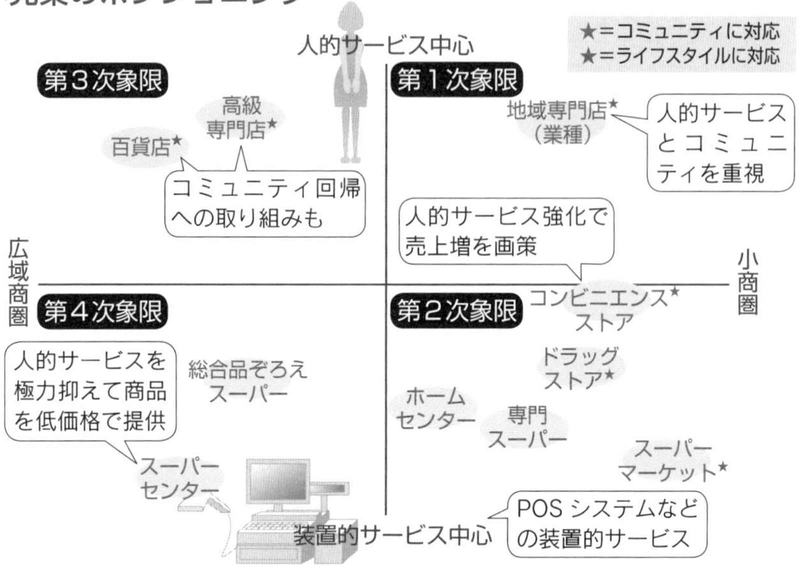

■消費者行動で決定される商圏と小売業が規定する商圏

もともとの商圏の形成は、消費者行動で決定されるものであり、小売業がコントロールできない要素を含んでいます。そのため、営業効率やプロモーションを考慮して、小売業が最も効果的な範囲を商圏と規定していきます。

1）自然商圏

作為的に決定されていない本来の商圏のことをいいます。小売業がこの商圏のすべてをマーケティングの対象範囲とするのは効率が悪すぎます。

2）戦略商圏

ターゲットとなる顧客や競争店を考慮したうえで、小売業にとって最も効率的、効果的なマーケティング活動ができるよう設定される営業範囲のことです。地域別の人口動態、地理的条件も考慮して政策的に決定されます。

●商圏の社会的・地理的法則

① 距離的な限界　商圏には距離的な限界があり、扱う商品特性で異なる。

② 立地条件　商業集積度の高い立地ほど商圏の範囲は拡大する。

4-2 マーケティング戦略 小売業の 4P 理論「プロダクト」

POINT
① 商品政策で重要な役割を果たすブランド
② メーカーが生産するナショナルブランドと小売業によるプライベートブランドがある

■ブランドと商標 重要

ブランドとは、ほかの販売者の製品と区別するための名称、用語、デザイン、シンボルなどのことです。定義は、「一企業またはそのグループの商品・サービスであることを識別するため、また、その競争者のそれとはっきり区別するための名称、用語、記号、標識またはデザイン、あるいはそれらの組合せ」と定められています。

また、言葉として表現されたブランドの部分がブランドネームであり、シンボルやデザインなどで表現された部分はブランドマークといいます。

一方、商標は商標法によって、「人の知覚によって認識することができるもののうち、文字、図形、記号、立体的形状若しくは色彩又はこれらの結合、音その他政令で定めるもの」と定義されています。商標は登録商標のみであると解釈されることもあり、その意味においてはブランドよりも狭い概念です。

■ブランドの分類

ブランドは、大きくはメーカーが主体なのか、小売業が主体なのかで、ナショナルブランド（NB）と、プライベートブランド（PB）に分けることができます。また、ブランドを階層別で次のように分類することができます。

1）統一ブランド

企業すべての製品・サービスにつけられるコーポレートブランド、複数の商品カテゴリーにつけられるファミリーブランド、特定の製品カテゴリーにつけられるカテゴリーブランドがあります。

2）個別ブランド

個別の製品ごとにつけられる製品ブランドです。

■ブランドの機能 重要

ブランドには、次のような機能があります。

1）識別機能

ブランドイメージによる商品の差別化をはかります。同種の商品のなかから自社の商品を選別する助けとなります。ブランドイメージとは、あるブランドを考えた際に、消費者が思い浮かべる連想のことです。

2）出所表示機能

責任の所在を明示する機能で、商品の品質に問題がある際、消費者はそのブランドを手がかりに責任を追及できます。

3）品質保証機能

品質の高さの保証であり、消費者にとっては同じブランドであれば安心して購買することができます。

4）象徴機能

高級イメージや信頼イメージの象徴であり、商品の差別化をはかるとともに、同種の商品に対する優位性を獲得することができます。バッグや時計などでみられるように、機能や性能で差がない商品でもブランドの違いで価格に差が生じます。ブランドの象徴的価値を消費者が認めていることが、このような価格差の理由といえます。

5）情報伝達機能

優れたブランドは、それ自体が企業から消費者への情報伝達の手段となります。テレビ CM などのメディアの広告を通じてブランドの商品情報を消費者に訴えることで、消費者がブランドに接したときの訴求力は著しく増幅されます。ブランドの訴求力が増幅されると、街中で他人が使っているブランドを目にしたときにも、強力な広告的役割を果たすことになります。

6）資産機能

無形の資産としての価値（ブランドエクイティ）のことで、商標権は取引の対象にもなっています。企業の合併・買収（M&A）でもブランドの価値は、資産的な価値として買収額などに反映されます。

■プライベートブランド（PB） 重要

ナショナルブランド（NB）は、一般にメーカーが生産した有名なブランドのことで、狭義ではさらに全国的に広告され、販売されているものと定義されます。それに対してプライベートブランド（PB）は、小売店や卸売業が商品を企画・生産して販売するブランドです。メーカーに委託して生産しますが、実質的な製造業者として小売業は製造物責任も負います。

●プライベートブランド（PB）商品開発の留意点

前提	消費者のニーズを的確に読み取ることができ、大量仕入に対応できる販売力があること。
ねらい	小売業にとっての専売商品となる。
メリット	高い粗利益率で、競合店との品ぞろえの差別化をはかり、顧客を固定化する。
デメリット	在庫リスクを負わなければならない。
ポイント	低価格、顧客ニーズに沿った機能とデザイン。

■プライベートブランド（PB）の現状

かつてはプライベートブランドに対して、品質面で不安を感じる消費者が多かった時代もありました。しかし近年、顧客ニーズに応える商品開発を進めてきた結果、日常で使う最寄品ならばナショナルブランドではなく、プライベートブランドを選ぶ消費者が多くなってきています。

ライバル企業との差別化をはかるべく、高品質のプライベートブランドの商品開発も盛んです。特に総合品ぞろえスーパーなどの大手小売業では、より安くて品質がよい商品を追求して PB 化を進めています。この高品質商品を集客の目玉にするとともに、利益率の改善も実現させています。

プライベートブランドが、系列小売業でも販売するのに対して、特定の店舗だけで販売されるものをストアブランド（SB）といいます。つまり、プライベートブランドよりもさらに狭い範囲の位置づけとなります。

なお、プライベートブランドは、小売業の専売商品であり、製造するメーカーであっても、その流通業以外の流通チャネルで販売することは原則できません（流通チャネル＝商品がメーカーから流通業を経て、消費者に至るまでのルートのこと）。

4-3 マーケティング戦略 小売業の 4P 理論「プライス」

POINT
① 顧客の購買心理に働きかけて買得感を与える売価設定に、端数価格とドロシーレーンの法則などがある
② 独占禁止法でカルテル行為、不当廉売、拘束条件付取引を防止

■価格設定の方式 重要

価格設定は、原価を基準とする方法や市場を基準とする方法、顧客の購買心理に働きかける方法などに分けられます。環境の変化に対応するため、単一の方式だけで決定せず、複数の価格設定方式を組み合わせて決定していきます。

1）原価にもとづく方式

原価に、過去の実績や業界の慣習による一定のマージンを加えて売価を決定するコストプラス方式が代表的な方式です。この方式は、年度によって商品の売上高や回転率があまり変化しない商品を扱う小売業で採用されており、マージン率は商品によって異なります。

●コストプラス法の特徴

① 需要よりもコストの把握は容易なため、価格設定が簡単

② 販売数量の見込み違いをすれば目標利益が達成できない

③ 需要状態や競争状況への配慮がなく、価格が市場の実状に合わなくなる可能性

2）競争商品や代替商品の価格を基準にする方式

市場の競争商品や代替商品の価格を参考にして決める方式です。商品の差別化がどれだけできているか、自店の販売能力などを考慮し、相対的に高い価格もしくは低い価格が設定されます。たとえば、プロダクトライフサイクル（P.199）の成長期において価格競争が激しくなれば、競争商品よりも低めの価格を設定する必要も出てきます。

独占的な寡占市場で見られるプライスリーダーシップ（市場で価格の支配力を持ち合う）政策が行われる場合も、競争商品の価格にもとづく価格設定の一例です。

3）顧客の購買心理に働きかける方式

この方式には、次のようなものがあります。

①名声価格

消費者が品質や性能に対してこだわる傾向が強い商品で、その効果の客観的評価が難しい場合に採用される方式です。高価であることが消費者に優越感をもたせるような商品で用いられ、有名ブランドなどが代表的なものといえます。この価格を採用している商品は、一定水準よりも価格を下げると売れ行きが悪化してしまいます。

②慣習価格

缶入り清涼飲料水、チョコレート、ガムなど、長期にわたり価格が安定していて、消費者が慣習的に認めている価格です。この方式の価格では、価格を引き下げても売上はあまり増えず、価格を引き上げると売上が減少するため、慣習価格にしたがうのが賢明です。もしも原価が低下した場合でも、価格を引き下げるより品質を改善するべきです。

③端数価格

998 円や 499 円など、売価の末尾を半端な価格に設定し、統一することで、顧客に求めやすい印象を持ってもらう手法です。 エブリデイ・ロープライス（EDLP）を掲げる小売店では、ほとんどの商品価格の末尾を8や9に設定し、それに合わせて商品構成、売場づくりも進めています。

④ドロシーレーンの法則

この法則では顧客は価格の引下率によって次のような印象を抱くとしています。

●ドロシーレーンの法則

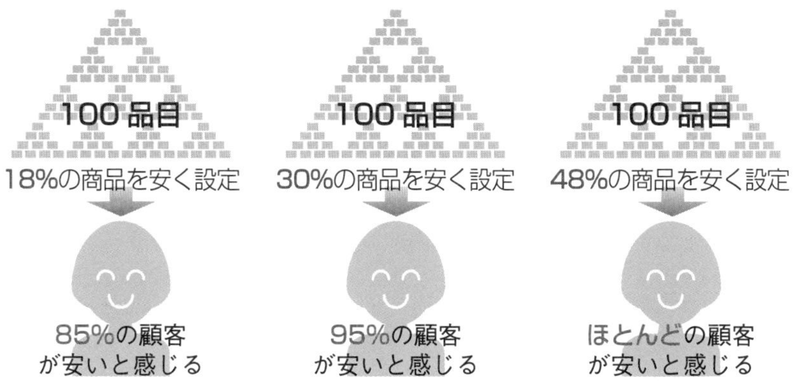

4）商慣行にもとづく価格設定の方式

次のような状況のもとで、価格が設定されることもあります。

①仕入先企業に示唆されるケース

小売業の価格設定は、仕入先企業であるメーカーが示唆する価格にもとづくことが多いです。化粧品、医薬品、食料品などの価格は各業界の慣行があり、小売業が値入を計画することは難しいのが実情です。そのため、小売業が値入率を下げて価格設定し､販売コスト等を抑えて利益を調整しています。

②顧客の価格に関する情報収集能力で決まるケース

市場価格が顧客に知れわたっている商品（飲料水など）や、顧客が概算価格を認識している商品は、価格設定の自由度が制限されます。

③初回値入率の公式によって決定されるケース

初回売価（仕入時点での売価）と仕入原価の差が初回値入額であり、初回売価に対する初回値入額の割合を初回値入率といいます。

$$\text{初回値入率} = \frac{\text{初回値入額（初回売価－仕入原価）}}{\text{初回売価}} \times 100$$

小売業は、業界の慣習的な値入率の目標を用いるか、商品カテゴリー別などの利益目標を達成するように計画された初回値入率を用いて価格を設定します。しかし、商品カテゴリーごとに計画された初回値入率は、全体としての平均です。したがって、すべての商品にその基準を当てはめる必要はありません。実際、競争店に対抗するため、一部の商品には値入率を抑えた競争価格を設定するのが一般的で、それをカバーするために他の商品は高い値入率を設定して、全体の値入率を確保しています。

5）競争店に対応できる方式

次の３つの価格帯があります。短期的視点での価格設定に陥らないように留意しなければなりません。

●競争店に対応させる３つの価格設定方式

① **競争店に接近した価格帯**　価格の僅差をサービス政策によって補う。

② **競争店より低い価格帯**　競争店調査を行い、競争店より低い価格を設定。

③ **競争店より高い価格帯**　経営方針や業態の違いを前提とする。

6）仕入に応じた流動的価格設定

野菜や鮮魚などの生鮮食料品が対象で、市況に左右されるため、流動的な価格設定にならざるを得ません。売り切ることが利益確保で重要になってきます。

7）政府の方針にもとづく価格設定

タクシー料金や石油価格、医療用医薬品など、公共性の高い商品やサービスが該当します。

■販売価格決定

売価の設定は、誤って行えば、小売業の存続にかかわるほど重要なものです。売価の設定には、主に以下の３つの業務があります。

1）販売売価の決定

仕入原価もしくは市場動向を基準に最終売価を決定します。市場動向で決定した場合、競争者を意識して低価格戦略をとるか、顧客志向で競争者の価格を意識しないかを選択することになります。

2）価格体系の決定

経営方針や業態に合わせて、上限価格、価格ゾーン、中心価格帯を設定します。

3）価格変更の決定

価格変更には、値上、値下、値引、見切りがあり、これらは適切なタイミングで行わなければなりません。タイミングを誤ると、商品ロスの発生など、粗利益を損なうからです。また、売価の変更にともなう利益変動は、一つひとつの商品ではなく、商品カテゴリー単位で判断することが大事です。

なお、値下の原因には、仕入上の誤り、売価設定上の誤り、販売上の誤り、政策上（特売等）の誤りがあります。

■価格競争に関する法規制

公正取引委員会は、独占禁止法の施行によって、カルテル行為（P. 219）、不当廉売（P. 219）、拘束条件付取引（メーカーが小売業に仕入先を指定すること）を防止しています。また、公正取引委員会は各種ガイドラインを作成しており、中でも「流通･取引慣行に関する独占禁止法上の指針」で、「メーカーなどのマーケティングにともなう競争阻害行為」、「小売業による優越的地位の濫用行為」を違法としています。

4-4
マーケティング戦略

小売業の 4P 理論「プロモーション」

POINT

① **小売業のプロモーションは、リージョナルプロモーション**

② **小売業が展開するリージョナルプロモーションは、Pull、Push、Put という３Ｐ戦略で構成**

■リージョナルプロモーションの体系 重要

小売業のプロモーションは、限定された商圏内の特定多数の顧客を対象に展開される（狭域型＝リージョナル）、売上と利益の増加をはかるための活動です（狭域型購買促進）。具体的には、Pull（プル）戦略、Push（プッシュ）戦略、Put 戦略（プット）という３Ｐ戦略で構成されています。

●リージョナルプロモーションの種類

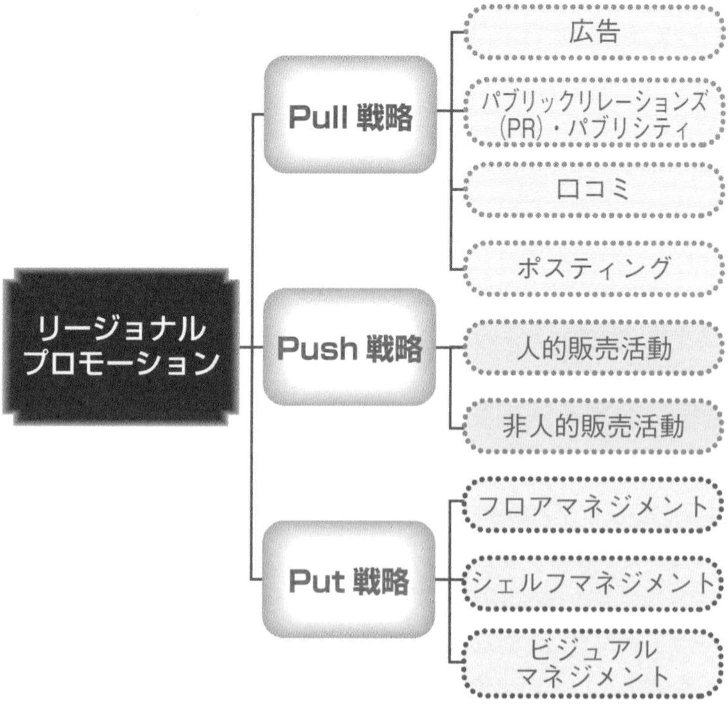

■ Pull 戦略（アトラクティブ・プロモーション）

店舗に顧客を来店させるための戦略（来店促進策）です。主に広告やパブリシティ、口コミ、チラシなどのポスティングが用いられます。

1）マス媒体広告

新聞広告、雑誌広告、テレビ広告、ラジオ広告の４媒体があります。それぞれ、伝達のスピードや効果の持続性などで特性が異なります（P.191）。

2）その他の広告

ダイレクトメール（DM）や新聞折込広告、OOH メディア（駅などの生活動線上にある媒体）、インターネット広告があります（P.193）。新聞折込広告は、近年、顧客誘引力が低下しつつあります。

■ Push 戦略（インストア・プロモーション）

店舗に入店した顧客に、商品の購買を促すために行う店内での戦略です（販売促進策）。店員による推奨販売や商品の実演販売、催事（イベント）などの人的販売活動と、景品を付けるプレミアムなどの非人的販売活動に大きく分けることができます（P.197）。

●催事の種類

期間単位	規模	催事内容
年間催事	大	中元・歳暮セール、記念行事
月間催事	中	正月（１月）、バレンタイン（２月）、新生活フェア（３月）など
週間催事	小	週間単位でのセール

■ Put 戦略（インストア・マーチャンダイジング）

店舗のディスプレイの見やすさなどを追求することで、顧客がより多くの商品を買いたくなるような戦略（購買促進策）です。

売場の一定のスペースの販売効率を最大限に高めるための手段であり、フロアマネジメントやシェルフマネジメントによるスペースマネジメントが主体になってきます（P.201）。

また、ビジュアルマネジメントや POP 広告も、Put 戦略の一つになります。

4-5 出店戦略 商圏の設定と調査方法

POINT
① セグメントの顧客をターゲットとし、ニーズに合わせて集中的に経営資源を注ぎ込むのが集中戦略
② 統計データから商圏の動向を調査することが商圏調査

■商圏の特性 重要

商圏とは、小売店や商業集積において顧客吸引力がおよぶ範囲をいいます。つまり、顧客が買い物のために日常的に来店する範囲のことであり、通常は時間や距離で表示します。

●商圏の種類

① 顕在的商圏　実際に顧客が来店している地理上や時間上の範囲。

② 潜在的商圏　新たな顧客となる可能性を持つ地理上や時間上の範囲。

商圏の特性として、①商圏とは固定化されたものではなく、常にアメーバ状に流動している、②商圏は顧客の分布範囲である面的な広がりだけでなく、顧客の来店頻度といった質的な広がりも持つ、という点が挙げられます。

商圏把握のための留意点には次のようなものがあります。

1）アクセス上の要因

鉄道やバス、道路などの交通アクセスの要因。これらの交通手段を利用した場合の時間距離は、商圏の設定に影響を与えます。

2）競争上の要因

自店と競争関係にある都市や競争店の分布状況は、商圏の設定に影響を与えます。

3）地理的要因

河川や田畑、バイパスなどは、商圏の設定に影響を与えます。たとえ距離的には近くても、これらの存在で商圏が分断されることがあるからです。

4）社会生活要因

公民館や病院など、人の集まる施設の有無は商圏の設定に影響を与えます。

5）心理的要因

生活習慣としてよく行く場所か否か、吸引力の高い大きな都市の方向にあるかどうか、といった心理的な要因は商圏の設定に影響を与えます。

■市場細分化

市場の消費者の行動基準やニーズなどの類型にもとづいて、小規模な市場単位にセグメント（区分）することを市場細分化（マーケット・セグメンテーション）といいます。市場細分化するための類型基準としては、地域や都市規模などの地理的要因、年齢、性別などの人口統計学的要因、ライフスタイルなどの心理的要因、購買動機や購買頻度などの行動科学的要因があります。

細分化された特定市場（セグメント）の顧客をターゲットとし、そのニーズに合わせて集中的に経営資源を注ぎ込む競争戦略が集中戦略です。集中戦略は結果として、品ぞろえの専門化につながります。

●品ぞろえの専門化と総合化

特徴	専門化（専門店）	総合化（総合店）
品ぞろえ	絞り込んで狭める	幅を広げる
特定カテゴリーのバイングパワー	仕入ロットがまとまり強力	専門店には劣る
代表的な業態	家電量販店	総合品ぞろえスーパー

■商圏調査の方法

統計データなどから商圏の動向を調査することが商圏調査で、需要可能性の把握、商圏特性の把握、競争状況の把握がその目的です。調査方法はさまざまですが、次のステップを踏む必要があります。

1）既存資料の収集

居住者の条件、交通状況などを、家計調査や国勢調査、市勢要覧、交通関係資料集、商業統計調査などから把握します。

2）商圏の想定

買回品を対象に、消費者の購買行動を人口と距離を基準としてはかる「ライリーの法則（P.172）」などを活用して商圏を定めます。

3）実地検査

通行量と競争関係について調査します。

4-6 出店戦略 出店立地の選定と出店戦略

POINT
① 商圏モデルの考え方には小売中心性指標、ライリーの法則、ハフモデルがある
② ドミナント型出店は特定地域に集中出店

■出店立地選定のための商圏モデル 重要

代表的な商圏モデルの考え方には、次のようなものがあります。

1）小売中心性指標

地域商業の活性化をはかる指標で、都市内の人口一人当たりの販売額を、県内の人口一人当たりの販売額で割ることで求めます。数値が１よりも大きければ、その地域の小売業が繁栄している（購買力が流入）ことになり、１より小さければ地域の小売業は繁栄していない（購買力が流出）ことになります。

●小売中心性指標の算出方法

$$\text{小売中心性指標}=\frac{\dfrac{\text{都市内の小売販売額}}{\text{都市内の人口}}}{\dfrac{\text{県内の小売販売額}}{\text{県内の人口}}}$$

2）ライリーの法則

「ある地域から２つの都市Ａ、Ｂへ流れる購買力の比は、ＡとＢの人口に比例し、その地域からＡとＢへの距離の２乗に反比例する」という代表的な商圏モデルの法則です。小売引力の法則とも呼ばれます。

3）ハフモデル

消費者は近くて大きい店舗へ行きたがるという傾向にもとづく公式で、消費者がどの商業集積を利用するかという確率を算出します。商業集積の規模については売場面積を、距離には時間距離を用います。

また、出店立地は次の５種類に分けられます。

●小売業の出店立地のエリアの広さによる分類

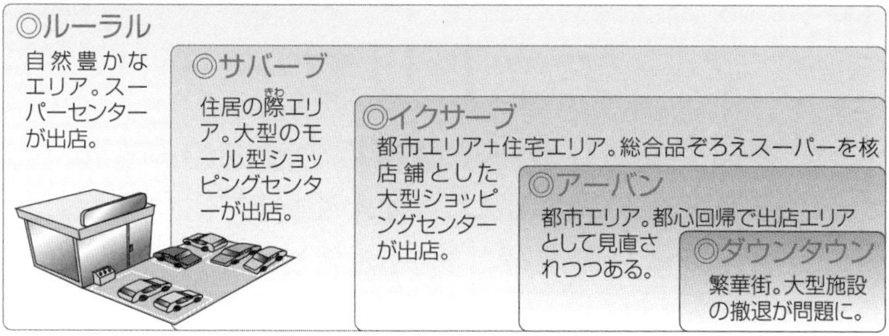

■出店戦略の方法 重要

出店戦略の方法には、次の２つがあります。

1）ドミナント型出店

特定地域に絞り込み、計画的かつ継続的に集中出店する戦略です。限定された地域へ店舗を高密度化することでその地域での知名度を保ち、競争店に対する優位性を保ちます（競争優位の確立）。

コンビニエンスストア業界では配送センターを中心とした物流面からこの戦略を重視しており、結果として１日複数回の商品の店舗補充を可能にし、物流コストも削減しています。

●ドミナント型出店の効果

① 店舗間距離の近さによる物流コストの低減

② 欠品している商品などの速やかな店舗間移動

③ 好ましい企業イメージの形成

④ 監督者であるスーパーバイザーの効率的な巡回

⑤ 地域を限定したテレビ CM

2）大型拠点型出店

巨艦型店舗の出店で、広範な地域から顧客を誘引する戦略です。品ぞろえや売場づくりで実験的な取り組みが行え、競争力も強化できますが、多額の投資を必要とする点がデメリットです。

4-7 市場調査 マーケティングリサーチとマーケットリサーチ

POINT
① マーケットリサーチは市場の動向のみを探る活動
② 市場実査の種類には、大きく分けて「定量調査と定性調査」および「動機調査とパネル調査」がある

■マーケティングリサーチとマーケットリサーチ

マーケティングリサーチとは、企業のマーケティングの課題に対して有効な意思決定をサポートするための、科学的な調査・分析・提案という一連のプロセスのことです。

データや数値だけではは かれない潜在的なニーズやウォンツを国語的（言葉）に検証することであり、近未来の市場動向に関しても、予測、分析、提案を行う調査活動です。主にメーカーが商品開発時の全般にわたり行い、テスト販売や商品開発後の流通に対しても積極的に実施しています。

●小売業のマーケティング課題

① 自店で扱う商品は、どのような人をターゲットとすべきか

② 自店の商品は、どのような人がどんな理由で買っているのか

③ 実施したイベントやキャンペーンはどう評価されたか

④ 自店のストアロイヤルティを、顧客はどう感じているのか

一方、マーケットリサーチ（市場調査）は、数字や数値で統計学的に自社の現在の市場を把握し、どうしたら自社の商品が最大限に売れるのかというマーケティング戦略を立案する調査活動であり、市場の動向のみを探る活動となります。

主にメーカーが商品開発の原案づくりや、それらを市場へ投入する初期段階に実施します。

■市場調査の資料分析の種類

市場調査の方法としての「資料分析」には、営業で得た数値や業界データに加えて、政府の発表する経済指標が用いられます。

1）家計調査

総務省統計局による統計調査で、世帯の収入と支出、貯蓄に関して毎月調査が行われています。対象は学生の単身世帯と外国人世帯を除く全世帯で、層化三段抽出法という方法で約 9,000 世帯が抽出されています。収入や世帯人数、年齢、職業などの属性による支出がわかるため、需要予測や商圏調査などに使われています。

なお、全数調査が困難で、全体である母集団のなかから調査対象（サンプル）を無作為抽出法（ランダム・サンプリング）で選び出し、全体としての結果を探る方法をサンプリングといいます。

2）商業統計調査

「商業の国勢調査」ともいわれる統計調査で、経済産業省が全国の卸売業と小売業を対象に調査しています。商圏での競争状況や総需要を把握するデータとして有効であり、流通業はもちろん、民間企業、大学など幅広い分野で用いられています。

3）人口統計

国勢調査、住民基本台帳、人口動態調査の３つがあり、いずれもマーケティング戦略には欠かせない人口に関する統計です。そのなかでも、５年ごとに総務省が調査する国勢調査は、国による統計調査を代表するもので、外国人を含むあらゆる世帯を調査対象としています。

主な調査内容は、性別、生年月日、配偶関係、国籍、就業状態、仕事といったものになります。

■市場調査における市場実査

市場実査には、大きく分けて「定量調査と定性調査」および「動機調査とパネル調査」があります。

1）定量調査

消費者や見込顧客への面接、郵送、Web といった方法により収集した数値データを統計学的に分析し、トレンド把握などに活用する調査です。

2）定性調査

被調査者の年齢、性別、職業など、属性が共通するグループにグループインタビューを行い、たとえば商品の印象を言葉など数値化することのできないデータとして収集します。調査に当たっては、本人ですら自覚していなかったような潜在的な意見も引き出すことを心掛けます。

3）動機調査

消費者の具体的な購買行動が、どのような理由から生じたのかという、深層心理をとらえます。被調査者自身も意識していなかったような動機について、心理学、社会学、精神分析学などの面からアプローチしていきます。この調査は主にマーケティングリサーチとして行われます。

●動機調査の具体的方法

① 尺度法	特定のテーマを設定して、被調査者の意見をランクづけさせる方法。「硬い一柔らかい」など対になった尺度にチェックさせるSD（セマンティック・ディファレンシャル）法が代表的なもの。
② 投影技法	被調査者の本音を明らかにするため、意識下の動機を何かに投影させる手法。たとえば、複数の語句から連想される言葉を被調査者に挙げさせる語句連想法などがある。
③ 集団面接法	5～10人くらいの被調査者に自由に討論させる方法で、グループインタビュー（GI）ともいわれる。議論が進む中で、調査者の思いがけないデータが得られたりする効果がある。
④ 深層面接法	リラックスした雰囲気の中で調査者と被調査者が対話し、自由に話させながらも調査者は対話をリードし、態度や意見を通して深層を探る方法。

4）パネル調査

属性等で被調査者をグループ分けし、同じ被対象者（パネル）に対して定期的に調査を繰り返す方法です。たとえば被調査者に毎日購入している商品のブランド、数量、価格、店などを記録してもらうといった手法でデータを蓄積していきます。

主にマーケティングリサーチとして実施され、被調査者の考え方などが時間とともにどう変化していくのか、法則性があるのかといった、時系列的な変化や傾向が明らかになります。環境条件の変化と被調査者の反応との因果関係を把握するのにも有効です。

■市場実査の方法 重要

市場実査の方法としては、大きくは質問法と観察法、実験法に分けることができます。

1）質問法

質問法の代表には、調査者もしくは被調査者が調査票に記入するアンケート調査があります。

具体的な手法として、次のような手法に分けられます。

●質問法の具体的方法

① 面接法（個別面接法）	被調査者と1対1で面談し、調査者が回答を調査票に記入していく方法。回収率や回答率が高く、回答に誤解が少ないのが特徴。デメリットは調査者の育成に時間がかかり、交通費や報酬などのコストが生じること。
② 郵送法	質問票を被調査者に送り、記入後に返送してもらう手法。回答の正確性が高く、比較的低コストで、数多くのサンプルを対象とする調査を行えるのも特徴。デメリットはアンケートの回収率や有効回答数の低さ。
③ 電話法	電話による調査方法で、短期間で手軽に、しかも低コストで多くの回答を得られるのが特徴。誰でも聞き取りができるため、安い人件費で素早く調査できる。込み入った内容の質問には不向き。
④ Web法（電子調査、ネット調査、ウェブ調査）	ウェブページ上で、被調査者に回答を送信してもらう方式。すぐに集計結果が得られ、低コストで済むのが特徴。被調査者を公募して不特定多数を対象とするオープン型と、登録者から被調査者を抽出するクローズ型がある。

2）観察法

調査者が、顧客の購買行動などを観察して、それを記録する方法です。たとえば、売場で直接、顧客の動きを観察するなどの方法が用いられます。なお、観察法は実施サンプル数を多く収集することが困難なため、質問法と併用されることが多いです。

●観察法の実際

① 顧客導線をディスプレイや売場構成との関連性から見る。

② 通行量や通行人属性別にディスプレイへの反応を見る。

③ 家庭の冷蔵庫の中を見せてもらう（地域の食生活の状況を把握）。

④ 家庭を訪問して耐久消費財の所有と使用状況を見る。

3）実験法

たとえば、ある商品のディスプレイ方法を変更し、変更前と変更後の顧客の反応を比較して、より効果的なディスプレイ手法を判断する方法です。この調査方法は、より具体的で生きた情報が得られる一方、時間を費やすためコストが高く、調査者の高い技術が求められます。

また、店舗の売場で実験的にプロモーション活動などを行い、同条件で特定の条件だけを変化させた場合に結果がどれだけ違ってくるかを測定するといった手法も、この調査方法に含まれます。

●市場調査の分類

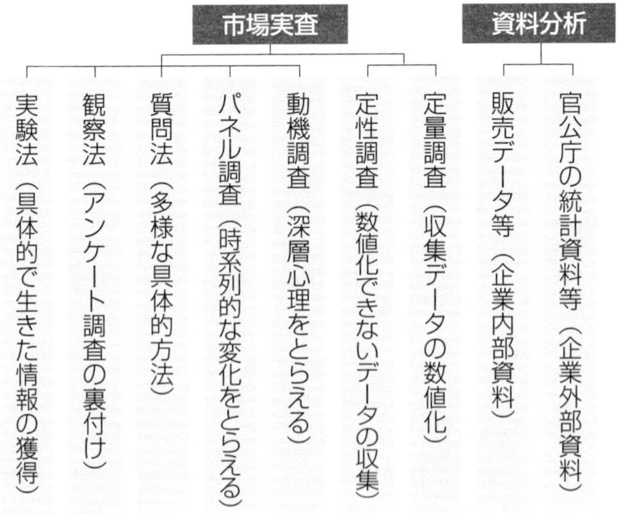

4-8 市場調査 市場調査の実施手順

POINT

① 目的を明確にし、仮説および調査の対象を設定、調査方法を確定するのが市場調査の企画手順

② 調査票の形式は選択法と自由回答法に大別できる

■企画段階 重要

一般的に市場調査（アンケート調査）は、企画段階→設計段階→実査段階→回収段階→入力段階→集計段階→分析段階→提案段階という実施フローとなります。すなわち、企画を立てることからスタートします。

1）企画段階での実施手順

調査のねらい（目的）を明確に表し、仮説および調査の対象を設定し、調査方法を確定します。

●企画の手順

1. **① 調査の目的を明確に表す**：調査で何を導き出したいのかを明確にする。
2. **② 仮説を設定**：たとえば価格をどの程度下げると売れ行きが伸びるかという仮説を設定。
3. **③ 調査の対象を設定**：被調査者（調査対象者）の属性（年代層、地域区分など）を確定し、抽出（サンプリング）。
4. **④ 調査方法を確定**：どの調査方法で、どのくらいの規模で、どの程度の期間で行うのかを決定。

2）サンプリング

ランダムに全体の中から被調査者を選び、それらの意見から全体の意見を推測する方法です。この一部の被調査者をサンプル（標本）と呼び、サンプルを選び出すことをサンプリングといいます。注意すべきは、サンプルが偏っていないかどうかということです。全体（母集団）を代表するような調査対象者を意図的に選び出しておく有意抽出法と、ランダムに乱数表などを用いて統計的な手法で抽出する無作為抽出法（ランダムサンプリング）があります。

●サンプリング抽出法

① 多段抽出法	全体を一定の基準で選んだ複数のブロックに分け、それらの中から無作為に選び、それをさらに下段のブロックに分割し、その中からさらに選ぶ、という過程を段階的に繰り返す方法。
② 単純無作為抽出法	必要なサンプル数だけ乱数表を用いてランダムに抽出する方法。抽出するサンプルの数だけ乱数表を操作する必要があるため、求めるサンプル数が多い場合には不向き。
③ 系列的抽出法（等間隔抽出法）	最初だけ乱数表から選び、あとはその番号ごとに等間隔に標本を抽出していく方法。乱数は１つしか使わないので、抽出作業が容易。
④ 属化抽出法	年齢層別など、全体を調査目的から考えて意味のある基準で複数の質のグループに分け、グループごとに比例配分でサンプルを抽出する方法。

■設計段階

調査票は、調査の目的や意義、協力を要請する「ご挨拶」や「お願い」、年齢・性別・所得などによるフェイスシート、質問と回答欄、集計のためのコーディング枠で構成されています。質問の作成に当たっては、次の点に留意します。

●調査票作成のための留意点

① 調査票の質問項目は必要なものに限定。

② 質問の順序に配慮、最初は回答しやすい内容にする。

③ １つの質問文で求めるのは１つの問題点に絞る。

④ 被調査者に反感や誤解を持たれないようにする。

⑤ 具体的事実について質問し、誘導的にならないようにする。

⑥ 回答があやふやになりそうな問題は入れない。

回答を求める形式は、いくつかの選択肢の中から選ぶ選択法と被調査者が自由に言葉や文章で表現する自由回答法の２つに大別されます。選択法には、次のようなものがあります。

●選択法の種類（例）

① 賛否法	「はい」「いいえ」のどちらかを選ぶ。
② 単一選択法（シングルアンサー）	商品を選ぶときに重要視しているものを選ぶ。
③ 多項選択法（マルティプルアンサー）	商品を選ぶとき、重要視しているものを複数選ぶ。
④ 制限選択法（リミテッドアンサー）	商品の中に最近、買ったものはあるかを選ぶ。最も多く買った銘柄を３つ選ぶ。
⑤ 評定尺度法	数段階の選択肢から選ぶ。
⑥ 順位法	商品を買うときに重要視するものに順位をつける。
⑦ 一対比較法	２つの商品の組み合わせで、より好みの商品を選ぶ。

■実査段階・回収段階

調査票は、それが調査に有効であるかを試すパイロットテストを行ってから印刷し、実査に入ります。面接法の場合は調査員の募集、選定、インストラクション（調査対象者への指示）などを行ったうえで、また郵送法の場合は調査票を調査対象者に発送し、実際の調査活動を行います。

郵送法などの回収段階では、回収状況がよくないならば、督促状を出して回収率を高めます。

■入力段階・集計段階

回答に 1,2,3 などの番号を付けるコーディング（アフターコード化）をし、集計を効率的に行います。集計段階は主に２つの方法があります。単純集計（グランドトータル：GT）は、どの回答がいくつあって、何%を占めるのかを計算するものです。年齢、性別などのサンプル特性も合わせて計算します。

また、クロス集計は2つの質問を合わせて集計するもので、世代別にどのようなニーズがあるかを探る際に有効です。

■分析段階・提案段階

多変量解析は複数の項目の関係を分析する際に用いられます。この方法は、多くの回答結果の関係を統合化し、より少ない説明変数（因果関係の原因となる変数）によって効率よく説明するというものです。数多くのいろいろな原因から結果を予測する多変量解析は、総合的な情報を引き出す「情報の整理・統合」と、因果関係を明らかにする「予測・分類」に大別できます。

●多変量解析モデルの種類

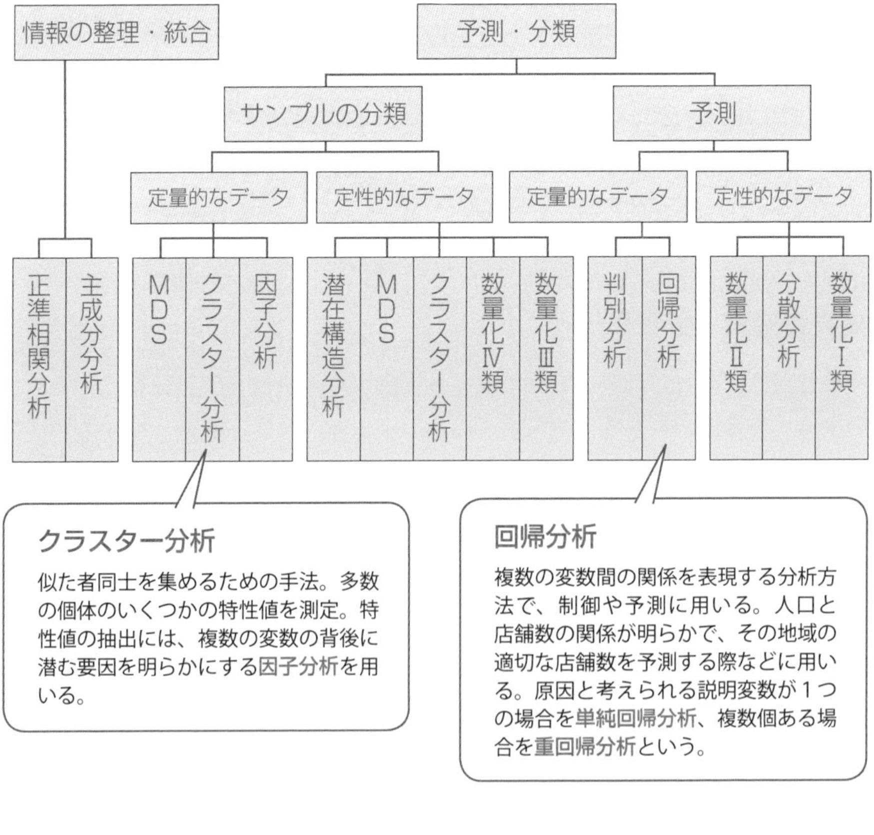

4-9 顧客戦略 小売業の顧客管理・維持を実現するCRM

POINT
① 顧客の満足度を高め、継続的な関係を築くCRM
② 基本戦略は、ワントゥワンマーケティングであり、マス・カスタマイゼーションで実現

■ CRM 展開 重要

顧客の価値観の変化にともない、小売業は顧客一人ひとりに合わせて購買促進をしていくことが求められています。そこで注目されているのが、CRM（カスタマー・リレーションシップ・マネジメント）です。顧客一人ひとりの情報の活用で顧客の利便性と満足度を高め、継続的な関係をつくり上げる仕組みづくりのことであり、CRM 先進国であるアメリカで優良顧客「ベストカスタマー」を維持し、なおかつ離反を防ぐ効果を発揮しています。

CRM の目的は、優良顧客占有率の増加です。顧客を財産とみなして、より多く商品を買い上げてくれる優良顧客（上位顧客）の占める割合を増加させ、特売品ばかりを買う非優良顧客を減らしていきます。具体的な方法として、レジで優良顧客に対して名前を呼びかけたり、優良顧客に対してのみ E メールでオンライン・クーポンを発行したりする方法（差別的プライシング）が注目されています。

● CRM 導入の際の手法・デシル分析

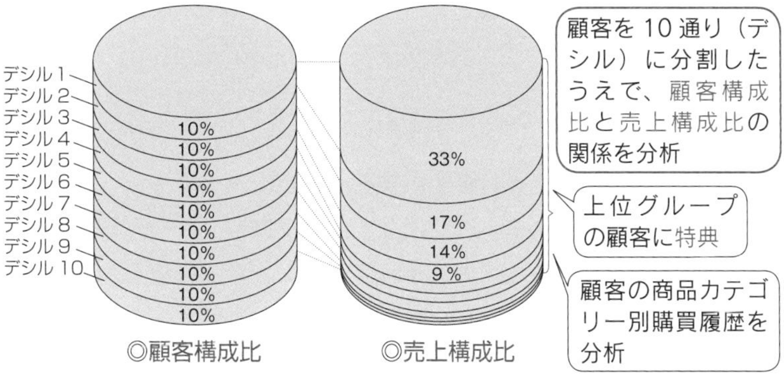

■顧客に対する需要創造活動

CRMの基本戦略は、ワントゥワンマーケティングの展開で、情報システム技術を駆使したマス・カスタマイゼーション（顧客の個別要望に応えること）で実現します。専門性の高い小売業にとってCRMは、革新的ビジネスモデルの構築につながるほど重要なものになります。

しかし、モデルをつくり、システムを構築するだけではCRMを機能させることはできません。データウェアハウス（蓄積データから傾向や関連性を導き出し、活用するためのツール）やプロファイリングなど、必要なシステムをトータルな視点で統合し、利用することが不可欠になります。

1）ワントゥワンマーケティング

大衆（マス）でなく、一人ひとりの顧客（パーソナル）との結びつき、および継続的な関係を強化する方法です。すなわち顧客のニーズや、購買履歴などに合わせて、一人ひとり個別に展開するマーケティング活動ということになります。

これまでのマス・マーケティングとは反対の発想で、売る側の財産（価値）は「商品」ではなく「顧客」であるという考え方にもとづくものです。細やかな対話型販売促進が強く求められる近年において、ワントゥワンマーケティングは小売業にとっての大きな課題になっています。

●ワントゥワンマーケティングの特徴

①	一人ひとりの顧客との結びつきを強化	顧客のニーズや購買履歴などに対応。
②	売る側の財産（価値）は商品ではなく顧客	細やかな対話型販売促進が求められる時代への対応。

2）プロファイリング

ある対象が持つ特徴を、より多くのデータ分析によってみつけることをいいます。データ分析で主流のデータマイニング（探索）を行うときなど、対象をいくつかのグループに分けて、それぞれのグループがどのような要素により特徴づけられるかを発見します。

なお、データマイニングとは、POSデータやポイントカードの利用履歴などの大量のデータのなかから高い変数同士を発見し、有用な事実や因果関係を探る手法です。この手法により、一般的な集計だけではわからない知見を得ることができます。

● CRMを機能させるために不可欠な要素

- ① 顧客の識別　買上面で上位の顧客を会員カードなどで把握。
- ② データウェアハウス　最適化されたデータ、それを活用するツール。
- ③ 電子メール返信マネジメント　問い合わせのあった顧客への製品案内等。
- ④ ファイルクレンジング　重複などの修正を行ってデータ品質を高める。
- ⑤ プロファイリング　データを分析し、ある対象の特徴を発見する。
- ⑥ デシル分析　顧客構成比と売上構成比の関係を分析する。
- ⑦ データマイニング　大量の加工データから有益な知見を採掘する。

●ワントゥワンマーケティングの展開までの流れ

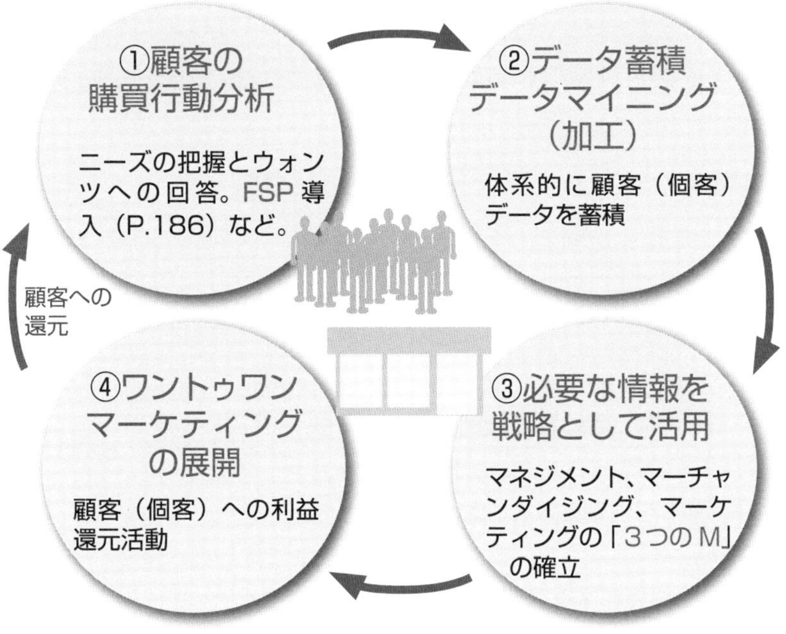

4-10
顧客戦略

顧客中心型小売業の最大の武器「FSP」

POINT
① FSPは、優良顧客を識別し、持続的に優良顧客を主体としていく
② FSPではポイントは特典の一つであると位置づけること

■2つのマーケティング戦略

小売業のマーケティング戦略は二極化しています。広域型チェーンストアのマスマーチャンダイジング型と、個性化で生き残りをはかる小売業のワントゥワンマーケティング型です。

1）マスマーチャンダイジング型

競争優位性によって競合店を圧倒する広域型チェーンストアが代表的なもので、資金調達能力、商品買付け力、商品供給能力が高いです。流通業者でも最大手１～２社のみが該当するにすぎません。

2）ワントゥワンマーケティング型

多頻度に来店する顧客を選別するマーケティング方法です。購買目的や購買動機、来店頻度が、顧客によって一人ひとり異なる点に重きを置き、競合店との棲み分けを目的として行われます。

●小売業のワントゥワンマーケティング型

① 多頻度来店顧客の選別	マスプロモーションの考え方の放棄
② 購買パターンに応じた公平さ	購買目的、購買動機、購買アイテム数、購買額、来店頻度などで顧客を識別
③ 小売業に対する買い物の貢献度で差別化	店舗への忠誠心の高い優良顧客へ手厚い特典やサービス

具体的な戦略が、優良顧客に限って特典を与えるフリークエントショッパーズプログラム（FSP）です。顧客の購買パターンに応じた公平さで対応することを第一とし、優良顧客を選定して囲い込みをはかるのがねらいです。ワントゥ

ワンマーケティング型のマーケティング戦略を採る小売業にとって、フリークエントショッパーズプログラム(FSP)の展開は、とても重要な政策になります。

■小売業での FSP 導入

FSP の仕組みには次のような特徴があります。

1) ポイントプログラム

FSP は、主にポイントやサービスカードの提供などを手段とするもので、これによって小売業へ高い利益をもたらす優良顧客を識別し、持続的に優良顧客を主体としていきます。

2) 顧客の平等化の廃止

これまでの小売業の戦略は、すべての顧客を平等に考えるマスプロモーションの考え方が根底にありました。すなわち、来店頻度の高い顧客と、頻度の低い顧客を平等に扱う政策です。来店頻度の高い優良顧客にとっては、たまにしか訪れない顧客と同様に扱われることは不服であり、FSP の有効活用には許容できない政策になります。

なお、日本の小売業における FSP 導入の背景には、次のようなものがあります。

●日本での FSP 導入の目的

① トレーディング・スタンプ*のカード化

② 競争店の値引攻勢やポイントプログラムへの対抗手段

③ 差別化や棲み分け戦略の進展

④ 高度な情報システム化の進展

*…購入額に応じて切手に似た「スタンプ」を発行。集めた枚数に応じて特典があるというサービス。

■ FSP を成功させる方法

小売業で FSP を成功させるには、次のような 3 つの条件があります。

1) プログラムの単純化

顧客に FSP を受け入れてもらうためにも、わかりやすく、使いやすいシステムにします。

2）優良顧客のみに還元

売上に貢献している上位30%ほどの一部の優良顧客について、感謝の意を特典や特別サービスといった具体的な態度で示します。

3）FSP中心の購買促進

小売業でのFSPの効率性を高めるためにも、すべての販売促進はFSP中心とする必要があります。そのため、小売業の中には、FSPを導入したくてもできない企業や、積極的には導入していない企業もあります。

● FSP導入をしていない小売業の理由

① 個別への対応となるとコストがかかる

② 初期投資が大きく、採算がとれるか不明

③ 競争店と同じプログラムを実行しても優位性を確保できない

④ 顧客の平等化にもとづき、顧客で違いをつけるのは倫理に反する

■ FSPの優良顧客への対応 重要

FSPで重要なのは、ポイントはあくまでも特典の一つであると位置づけることです。会員一律の年会費の制度も廃止し、売上に対しての貢献度の高い優良顧客への特典を最優先とすることが原則です。

また、優良顧客向けのありふれた定期イベントなどの企画を見直し、飽きられないようにマンネリ化を打破することが求められます。

● FSPの優良顧客への特典強化

① 会員特別価格を設定する

② 会員への特別サービスを行う

③ 会員へ有償と無償の特別景品を提供する

④ 会員向けのイベントなど特別な招待を企画する

⑤ 商品企画や経営参加など会員向けの特別な参加の場を設ける

4-11 リージョナルプロモーション Pull戦略としての広告計画

POINT

① 広告計画の立案、出稿までにはプロセスがある

② 優れた製品・サービスとタイミングのよい出稿は、売上に大きな影響を与える

■広告計画の立案 重要

小売業が広告計画を立案する場合、まずは広告の対象となる地域の市場環境を把握しておくことが必要です。広告計画の立案は以下のプロセスになります。

1）地域市場（リージョナルエリア）環境の分析

地域市場（リージョナルエリア）環境の分析を行うには、次の要素が重要になってきます。

●地域市場（リージョナルエリア）環境分析の種類

① 社会環境分析：人口の増減、世帯数の変化、流行の動向など

② 企業分析：自店や競合企業のイメージなど

③ 市場分析：自店が属する市場の規模や成長、シェアなど

④ 消費者分析：地域特性にもとづく買い物行動など

⑤ 商品分析：自店の商品のセリングポイント、競争商品との違いなど

⑥ コミュニケーション分析：ライバル企業の動きを把握

2）広告目的の設定

広告の目的は、何を目指すのかによって次のように分かれます。

●広告の目的の種類

① 情報提供型：新商品の周知、商品の機能や用途の提案、商品イメージの構築

② 説得型：ブランド選好を高める、商品購入の抵抗感を低減させるなど

③ 想起型：トップオブマインドの獲得・維持

なお、トップオブマインドとは、特定のジャンルを想い起こす時に、最初に挙げられるブランドのことをいいます。

3）広告目標の決定

広告目標とは、広告でどの程度の効果を目指すのか、数値で示すものです。広告目標を明確にすることにより、どのくらい広告を出稿すればよいかが明確になり、必要な広告予算も決まってきます。

具体的に数値を設定することで、どれだけ効果があったかを判断する事後評価にも役立てることができます。

4）広告ターゲットの決定

誰に対してアプローチしていくかを考えて、最も効果的な消費者像を検討し決定します。

より細分化し、具体的な人物像をターゲットとすることで、表現戦略や媒体戦略を明確化します。

5）広告コンセプトの設定

広告コンセプトは、広告によって何を伝えようとしているのかを明確にすることです。

その商品にしか言えないことは何か、その商品を使用することで顧客はどのようなメリットがあるのかを検討します。

6）表現戦略の立案

表現戦略とは、広告コンセプトをどのようにして伝えていくかを検討することです。ターゲットとする顧客に、伝えるべき広告コンセプトを明確に伝えられることが求められます。

7）メディアプランニング（媒体戦略）の立案

メディアプランニングは、広告目標で設定された広告予算の範囲内で、広告コンセプトとその表現方法を、どのようなメディアで発信していくかを検討するものです。

8）出稿パターンの決定

出稿パターンの決定は､ターゲットが商品を購入するのはいつごろであるか、という検討から始まります。優れた製品・サービスとタイミングのよい広告出稿は､売上に大きな影響を与えます。広告出稿にはさまざまなパターンがあり、商品の特性を考慮してどの出稿パターンにするかを決定します。

4-12 Pull戦略 マス媒体広告の種類と特徴

リージョナルプロモーション

POINT

① 主なマス媒体は、新聞、雑誌、テレビ、ラジオ

② インターネット広告は双方向性（インタラクティブ）が特徴で、広告効果の情報も詳細にわかる

■新聞媒体と広告

新聞の読者の９割以上が宅配での定期購買者で、その読者数は安定しています。新聞はテレビCMなどと異なり、読者が主体的に興味のある記事を読むことができ、あとで記事を確認できる保存性･記録性を備えています。また、新聞媒体は、販売地域に応じて３種類に分けられます。

1）全国紙

全国が販売地域となる新聞で、発行部数が多く、さまざまな階層に購読されています。３大紙と呼ばれる朝日新聞、毎日新聞、読売新聞のほか、日本経済新聞、産経新聞などが該当します。

2）ブロック紙

数県にまたがる地域を対象とした中日新聞や西日本新聞などが該当します。

3）地方紙

販売地域は都道府県内に限られ、地元に関係する記事が特徴です。地域内での普及率は高いです。

●新聞広告の種類

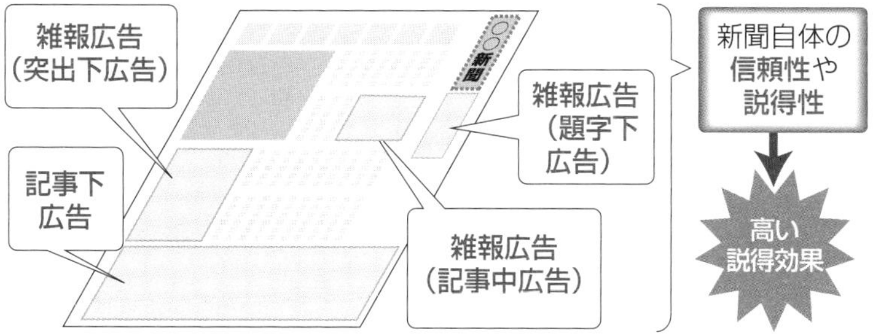

■雑誌媒体と広告

雑誌広告は、地域の情報誌以外は全国広告に適しており、媒体寿命が比較的長いため、繰り返し目に触れる機会も多くなります。誌面のテーマから、ターゲットの絞り込みが可能なセグメンテーション効果もあり、読者が主体的に読む媒体のため、広告としての説得力が高くなります。一方、広告出稿時期と発売時期に時間的な間隔があるためタイムリーな広告には不向きです。

雑誌媒体は、発行期間や発行目的、読者層で次のように分類できます。

1）発行期間による分類

週刊誌、月刊誌、季刊誌、旬刊誌など。

2）発行目的による分類

一般誌、専門誌、機関誌、同人誌、社内報など。

3）読者層による分類

児童誌、婦人誌、大衆誌、総合誌、専門誌など。

●雑誌広告の場所別の効果と費用

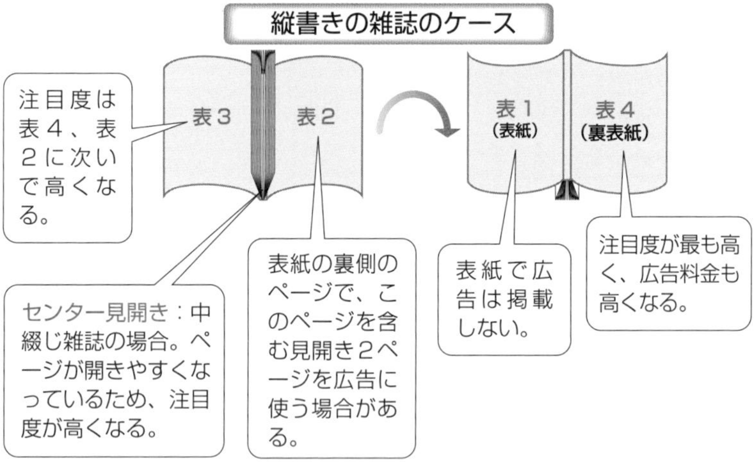

■テレビ媒体と広告

地上波の民間テレビ局は、制作した番組を他局に送り出すキー局と、番組を受ける側のネット局に分けることができます。キー局は複数のネット局を系列に属させることでネットワークを構築しています。

テレビ媒体は幅広い階層への訴求力や、情報伝達での即効性があり、反復露出によって商品の認知度を高めるのに適しています。

広告には、番組提供広告とスポット広告があり、番組提供広告では番組の提供スポンサーになることで提供クレジットがつけられます。また、スポット広告は、短期集中で認知度を高めるのに有効です。

■ラジオ媒体の種類と広告

AM、FM など、電波の種類別の放送があり、複数局を使えば全国放送も可能です。曜日や時間帯で、それぞれ最もラジオをよく聴くターゲットを想定し、その層に合った番組を放送します（オーディエンス・セグメンテーション）。車での移動中、仕事中などの「ながら聴取」が見込めるのもラジオの特徴です。

また、テレビと同様、番組提供広告とスポット広告がありますが、テレビよりも広告料金は安いのが特徴です。

●媒体別・特性の比較

特徴	新聞	雑誌	テレビ	ラジオ
セグメンテーション効果	低い（一般紙）	高い	低い	高い
信頼性・説得性	高い	高い	高い	普通
保存性・記録性	○	○	×	×
その他特徴	安全性・確実性	反復・回読効果	即効性・親近性	個人訴求性、適時適応性

■その他の広告 重要

1）ダイレクトメール広告

はがきや封書を使って案内する広告です。データベースから顧客を区分し、顧客にあったサンプルやクーポンを同封して来店をうながします（**セグメンテーション戦略**）。予算効率も高く、タイムリーな広告が可能です。また、一対一の関係で直接訴えかけられることにより、受け手の特定顧客との人間関係を構築できます。

第4章 マーケティング

2）新聞折込広告

新聞に折り込まれるチラシのことで、生活に密着している広告といえます。地域のニーズに応じた広告を行う地域セグメンテーションが可能で、コストが比較的安く、即効性が高いことも大きな特徴です。

ただし、新聞を購読しない家庭の増加にともない、パソコンやスマートフォン、携帯電話に配信する電子チラシが普及しつつあります。

3）OOH メディア

電車やバスなどの公共交通機関で展開される OOH（Out Of Home）メディアに属する広告です。モニター画面に広告を配信する、デジタルサイネージと呼ばれる形態も普及してきましたが、電車内の中吊り広告や車内側面にはめ込まれた額面広告、ドア部周辺のステッカー広告といった交通広告が代表的なものです。さらにラッピングバスのように、バスの外部で展開される車外広告、駅構内の駅貼り広告、駅看板など、スペースに応じた手法があります。

特性として、地域密着のアピールや反復訴求ができる、乗車中の人はその場所から動かない状態にあるため広告の訴求効果が高い、全国の駅で展開すればネットワーク効果も期待できる、といった点が挙げられます。

4）インターネット広告

普及スピードと社会的影響の大きさが特徴の情報メディアです。双方向性を可能とするインタラクティブが最大のメリットであり、より細かなターゲットを設定することもできます（ターゲティング）。

広告表現も多様で、ブロードバンドの普及で映像や音声を含む広告も可能です。広告が表示される回数「インプレッション数」やクリック数など、広告効果の情報が詳細にわかる点も、他の媒体にない特徴です。

●インターネット広告・OOH メディアの特性

特徴	インターネット広告	OOH メディア
訴求性	個人訴求・ 広域（世界含む）	反復訴求
セグメンテーション効果	あり（サイト選定）	あり（沿線、地域）
販促誘導性	高い（送品やサービスの購入まで誘導）	高い （目的地へ直接誘導）
その他特徴	即効性	複合ターゲット性 （学生、ビジネスパーソン）

4-13
リージョナルプロモーション

ビッグデータとIoTの活用

POINT
① ビッグデータビジネスは、ビッグデータで社会・経済の問題解決や業務の付加価値向上を行う事業
② 小売業は店舗でのIoTから消費者行動データを収集できる

■ビッグデータとビッグデータビジネス

検索エンジン、電子商取引（EC）、SNSなどのウェブサービスが拡大する中で、インターネット上では画像や動画、音声などのデータが爆発的に増加しています。これらのビッグデータを活用することで、従来では考えられないような有益な情報を得ることができるため、あらゆる業界でビッグデータの効果的な活用が重要なものとなりつつあります。

ビッグデータを活用したビッグデータビジネスについて、総務省は情報通信白書で「ビッグデータを用いて社会・経済の問題解決や、業務の付加価値向上を行う、あるいは支援する事業」と定義し、現代社会はデータ主導経済であると位置付けています。

ビッグデータビジネスを行う企業としては、グローバルに展開するGAFA、すなわちグーグル、アップル、フェイスブック、アマゾンという、アメリカのネット系プラットフォーム事業者が代表といえます。たとえばアマゾンのビッグデータは、顧客の行動パターン、心理パターン、属性までを含む細密なもので、「1人のセグメンテーション」「0.1人のセグメンテーション」（より細かな市場細分化）を可能にしています。

■ IoTの活用 重要

IoT（モノのインターネット化）では、ソフトウェアやセンサーを搭載した家電や自動車、建物などが、インターネットやクラウドでネットワーク化されます。IoTで収集したデータはネットワークを通じて処理され、付加価値の高いサービスや効率的な業務運営に活用されていきます。IoTで得られたビッグデータを人工知能によって分析し、新しいサービスにつなげることも可能にな

ります。

1）小売業における IoT 活用

小売業は店舗での IoT を通して、消費者行動についてのデータを大量に収集できるようになりました。これらの情報を活用したマーケティングを展開するには、顧客のスマートフォンなどのモバイル機器へ情報を送るだけでなく、在庫管理や店内での買物客へのはたらきかけができるかどうかが重要になってきます。

しかし小売業は、自らが収集した膨大な量のデータの十分な活用ができていないのが現状です。これらのデータを活かすためには、学習機能を持つコンピュータがデータを管理して、買物客の行動パターンを分析するようなシステムが必要であり、今後、小売業にも導入が期待されています。

2）第四次産業革命

第一次産業革命は、蒸気機関により動力を獲得した変革であり、第二次産業革命はモーターによる動力の革新、第三次産業革命は IC とプログラムによる自動化という変革でした。

これらに次ぐ新たな産業構造の改革が、ビッグデータや IoT をはじめとしたデータの活用に関連した技術革新です。「第四次産業革命」とも呼ばれ、日本経済へ大きな影響を与えるものと期待されています。

●ビッグデータの種類

ソーシャルメディアデータ	参加者が書き込むプロフィール・コメント等。
マルチメディアデータ	Web の配信サイトで提供される音声や動画。
Web サイトデータ	EC やブログで蓄積される購入履歴、ブログエントリー。
センサーデータ	GPS、IC カード等で得られる位置、乗車履歴、加速度等。
オペレーションデータ	POS データ、取引明細データ等。
ログデータ	自動生成されるアクセスログ、エラーログ等。
オフィスデータ	オフィス文書、E メール等。
カスタマーデータ	CRM システムで管理される DM 等の販促データ等。

4-14 リージョナルプロモーション Push 戦略の種類 人的販売活動・非人的販売活動

POINT
① 人的販売活動は、催事、コンテスト、消費者教育
② 添付プレミアムには、パックイン方式とパックオン方式がある

■人的販売活動

Push 戦略は、大きくは人的販売活動と非人的販売活動に分けることができます。人的販売活動は、催事（イベント）、消費者へのコンテスト、消費者教育の３つが主なものになります。

●人的販売活動の種類

① 催事（イベント）	一連の流れは、年間計画の立案、具体化、実施、反省および効果測定、である。
② コンテスト	「新製品発売記念」などのキャンペーンを展開。店舗で応募用紙を配布し、審査方法を明示しておく。
③ 消費者教育	実演販売など、商品の利用方法の情報を提供し、理解を深めて購買活動につなげてもらう。

●催事の企画実施までの流れ

①年間計画の立案
①基本的な方針の決定
②年間の商品販売計画の策定
③売出し展開計画の策定
④それぞれの目的・内容の明確化
⑤それぞれのテーマ、企画の概要決定

➡

②計画の具体化
①催事テーマの設定
②スローガン、キャッチフレーズの決定
③具体的目標の明確化
④対象顧客の決定
⑤販売商品の決定　実施時期、期間、場所の決定

➡

③実施、反省および効果測定
①企画段階で想定された問題は特に注意し、進捗状況を確認、チェック
②早期に、実施結果の反省と効果測定

■非人的販売活動 重要

非人的販売活動は、プレミアムの提供とサンプル提供の２つに分けることができます。プレミアムとは、購入者に追加で景品を付けることであり、また追加される景品そのものをあらわします。

●非人的販売活動の種類

① プレミアムの提供	景品が商品に付いた添付プレミアム、店頭で景品を付ける売場プレミアム、抽選や先着順の応募プレミアム、商品に添付のクーポンを集めて景品と引き換えるクーポン式プレミアムがある。
② サンプル提供	強い競争ブランドがあるときに有効で、使ってみないとよさがわからない反復購入される消耗品に適している。

1）添付プレミアム

商品に最初から添付されているプレミアムです。商品の購入者は誰でもプレミアムを手に入れることができるため、総付（べた付け）プレミアムとも呼ばれています。

①パックイン方式

商品のパッケージのなかにプレミアムが入っている方式です。

②パックオン方式

商品とは別にプレミアムが添付されている方式です。

2）売場プレミアム

売場で商品にプレミアムを付ける方式です。抽選や先着順、全員に渡すなどのパターンがあり、小売店の裁量でプレミアムをどう渡すか決めることができます。

3）応募プレミアム

購入者が商品のラベルやパッケージなどを郵送して応募することで、抽選や先着順でプレミアムがもらえる方式です。

4）クーポン式プレミアム

商品に付いたクーポンを集めると、引き換えにプレミアムが提供されます。提供できる景品類の最高額は不当景品類及び不当表示防止法で規制されています。

4-15 リージョナルプロモーション プロダクトライフサイクルの特性と小売業の対応

POINT
① 商品のライフサイクルは、導入期、成長期、成熟期、衰退期
② 衰退期は値引販売をしてでも在庫処分を推進

■プロダクトライフサイクル（PLC） 重要

どんな商品にも寿命があります。商品が発売されてから消えていくまでを、商品のライフサイクル（プロダクトライフサイクル＝ PLC）といい、導入期、成長期、成熟期、衰退期の４段階に分けることができます。

1）開発期

まだ開発段階にある商品で、プロダクトライフサイクルの前段階に当たるものです。一般的にはメーカーが開発段階を担いますが、プライベートブランド（PB）商品（P.162）の場合は大規模小売業などがその段階を担います。

メーカーが開発段階を担う場合、小売業はその開発情報を収集することが重要になります。

2）導入期

発売されたばかりの商品になります。商品が発売されて販売店に並び始めた頃で、一般の消費者は商品を認知していないため、売上高は低く、ゆっくりとした動きになります。したがって、積極的な広告や販売促進活動が必要となります。小売店も POP 広告やデモンストレーション販売、サンプル提供などの販売促進を展開していきます。

3）成長期

新商品や新サービスが認知され、販売が急上昇する段階です。それにともない生産量も増加するため、生産コストを下げることができ、メーカーは高い利益が望めます。その市場に注目が集まって新規参入者も出現し、販売活動も活発化していきます。

販売店では、需要があるにもかかわらず欠品を起こす販売機会ロスが起きないよう注意する必要があります。また、商品の特徴や長所を顧客に伝えるプロモーションやサービスの差別化で、競争店に打ち勝たなければなりません。

4）成熟期

ある期間を過ぎると、新商品としての魅力が薄れ、販売が伸び悩みます。新規需要でなく買い替え需要が中心となり、消費者はより自分に合った商品を求める「要求の高度化」が進みます。したがって小売業は、品ぞろえの充実とともに、商品の専門的なアドバイスができるようにしておかなくてはなりません。そして売れ行きを維持するために、景品を付けたり、値引販売を実施したりして延命策を施します。

5）衰退期

ほかの商品に市場が奪われてしまい、販売量が著しく減る時期です。成熟期後半から衰退期にかかった商品は、あえて経費はかけず、商品に市場性が残っているうちに、できるだけ収益を搾り取ろうとする収穫政策を導入します。この収穫政策にも適合しなくなった商品は、タイミングをはかって撤退を決定する必要があります。

●商品のライフサイクルでの小売業の対策

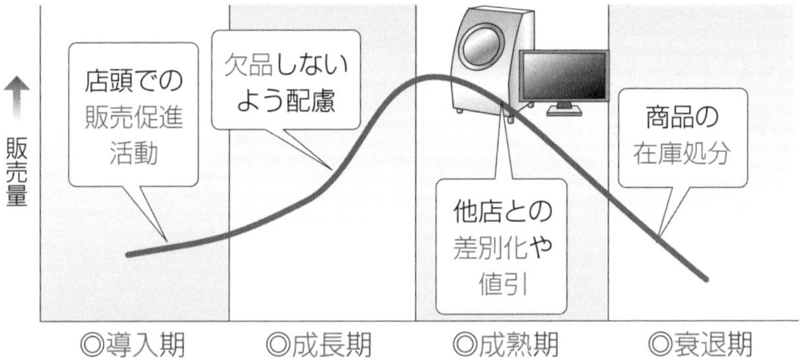

■商品別のプロダクトライフサイクル

商品の分類によって、ライフサイクルの動向には大きな違いがあります。季節性や流行性の強い衣類などの買回品ならば、ライフサイクル自体が全体的に短い期間になり、各期における上昇と下降が急になりがちです。

専門品は、市場への導入に時間を要しますが、顧客の忠誠心であるロイヤルティが得られれば、衰退期までの期間はゆっくりしたものになります。

4-16 リージョナルプロモーション

Put 戦略の種類 スペースマネジメント

POINT
① スペースマネジメントは、フロアマネジメントと、シェルフマネジメントに分けられる
② 1品目当たりの買上点数増加のため大量陳列や数量割引を導入

■スペースマネジメント 重要

特定の場所で売上と利益の最大化をはかる店頭技術のことで、コーナー単位のフロアマネジメントと、棚単位のシェルフマネジメントに分けることができます。なお、スペースマネジメントのねらいは、買上点数の増加策による1回当たりの購買単価の引き上げです。

1）フロアマネジメント

フロアゾーニングの一環として取り入れられるものであり、店内の主通路と副通路の効率比較や、ゴンドラエンドの位置などを分析し、適切なフロアレイアウトをつくります。

部門などの広いスペースを管理範囲として、店内の回遊性を高めてくれるパワーカテゴリー（顧客吸引力のある商品カテゴリー。スーパーマーケット業界ではマグネットという呼称が一般的）の配置や、商品の特徴を視覚的に演出するビジュアルマーチャンダイジングもフロアマネジメントの手法に含まれます。

2）シェルフマネジメント

ゴンドラ（カテゴリー）単位が管理範囲であり、商品の陳列面の構成であるフェイシングや、陳列数、配置、品目数等の決定を効率的に行うプラノグラム（P.91）などの役割を担います。

フェイシングは、グルーピング（組み分け）された品目を垂直・水平にどれだけ陳列するかを決めることをいいます。垂直・水平を比べた場合、手に取りやすく商品を認識しやすいゴールデンラインに置くことを考慮すると垂直型ディスプレイが効果的といえます。特に、最寄品を取り扱う小売店では、垂直型ディスプレイが基本になってきます。

プラノグラム（棚割システム）とは、プランとダイヤグラムの造語です。1本のゴンドラに、どのような単品（SKU）をどこに何個並べ、ゴンドラ内の商品カテゴリー単位でいくら売り、どれだけの利益を確保することができるかを予測する手法のことです。

この手法を用いて、衝動買いを誘う商品と目的買いをさせる商品、売れている商品と売るべき商品などに分類した後に、それぞれの商品をディスプレイする場所を決定していきます。

●ゴンドラ構成の手順

① ゴンドラ（カテゴリー）単位で商品分類を実施

② カテゴリーごとに用途や機能別などの分類でテーマを設定

③ ゴンドラスペースのグルーピング

④ スペース生産性を高めるための SKU（単品）を厳選

⑤ 単品を組み合わせて効果的な棚割表を作成

⑥ POP 広告を育成商品などに添付して比較訴求する

●フェイシングの方法

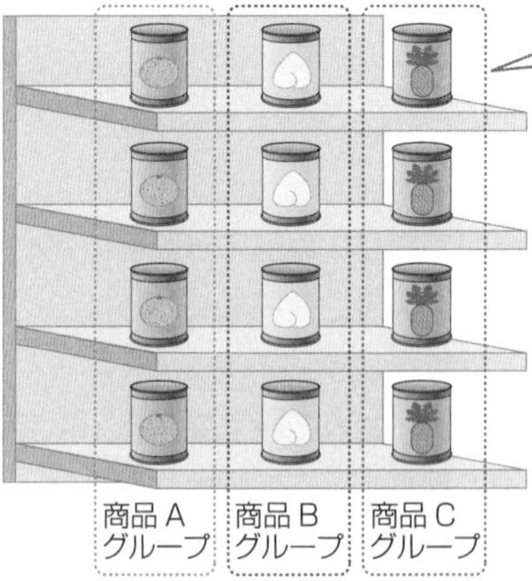

◆垂直型ディスプレイ
顧客の視線の動きが、すべてのカテゴリーに行き届く。

◆ゴールデンライン
目線ではなく、手の届く腰の位置がベスト。

留意点
最大陳列数量、最小発注単位を考慮して発注点を決定。
1日の売上高および利益額の予測を行う。

※発注点…発注を行う最適のタイミングのこと。

■購買単位増加の方法

品種間での品目数を多く購買させることと、1品目当たりの買上点数を増加させることが、小売業の売上増加の決め手となります。品種間での品目数を多く購買させるには、関連して購買してもらえるように品ぞろえやディスプレイ、演出に配慮します。

また、1品目当たりの買上点数を増加させるには、大量陳列や数量割引などを導入します。買上商品の単価アップも売上増加に欠かせない要素です。これはワンランク上の商品を主体とし、専門的な売り方を行うことで可能となります。なお、客購買単価は、次のように求めることができます。

●客購買単価の構成要素

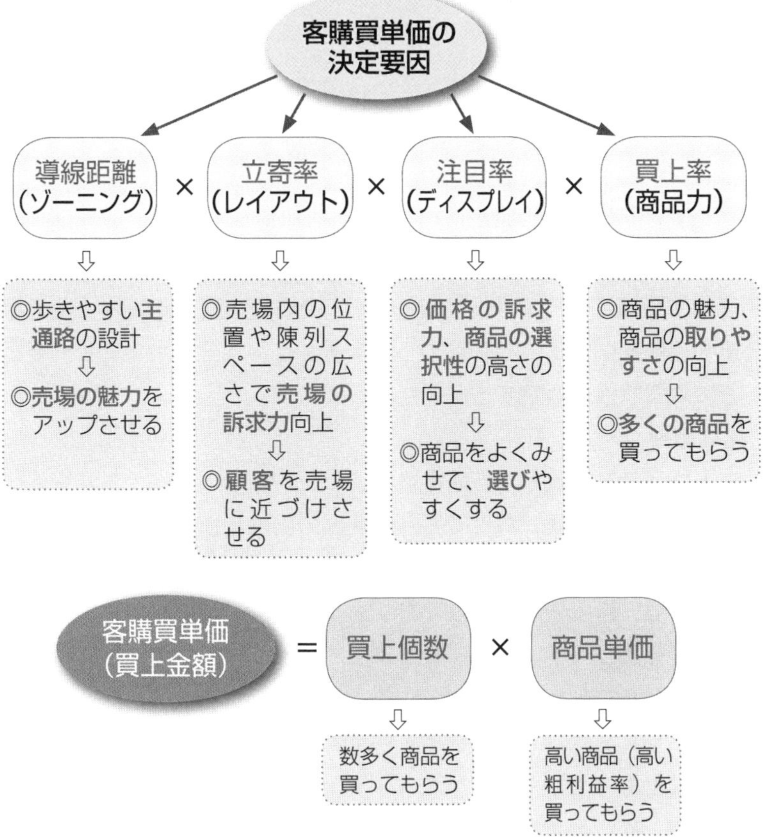

4-17 リージョナルプロモーション

増加するインバウンド

POINT

① インバウンドが対象の場合、さまざまな経営主体が協調する集団性（アセンブリー性）が重視される

② 小売業は越境 EC（超境電子商取引）も想定する

■観光の動向

訪日外国人旅行者（インバウンド）の数は、年々増加の一途をたどっています。背景には、中国、韓国、台湾といったアジア諸国からの旅行者の増加とともに、査証手続き（ビザ）の緩和や消費税免税制度の拡充、交通ネットワークの整備、CIQ 体制（税関・出入国審査・検疫）の充実があります。2007 年には観光立国推進基本法が施行、地域社会の持続可能な発展をはかりつつ、観光立国への取り組みは重要課題として位置づけられています。

■観光ビジネスの特徴 重要

小売業を含む観光産業が訪日外国人旅行者を対象とする場合、さまざまな経営主体が協調する集団性（アセンブリー性）、すなわち同一商圏内にある競争店とも連携や協働をはかることが求められます。また、国籍別の文化的要因を分析し、その消費特性に対応する必要があります。

1）政治的な影響

訪日外国人旅行者を対象とする場合は、法改正や政治の動向、外交関係にも影響を受けるため、小売業であっても外交関係の動向を知っておくべきです。

2）観光振興とまちづくり

小売業の中には、自店の発展だけでなく、まちづくりに取り組みつつ観光振興をはかる企業もあります。観光振興とまちづくりを担う主体として期待されているのが、「観光地域づくりを行う舵取り役としての法人」である観光地経営組織 DMO です。DMO は、観光施設・自然環境・芸術など地域の観光資源を発掘し、地域社会と連携して、まちづくりを行う組織で、170 を超える法人が日本版 DMO ネットに登録されています。

※新型コロナウイルス感染症の影響もあり、インバウンドに対する考え方や対応などが変わる可能性もあります。

●日本版 DMO の活動

① 地元の魅力を外部に発信するマーケティング活動

② 異業種の連携によるプラットフォーム体制の構築

③ 観光地域全体のマネジメント活動

3）社会的な要因

インバウンドへの対応では、イスラム教徒は豚肉を食べないといった、宗教で異なる食事や道徳的規範への配慮が必要です。すなわち、文化や宗教、ライフスタイルの変化なども考慮しなければなりません。また、モノを所有することに価値を見いだすモノ消費から、商品やサービスの購入で得られる体験に価値を見いだすコト消費へと嗜好が移りつつあることも理解しておきます。

4）越境 EC

外国人旅行者が訪日時に日本の商品に触れ、それがクチコミとなって海外から電子商取引で日本の商品を購入するケースなどは越境 EC（超境電子商取引）に該当します。小売業は、国境をまたいだ越境 EC を促進するため、訪日外国人旅行者の帰国後も電子デバイスで情報提供するなど、コミュニケーションをとることが大切です。なお、越境 EC は統計上、財（商品）の輸出となります。

■ 3 C 分析

インバウンドを意識したマーケティングでは､次の3C 分析が行われています。

● 3C 分析の概要

① 市場または顧客の分析（customer）	顧客や市場について、形式的な分析にとどまらず、市場または顧客の真のニーズまで掘り下げて分析することが重要。インバウンドの場合、国籍・文化・習慣・宗教が異なるため、分析が難しい場合がある。
② 競争の分析（competitor）	競争相手の数、参入障壁、競争相手の能力、さらに今後、参入が予想される相手や代替品となり得る商品やサービスを把握する。この競争を分析する場合、インバウンドでは同一商圏の競争店が連携の対象となることもある。
③ 自社の分析（company）	小売店を取り巻く状況、経営資源、能力などについて定性的・定量的に把握する。売上高や市場シェア、収益性や情報システムなどが分析の対象となり、インバウンドでは「自社」というよりも地域連携が分析の対象となる。

4-18 顧客戦略 顧客中心主義

POINT
① 一人ひとりのニーズに対応した個客としての対応へ
② 顧客志向から、顧客を中心に置き、それを包み込むようにビジネスを展開

■顧客価値の重要性

過去のマーケティングは、たくさんの人を対象に製品やサービスを提供し、収益や利益を得るといったマス・マーケティングを行ってきました。しかし、顧客一人ひとりが別々のニーズを持っている現在、顧客ではなく「個客」としてみていくことが必要になっています。

●顧客の絞り込みの理由と留意点

① 小売業がすべての顧客を満足させることは難しい

② 小売業が顧客を絞り込んだうえで、顧客のどのようなニーズに対応していくかを検討

③ 小売業は顧客を絞り込むためにも、自店の強みを主張することが必要

■顧客志向から顧客中心へ

近年のマーケティングは、「企業中心」から「顧客中心」に変化しつつあります。それにともない、マーケティングは顧客の方向を向いてビジネスを行っていく「顧客志向」を実践するようになっていますが、「顧客志向」からさらに踏み込み、顧客を真ん中に置いて、それを包み込むようにビジネスを展開する「顧客中心」の考え方も生まれています。

「顧客中心」では、長期にわたって顧客の動きや変化をみつつ、タイミングよく顧客にアプローチしていきます。そして、小売業は計画的、かつ戦略的に

商品やサービスをコーディネートし、顧客にどのようなライフスタイルが提案できるかを考えていきます。

この「顧客中心」の考え方でビジネスを行っていくことにより、顧客とのよいリレーションシップ（関係）が構築でき、結果として繰り返し自店の商品やサービスを購入してもらえるようになります。

つまり、「顧客中心」により、たくさんの顧客に自店の商品やサービスを購入してもらう「市場シェア」の拡大ではなく、数限られた顧客に自店の商品やサービスを繰り返し購入してもらう「顧客シェア」の拡大を実現できるのです。

●顧客中心の考え方

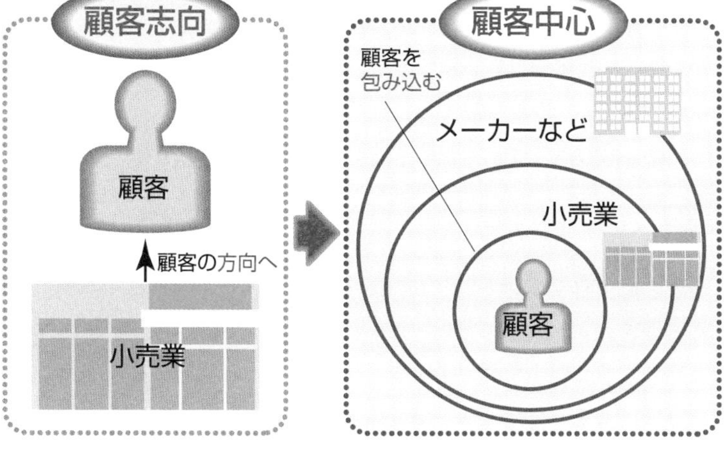

■顧客に新たな価値を提供 重要

商品が思うように売れなくなった今日、小売業は「顧客中心」の考え方を基本としつつ、マーチャンダイジング、マーケティング、マネジメントの３つのＭを統合して、的確に実践することが必要です。

さらに求められるのは、顧客への新たな価値の提供です。変化が激しく、顧客が流動的な現在にあって、従来の小売業が持つスキルはすぐに陳腐化します。したがって小売業は、持っているスキルを活かすだけではなく、新たなビジネスの仕組みをつくり出すという発想が不可欠です。そして、顧客に価値を提供することで、新しいパートナーシップを築いていかなければなりません。

練習問題

次の設問で、正しいものには○を、誤っているものには×を選びなさい。

問題 1　小売業の優位性を発揮するためには、業種的な特性をしっかりと打ち出すことが大切である。

問題 2　小商圏地域に立地した無差別的マーケティング戦略は、商圏内顧客の主流層にターゲットを合わせる戦略をとる。

問題 3　Pull（プル）戦略とは、商圏に散在する消費者のなかから小売業の標的とする顧客層に働きかけて巧みに引き寄せる方法で、広告などを行うことである。

問題 4　売価設定の業務は、最終売価の決定と価格変更の決定の２つに分類できる。

問題 5　テレビ広告のスポット広告は、キャンペーンなど短期集中で認知度を高める場合に有効である。

問題 6　CRM とは、顧客一人ひとりの属性やニーズに合わせてマーケティングを実践していくことをいう。

問題 7　PB（プライベートブランド）は小売業の専売商品であるが、PB 商品を製造するメーカーに限って、ほかの流通チャネルで販売することができる。

問題 8　ダイレクトメール広告は、一対一の関係で直接訴えかけられるため、受け手である特定顧客との人間関係を構築することができる。

問題 9　仕入に応じた流動的価格設定では、安く仕入れられるときほど、数多く販売して売り切ることが利益確保面で重要となる。

問題 10　マーケティングリサーチは、数字や数値で統計学的に自社の現在の市場を把握するものである。

問題 11　人的販売活動でのコンテストは、「新製品発売記念」などのキャンペーンを展開し、店舗で応募用紙を配布するものである。

次の設問の【　　】のなかに当てはまるものとして、最も適当なものを選びなさい。

問題 12　地域商業の活性化の度合いをはかる指標として【　　】がある。これはほかの都市から購買力を吸収する度合いのことで、この数値が高いほど、その地域の小売業が栄えているといえる。

［W／R比率　　ハフモデル　　小売中心性指標　　ライリーの法則］

問題 13　ブランドの分類において、一般にメーカーが生産した有名なブランドを【　　】という。

［ファミリーブランド　　コーポレートブランド
ナショナルブランド　　カテゴリーブランド］

問題 14　【　　】は、プロダクトライフサイクルの前段階に当たる期間のことをいう。

［導入期　　成長期　　成熟期　　開発期］

問題 15　【　　】とは、優良顧客を識別し、購買頻度や購買額などによって特典に差をつける仕組みのことをいう。

［LSP　　EOS　　CSR　　FSP］

問題 16　スペースマネジメントの一つであるシェルフマネジメントには、棚割システムである【　　】などが用いられる。

［パワーカテゴリー　　カテゴリーキラー
フロアマネジメント　　プラノグラム］

解答解説

問題 1 × 小売業の優位性を発揮するためには、業態的な特性をしっかりと打ち出すことが大切です。

問題 2 ○ 設問のとおり。小商圏に立地した最寄品を販売する小売業は、商圏内の幅広い顧客層を取り込む必要があります。

問題 3 ○ 広告や口コミ、ポスティングなどで顧客に働きかけ、巧みに引き寄せる方法です。

問題 4 × 売価決定の業務には、最終売価の決定と価格変更の決定のほかに、価格体系の決定があります。

問題 5 ○ スポット広告とは、エリアや期間、出稿量などを自由に設定できるテレビ広告であり、新製品の告知など短期集中で発信する場合に使用されています。

問題 6 × CRM（カスタマー・リレーションシップ・マネジメント）とは、顧客と長期的な関係を維持していくことをいいます。顧客一人ひとりに合わせてマーケティングを実践していくことは、ワントゥワンマーケティングといいます。

問題 7 × PB はその小売業の専売商品であり、たとえその PB 商品を製造するメーカーであっても、他の流通チャネルで販売することは原則できません。

問題 8 ○ ダイレクトメール広告（DM）は、郵便などを使用して、直接メッセージを伝えることができる広告です。

問題 9 ○ 仕入に応じた流動的価格設定は、安く仕入れられたときほど、利益確保のために売り切ることが大切です。

問題 10 × マーケティングリサーチは、データや数値だけでははかれない潜在的なニーズやウォンツを国語的（言葉）に検証することです。

問題 11 ○ 設問のとおり。コンテストでは、大々的に告知したうえで、店舗で応募用紙を配布し、審査方法を明示しておきます。

問題 12 **小売中心性指標** 小売中心性指標とは、ほかの都市からどのくらいの購買力を吸引できるかを見るものです。

問題 13 **ナショナルブランド** 一般にメーカーが生産した有名なブランドがナショナルブランド（NB）で、大規模小売店などが主体的に商品を企画・生産し、販売するブランドがプライベートブランド（PB）です。

問題 14 **開発期** プロダクトライフサイクルの前段階は開発期であり、一般的にはメーカーが担う開発段階になります。

問題 15 **FSP** FSP（フリークエントショッパーズプログラム）とは、優良顧客を識別して、その優良顧客により多くの特典を提供する仕組みです。

問題 16 **プラノグラム** プラノグラムは、棚割で陳列数、配置、品目数等の決定を効率的に行うシステムです。

5

販売・経営管理

小売業における店舗運営では、
販売員には法令知識や
計数管理についての知識も要求されます。
取引に関する法律や売買契約に関する法律など、
小売業にかかわる重要な法令を整理しておくとともに、
店舗の決算を把握する必要があります。

5-1 法令 取引に関する法令

POINT
① 契約は当事者同士で自由に結べる
② 当事者間で定めなかった事項には民法や商法などの法律が適用される

■契約の原則 重要

契約の基本原則には、次のようなものがあります。

●契約に関する３大原則（近代市民法の３大原則）

① 所有権の絶対　所有物は自由に使用・収益・処分できる。

② 契約自由の原則　契約は当事者の自由であり、国家でも干渉できない。

③ 過失責任の原則　故意でも過失でもない行為は責任をとらなくてよい。

■契約に関する基本知識

民法に規定されている 13 種類の契約を有名契約といい、それ以外の契約を無名契約（非典型契約）といいます。

1）契約の原則と方法

契約自由の原則は、契約を締結する、しないは当事者同士が自由に選択できるというものです。契約の方法としては、口頭あるいは文書を問わず、あらゆる方法で締結してよいことになっています（売り手と買い手の意思表示の合致で成立）。ただし、書面の記載があるほうが契約の成立を立証しやすくなります。なお、立証責任は契約が成立したと主張する側が行うことになります。

2）任意規定と強行規定

契約は、当事者同士で自由に締結することができますが、当事者間で明確に定めなかった事項については民法や商法などの法律が適用されます。これは、当事者同士の意思で適用を排除できます（任意規定）。民法や商法の債権債務の規定などが該当します。一方、当事者同士の意思によっても適用を排除できない規定が強行規定であり、契約に優先する例外的な規定です。

3）契約の履行《りこう》

当事者同士での契約が成立したら、債権者は代金を支払い、債務者は契約の内容どおり履行（実際に行うこと）しなければなりません。債務者が契約で決めたとおりに行わないことを債務不履行といいます。

●債務不履行の種類

- ① **履行遅滞**　期限までに約束の行為を履行しないこと。
- ② **履行不能**　約束の行為の履行が不可能なこと。
- ③ **不完全履行**　約束の行為の一部は履行したが完全ではないこと。

4）契約の解除

債務不履行などがあって、給付（債務者がなすこと全般）を催告しても履行されない場合、契約を解除することができます。損害を被った場合は、損害賠償の請求もすることができます。

5）売買契約

売買契約は私たちにとって最も身近な契約になります。売買契約の種類には、代金の支払いをともなう有償契約、売主には商品引渡義務、買主には代金の支払義務が発生する双務契約、合意のみで契約が成立する諾成契約があります。

6）契約不適合責任

数量を定めた売買で数量が足らなかったり、品質が買主が期待したものでない状態を契約不適合といい、この場合に買主は売主に対して損害賠償請求、契約解除、追完請求、代金減額請求ができます。追完請求は、商品の修理や代替となる商品の引き渡しや、不足分の引き渡しを請求できるものです。民法は買主に不相当な負担にならない場合には、別の新しい商品を渡すなど買主が請求した方法とは異なる方法で売主が追完することを認めています。また、代金減額請求は、買主がその不適合の度合いに応じて代金の減額請求を行うもので、明らかに直せないような場合は、直ちに代金の減額請求ができます。

7）代金の支払いと商品の引渡し

代金の支払いと商品の引渡しは同時に履行されなければなりません。民法では代金の支払場所は、特定物であれば契約のときにその物があった場所、不特定物の場合は買主の営業所などで行うのが原則です（特別な約束がない場合）。

8）契約書等での印紙税

印紙税法にもとづいて、契約書等の文書（課税文書）を作成した場合は収入印紙を貼付し、消印をする必要があります。印紙税の税率は、課税文書の種類で詳細な規定があり、納税義務者は課税文書の作成者になります。印紙税が課税される文書であるにもかかわらず、正しく収入印紙を貼付・消印しなかった場合は、犯罪として科料、罰金や内容次第では1年以下の懲役刑などの刑事処分を受け、また当該印紙税額の合計3倍に当たる額を過怠税として追徴されます。

■支払手段に関する知識 重要

売買契約では、小切手や手形を使って支払うことがあります。

1）小切手の要件

小切手とは、振出人（小切手を発行する人）が受取人（小切手を受取る人）に、支払人（銀行など）を経由して支払う有価証券で、小切手の呈示期間(換金するため銀行などに渡すまでの期間)は振出日から10日間です。小切手を発行するには、一定の記載事項を小切手用紙に記入します。必ず記載しなければならない事項を絶対的記載事項、記載しなくてもよい事項は任意的記載事項、記載すると小切手が無効になる事項は有害的記載事項といいます。

任意的記載事項には、受取人の記載、第三者方払（第三者の住所で支払う旨）や線引（小切手に2本の平行線を引く）などがあります。線引されたものを線引小切手といい、この小切手の呈示を受けた銀行は、ほかの銀行もしくは信用状態が把握できる銀行の取引先にのみ金額を支払うことができます。

また、有害的記載事項には、支払条件などが該当します。

●小切手の絶対的記載事項

- ① 小切手であることを示す文字
- ② 小切手金額と支払委託
- ③ 支払人（銀行など）の名称
- ④ 支払いをする場所（支払地）
- ⑤ 振り出した日（振出日）と振り出した場所（振出地）
- ⑥ 振出人の署名、もしくは記名・押印

2）手形の基本

有価証券の一つである約束手形は実務上、頻繁に使用されているもので、振出人（発行者）が一定の金額を支払うべきことを約束する形式の手形です。約束手形を発行するためには、手形要件と呼ばれる一定事項について記載する必要があり、記載が不可欠な絶対的記載事項、記載しなくてもよい任意的記載事項があります。一方、記載すると手形が無効になる有害的記載事項もあります。

●約束手形の絶対的記載事項

① 約束手形であることを示す文字

② 手形の金額と支払約束

③ 満期

④ 支払地

⑤ 受取人の名称

⑥ 振出日および振出地

⑦ 振出人の署名

●約束手形の仕組み

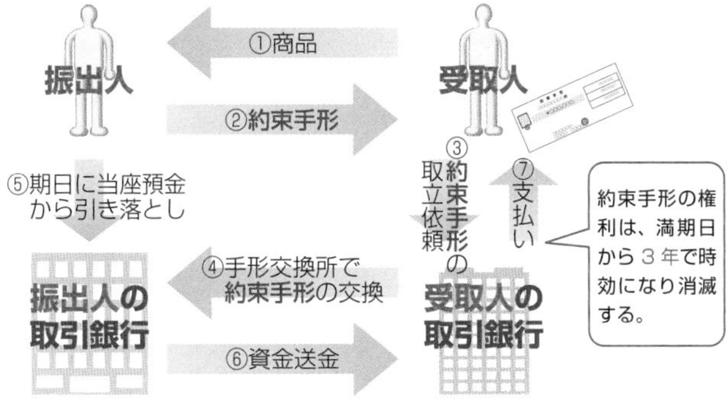

3）クレジットカード

クレジットカードには販売業者（加盟店）、会員、カード会社の３者間または４者間で決済が行われる方式と、販売業者と会員だけで処理される方式があり、前者は信販会社や銀行などがカードを発行し、後者は販売業者が独自に発行します。カード会社の発行の場合、販売業者は商品を引き渡したら、売上票をカード会社に送付して代金の支払いを受けます。カード会社は、会員の銀行の口座から後日、立て替えていた代金相当金額を引き落とします。

●クレジットカードの仕組み

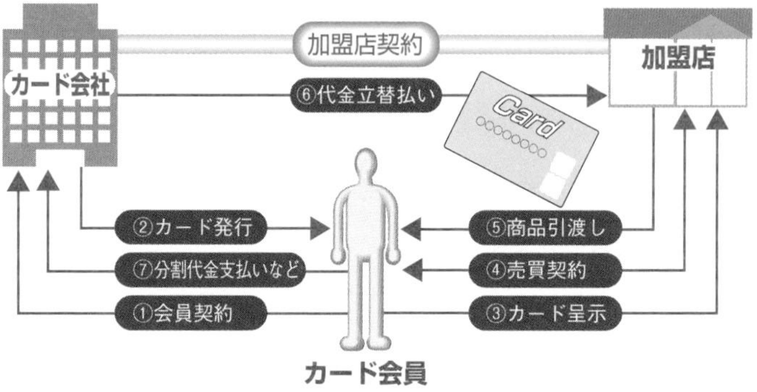

4）プリペイドカード

クレジットカードが代金後払いなのに対して、プリペイドカードは代金前払いです。消費者が代金を前払いして商品やサービスを受けるためのカードを購入し、利用分に応じて残額が少なくなります。入金（チャージ）することができるものもあります。

5）デビットカード

店頭で買い物をする際に、銀行口座から即時決済します。与信（返済を見込める相手として信用を与える）の手段でもあるクレジットカードとは違い、後払いではありません。利用代金が購入者の銀行口座から即時に引き落とされて、後日、加盟店の口座へ入金されます。

6）資金決済法

この法律は、電子マネーでの取引やインターネットを介して売買をする際に適用される法律です。資金決済法の適用を受けるものの例としては、商品券やカタログギフト券、磁気型やIC 型のプリペイドカード、インターネット上で使えるプリペイドカードなどがあります。これらは前払式支払手段と呼ばれています。前払式支払手段の発行者は、未使用残高が1,000万円を超えたときは、その未使用残高の２分の１以上の発行保証金を供託所に供託しなければならないと定められています。

5-2 法令

仕入に関する法令

POINT
① 商品の仕入は売買契約が基本
② 商品の仕入などで不当な取引が行われないよう規制するのが独占禁止法

■一時取引と継続取引

小売業では、商品を仕入れてから販売するという原則があり、商品の仕入は売買契約によって行われるのが一般的な取引になります。不特定の顧客とそのつど売買契約を結ぶことを一時取引と呼び、仕入先企業などと行われる継続的な取引契約については継続取引と呼びます。継続取引では、仕入れる商品の品名や数量、品質、引渡条件などを、仕入先の企業との間で基本約定書を取り交わして明確に定めておきます。

また、小売業は納品された商品が注文書と合っているかを確認し、数量不足や品質が損なわれていた場合は、仕入企業に通知する義務があります。これを買い手の検査義務・通知義務といい、民法や商法で定めていますが、契約書でも定めておくことが望ましいです。

■仕入の方法と法令 重要

仕入は、次の２通りの方法があります。

1）買取仕入

買取仕入は一般的な売買による仕入で、仕入れた商品は小売業に属します。また、在庫リスクは小売業が負います。

2）消化仕入（売上仕入）

消化仕入（売上仕入）は、消費者が小売業から商品を購入した時点で、サプライヤー（メーカー）から小売業へ、小売業から消費者へと所有権が移転し、小売業は売却商品にかかる代金債務を負担します。小売業にとっては、過大な在庫を抱えるリスクを回避することができる仕入方法であり、特に百貨店では一般的に採用されている方法です。

■委託販売の概要

委託販売は、サプライヤーが小売業に商品の販売を委託し、小売業はその商品を販売することで、販売手数料を報酬として受けるシステムです。民法に規定されていない無名契約（非典型契約）による仕入方法であり、商品の所有権は小売業にはなくサプライヤーにあるので、小売業は返品の問題を気にする必要はありません。また、委託者の指示による廉売《れんばい》（安い値段で売ること）で損失が発生しても、契約上の販売手数料の支払請求権を失いません。

なお、法律面においては、契約書の特約で定めた事項以外については、民法や商法が準用されます。

●委託販売方式における民法・商法の規定

① 善管注意義務（民法 644 条）　業務を委任された人の職業や専門家としての能力、社会的地位などに応じて通常期待される注意義務。

② 受託者の報告義務（民法 645 条）

③ 受託者が受領した代金の引渡義務（民法 646 条）

④ 受託者（小売業など）は、消費者が代金の支払いをしない場合に、サプライヤーに対してこれを支払う責任を負う（商法 553 条）

委託販売の代表的な例が、書店における書籍や雑誌の仕入・販売方法です。書店は主に出版卸売業と販売委託契約を結んで、商品としての書籍を仕入れます。売れた書籍の代金は一定期間ごとに出版卸売業に支払い、売れ残った書籍は返品します。

●書籍における委託販売方式の実際

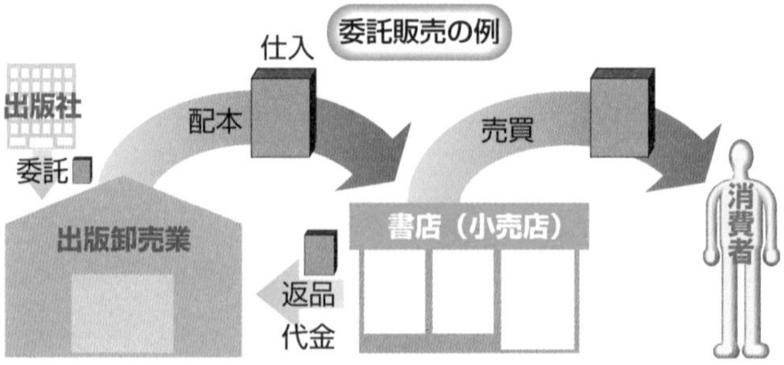

■独占禁止法 重要

独占禁止法は、自由で公正な競争原理が働くことを目的に、次のような行為を禁止しています。

1）私的独占

事業者が単独もしくはほかの事業者と結託して、第三者の事業活動を排除または支配することにより、競争を制限することです。

2）不当な取引制限

価格カルテル、生産カルテルなどのカルテル行為です。カルテルとは、企業同士が利益を守るために、販売価格、生産数量を協議して取り決めることです。

3）不公正な取引方法

次の５つの法定類型があります。

●不公正な取引方法

① **共同の取引拒絶**　共同で特定の企業との取引を拒んだりする行為。

② **差別対価**　対価（報酬）を差別して取引し、競争秩序を乱すこと。

③ **不当廉売**　不当に安く売ること。

④ **再販売価格維持**　サプライヤーが小売業者に対して販売価格を指定すること。

⑤ **優越的地位の濫用**　立場の強さを利用して不当な要求を行うこと。

法定類型とは別に公正取引委員会は、公正な競争を阻害するおそれがある行為（指定類型）を２つに分けて指定しています。

① 一般指定

取引拒絶、排他条件付取引、再販売価格維持行為、優越的地位の濫用、抱き合わせ販売（商品販売で、別の商品をセットにして購入させること）などの取引で、すべての事業者に対して適用される指定です。

② 特殊指定

大規模小売業者が行う不公正な取引方法、特定荷主が行う不公正な取引方法、新聞業での特定の不公正な取引、の３つについて指定されています。

4）不公正な取引方法の禁止

独占禁止法は、前述のとおり仕入取引における不公正な取引方法を優越的地位の濫用として禁止しており、近年ではコンビニエンスストア本部やスーパーマーケットなどの納入取引でも規制が強まっています。商品の販売促進には結びつかないと考えられる売場の改装時などの協賛金、リベートなどが規制の対象となっており、その理由として算出根拠などが不明確なことが挙げられ、行政指導も実際に行われています。

このほか、小売業とサプライヤーをめぐる優越的地位の濫用行為としては、納入価格の値引、押付販売（中元・歳暮商品などの購入を、仕入先に対して余儀なくさせること）、従業員の派遣要請などがあります。

5）適用除外

書籍といった著作物などの公正取引委員会の指定商品に関する再販売価格の決定・維持行為や、特許権などの無体財産権の行使行為、事業法令にもとづく正当な行為などは、独占禁止法の適用除外となっています。

●独占禁止法のまとめ

<table>
<tr><td rowspan="18">独占禁止法</td><td>私的独占</td><td colspan="4">事業者が単独もしくはほかの事業者と結託して、第三者の事業活動を排除または支配</td></tr>
<tr><td rowspan="2">不当な取引制限</td><td rowspan="2">カルテル</td><td colspan="3">価格カルテル</td></tr>
<tr><td colspan="3">生産カルテル</td></tr>
<tr><td rowspan="15">不公正な取引方法</td><td rowspan="5">法定類型</td><td colspan="3">共同の取引拒絶</td></tr>
<tr><td colspan="3">差別対価</td></tr>
<tr><td colspan="3">不当廉売</td></tr>
<tr><td colspan="3">再販売価格維持</td></tr>
<tr><td colspan="3">優越的地位の濫用</td></tr>
<tr><td rowspan="10">指定類型</td><td rowspan="7">一般指定</td><td colspan="2">取引拒絶</td></tr>
<tr><td colspan="2">再販売価格維持行為</td></tr>
<tr><td rowspan="4">優越的地位の濫用</td><td>協賛金</td></tr>
<tr><td>納入価格の値引</td></tr>
<tr><td>押付販売</td></tr>
<tr><td>従業員などの派遣要請</td></tr>
<tr><td colspan="2">抱き合わせ販売など</td></tr>
<tr><td rowspan="3">特殊指定</td><td colspan="2">大規模小売業者が行う不公正な取引方法</td></tr>
<tr><td colspan="2">特定荷主が行う不公正な取引方法</td></tr>
<tr><td colspan="2">新聞業での特定の不公正な取引</td></tr>
</table>

5-3 法令 販売に関する法令

POINT
① 消費者基本法は消費者を保護し、自立を支援
② 消費者契約法は消費者の利益を擁護することを目的に制定

■消費者基本法

小売業とサプライヤーの間に力関係が存在するのと同じように、消費者と小売業の間にも力関係が存在します。弱者である消費者を保護し、自立を支援するための法律として、消費者基本法があります。この法律では、事業者である小売業と消費者の責務が規定されています。

●事業者・消費者の責務と消費者基本法および関連法

事業者の責務
消費者との取引のための公正を確保
豊富な商品知識と臨機応変な対応
クレーム処理に対する組織的な体制の整備など

消費者の責務
権利や保護だけを主張するのではなく、自ら知識の習得に努める
環境に配慮した行動
著作権の保護に配慮

消費者基本法の基本施策	関係する法令
安全の確保	製造物責任法、食品安全基本法
消費者契約の適正化	消費者契約法、特定商取引法
計量の適正化	計量法
規格の適正化	JAS 法、JIS 法
広告その他の表示の適正化	食品衛生法、特定商取引法
公正自由な競争の促進	独占禁止法、景品表示法

■消費者契約法 重要

一般的な消費者と事業者とでは情報や交渉力の格差があるため、消費者が契約で不利益を被るケースもあります。消費者契約法は、消費者の利益を擁護することを目的に制定され、消費者が事業者の行動により一定の条件下で契約してしまった場合、契約の取消や無効を主張できると定めています。

1）契約取消

消費者は次のような事業者の行為で契約を結んだ場合、その意思表示を取消すことができます。消費者が誤認をして契約を結んでしまった場合を誤認類型、消費者が困惑して契約を結んでしまった場合を困惑類型と分類しています。

なお、誤認類型では、消費者が誤認に気づいて６か月を経過しておらず、なおかつ契約から５年経っていないことが条件です。取消が成立すれば、消費者と事業者ともに、契約前の状態に戻す原状回復義務が生じます。すなわち、消費者は商品を返品し、事業者は代金を返金することになります。

●誤認類型

①不実告知	重要事項に関して事実と違うことを告げる。
②断定的判断の提供	確定していない事項について、あたかも決まったかのように告げる行為。
③不利益事実の不告知	消費者にとって不利益となる情報について、あえて伝えない行為。

●困惑類型

① 不退去	押し売りに代表されるように、居座り、帰ろうとしないこと。
② 退去妨害	監禁するなど、消費者をその場所から退去させないこと。

2）契約無効

消費者にとって一方的に不当・不利益となる契約は無効となります。たとえば不当に高額な解約金・遅延損害金や、事業者の債務不履行により消費者に生じた損害を賠償する責任の全部または一部を免除する条項は、契約自体が無効となります。

■割賦販売法 重要

割賦販売法も消費者保護を目的とした法律です。

1）割賦販売の定義

割賦販売とは、2か月以上の期間にわたり、かつ3回以上に分割して受領することを条件に販売されることをいいます。個々の商品ごとの個別方式とクレジットカードを利用する包括方式に大別でき、クレジットカードを利用して支払う場合で月々の支払いを一定にして支払う方式をリボルビング方式といいます。この方式はクレジットの上限金額と月々の支払額を決めて契約し、その範囲内であれば何度も利用できるというものです。なお、商品の多様化にともない、対象商品が限定される指定商品・指定役務制は一部の販売方式を除いて撤廃されています。

2）割賦販売が適用される取引

割賦販売が適用される販売方式は、自社の割賦販売、代金を金融会社から借り入れるローン提携販売、クレジット会社や信販会社のカードを使った包括信用購入あっせん、販売会社が提携するクレジット会社と契約を結ぶ個別信用購入あっせん、百貨店の「友の会」などのように会費を先に積み立てて一定額に達したら商品を渡す前払式特定取引の5つがあります。

●割賦販売で使われる用語

用語	定義
現金販売価格（現金価格）	商品を引渡した際に、商品の代金の金額を受領するケースでの価格。
割賦販売価格（割賦価格、分割払価格）	割賦販売の方法で販売するケースでの価格。
前払式割賦販売価格（予約積立価格）	前払式割賦販売の方法で販売するケースでの価格。
月掛予約価格	月1回の前払式割賦販売の方法を使って販売する際の商品価格。
初回金（頭金）	割賦販売の契約を締結したときに、購入者が割賦販売業者に支払う金額。
支払回数（分割回数）	割賦販売の支払回数であるが、初回金（頭金）は回数から除く。
月掛金	前払式割賦販売での各月ごとの支払金額。
分割払金（賦払金）	割賦販売における各回ごとの支払金額。

■特定商取引法 重要

特定商取引法は、消費者の利益保護という観点から、事業者が守るべきルールと、クーリングオフなどのルールを定めています。クーリングオフとは、契約後の一定期間であれば消費者は無条件に解約ができるというもので、同法の民事ルールの一つにあたります。一般的には8日間がクーリングオフ期間に定められており、マルチ商法やネットワークビジネスといった連鎖販売取引、内職商法、資格商法などの業務提供誘引販売取引については20日間に定められています。

●特定商取引法の取引類型

① 訪問販売 キャッチセールスなどを含む
② 通信販売 *
③ 電話勧誘販売
④ 連鎖販売取引 マルチ商法など
⑤ 特定継続的役務提供
⑥ 業務提供誘引販売取引
⑦ 訪問購入 貴金属の強引な買取りなど

＊＝クーリングオフ適用外の取引

1）通信販売

郵便や電話、ファックス、インターネットなどによる取引です。法律で、広告の表示、誇大広告の禁止、前払式通信販売の承諾等の通知、契約解除にともなう債務不履行の禁止などを定めています。これらの規制の一つに、消費者の了承がなければ事業者は電子メール広告を送信できないというオプトイン規制があります。

2）特定継続的役務提供

痩身や美顔など、その目的が確実に成し遂げられるとは限らないサービスである特定継続役務を、一定期間、一定の金額を超える価格で提供するものです。特定継続役務を行う業種には、エステティック、美容医療、語学教室、家庭教師、学習塾、結婚相手紹介サービス、パソコン教室の7つの役務が該当します。

3）ネガティブ・オプション

いわゆる送りつけ商法です。特定商取引法の取引類型には含まれませんが、特定商取引法において規定されています。具体的には、商品の送りつけがあった日から14日を経過するまでに商品を受け取った者が購入の承諾をせず、かつ販売業者が受け取った側の引き取りの申し出から7日以内に商品を引き取らなかった際は、販売業者は商品の返還を請求できない、と定めています。

5-4 法令 商品に関連する法令（商標、不正競争、景品表示）

POINT
① 動き商標、ホログラム商標、色彩のみからなる商標、音商標、位置商標も商標登録可能
② 不当表示には、優良誤認表示、有利誤認表示がある

■商標法

平成 27 年に改正商標法が施行されました。改正商標法によれば、「商標とは、人の知覚によって認識できるもののうち、文字、図形、記号、立体的形状若しくは色彩又はこれらの結合、音その他政令で定めるもの」と定義されています。改正前の商標では、登録可能な商標として、文字商標、図形商標、記号商標、立体商標、結合商標、色彩商標が設定されていましたが、国際的な動向をふまえて新たに音商標や、色彩のみの商標が加わったことになります。

また、機能的には、商標を商品商標と役務商標（サービスマーク）に分類することができます。

■不正競争防止法

業者同士の競争で、不正が行われないよう規制しているのが不正競争防止法です。禁止されているもののうち、主なものは次のとおりです。

●不正競争防止法での禁止事項

① 混同惹起《じゃっき》行為	認知度の高い他社の商品表示と同じか類似した表示を使って、他社の商品と混同を生じさせる行為。
② 著名表示冒用《ぼうよう》行為	認知度の高い他社の商品表示と同じか類似した表示を、自社の商品表示に使用して事業活動を行う行為。
③ 商品形態模倣行為	他社商品の形態に似せた商品を譲渡、貸渡し、譲渡・貸渡しのために、展示、輸出、または輸入する行為。
④ 営業秘密に係る不正競争行為	営業秘密とは、秘密として管理されている生産方法、販売方法やそのほかの事業活動に有用な技術上・営業上の情報。この営業秘密を不正な手段で取得し、利用する行為。

■景品表示法 重要

景品表示法は、商品の品質等を偽って表示を行うことを規制し、過大な景品類の提供を防いで消費者が合理的に商品等を選択できるようにする法律です。

1）景品類の制限・禁止

顧客をひきつける（誘引）ために景品類を提供する際は、景品表示法によって規制を受けます。

●総付（べた付け）景品の規制

取引価額が1,000円未満	景品類の最高額は200円
取引価額が1,000円以上	景品類の最高額は取引価額の10分の2

2）不当表示の禁止

供給する商品やサービスについて、事業者は次の事項を表示することが禁じられています。

●不当表示

①優良誤認表示	商品や役務（サービス）が、実際のものや競争業者のものと比べて著しく優良であると誤認させる表示。
②有利誤認表示	商品や役務の価格等の取引条件が、実際のものや競争業者のものと比べて著しく有利であると誤認させる表示。

3）懸賞

くじや抽選券などの偶然性を利用して、提供する相手を選んだり、景品類の価格を定めることです。写真や俳句の募集、クイズやパズルなど、特定の行為の優劣もしくは正誤によることもあります。

●懸賞により提供できる景品類の最高額

取引価額が5,000円未満	20倍
取引価額が5,000円以上	10万円

5-5 法令 個人の情報に関する法令

POINT
① 個人情報保護法は個人の情報を保護する
② 個人情報を段階で分けると、個人情報、個人データ、保有個人データに分けられる

■個人情報保護法

近年、企業に求められる代表的なものの一つとして、リスクマネジメント（危機管理）が挙げられます。特に、個人情報の流出は大きな問題となっており、個人情報の保護が叫ばれています。

1）個人情報の段階における分類

個人情報保護法では、個人情報は次の３つの段階に定義され、下の段階ほど情報の管理者にとって守るべき義務が重くなっていきます。

●個人情報の定義

① 個人情報（狭義）	特定の個人を識別できるもの（本人の氏名や生年月日）。取り扱い要件は厳しくない。
② 個人データ	個人情報のデータベースのこと（顧客名簿やメールアドレス）。取り扱い要件は個人情報より厳しい。
③ 保有個人データ	個人情報取扱業者に開示、訂正、利用停止などの権限があり、６か月を超えて保有する情報のこと。

2）小売業での個人情報の扱い

小売業では、次のような個人情報が取り扱われます。

●小売業における個人情報

① 顧客の注文情報
② ホームページ内の会員情報
③ アンケート調査の結果情報
④ クレーマーへの対応情報
⑤ DM 会員の送付情報
⑥ 従業員名簿
⑦ 給与データ
⑧ 仕入先企業名簿

5-6 経営分析

売場の効率化をはかる 人時生産性・労働分配率

POINT
- ① 人時生産性＝粗利益高÷総労働時間
- ② 労働分配率＝総人件費÷粗利益高× 100
- ③ 一人当たり平均人件費＝労働生産性×労働分配率

■人時生産性 重要

労働時間１時間当たりで稼ぎ出した粗利益が人時生産性です。人時生産性は労働効率の指標としてよく使われますが、労働時間１時間当たりで稼ぎ出した売上高である人時売上高を生産性の指標としている小売店もあります。

●人時生産性・人時売上高の計算式

$$\text{人時生産性}=\frac{\text{粗利益高}}{\text{総労働時間}}$$

$$\text{人時売上高}=\frac{\text{売上高}}{\text{総労働時間}}$$

■人時生産性を高める方法

人時生産性を高めるには次の方法があります。

●人時生産性を高める５つの方法

- ① 粗利益率を向上　売価変更、ロスの削減、仕入原価の引き下げ。
- ② 販売員の担当坪数拡大　仕事の計画と作業割当、仕事の改善・合理化。
- ③ 適正在庫を維持　売場の在庫からデッドストック（死蔵在庫）を排除。
- ④ 欠品を防止　重点販売商品や売れ筋商品について適正在庫を維持。
- ⑤ 坪当たり売上高を増加　商品回転率を高める。

人時生産性を高めるために小売業が考えるべきことは、次の２点になります。

1）粗利益高の増加

顧客に対するサービスの質を高めることが、粗利益高を高めることにつながります。また、売場の商品の動きをしっかりとつかみ、それを商品部などのマーチャンダイジングを担当する部署へ的確に伝えることが重要です。

2）少ない人時で同じ効果が得られる仕事

粗利益高のなかから人件費に充当できる額は決まっているため、少人数で効率のよい仕事を行って店舗運営をし、総労働時間を減らしていきます。

■労働分配率 重要

粗利益高から引かれる費用には、人件費、広告宣伝費、通信費、水道光熱費、租税公課などが含まれますが、粗利益高のうち人件費に向けられる比率を労働分配率といいます。利益のなかから人件費に当てる割合はどの程度が適切なのか判断する指標として用いられており、一般的な小売業の場合、労働分配率は30％以下が適切とされています。

●労働分配率の計算式

$$労働分配率 = \frac{総人件費}{粗利益高} \times 100$$

たとえば粗利益高 3,000 万円、総人件費が 900 万円だった場合、労働分配率は 30％ になります。

●粗利益高の構成

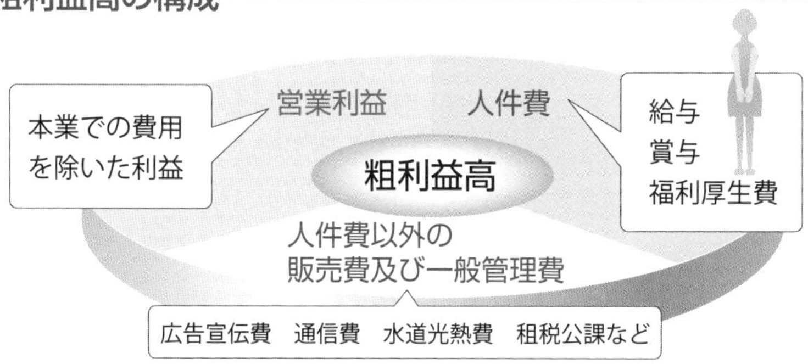

■労働分配率と労働生産性の関係

労働分配率の計算式は、変形して両辺を人員数で割ることにより、次のような一人当たりの平均人件費の計算式になります。なお、一人当たり平均人件費を求めるのに使う労働生産性は、粗利益高を人員数（従業員数）で割った数値になります。

●一人当たり平均人件費

一人当たり平均人件費＝労働生産性×労働分配率

【一人当たり平均人件費の計算例】

労働分配率 30%、労働生産性 60 万円の場合の一人当たり平均人件費を求めると、次のようになります。

600,000 円× 30% ＝ 180,000 円

上記の労働分配率はそのままで、一人当たり平均人件費を 10% 増やすにはどうすればよいでしょうか。

一人当たり平均人件費はもともと 180,000 円ですので、10% 増加するということは 180,000 円× 110% ＝ 198,000 円ということになります。

198,000 円＝労働生産性× 30%
労働生産性＝ 198,000 円÷ 30%
＝ 660,000 円

この計算からわかることは、労働分配率が変わらないなかで一人当たり平均人件費を増加させるには、労働生産性を高めるしかないということです。すなわち、粗利益高を増加させるか、人員数を減らすしか方法がないということになります。

5-7 経営分析 計数管理と利益のフロー

POINT

① **計数管理は数値にもとづき小売業の経営を行うこと**

② **小売業の利益は、売上総利益、店舗調整可能利益、店舗営業利益、店舗純利益がある**

■計数管理が必要な理由

店舗を経営していく中では、さまざまなことに対応していかなければなりませんが、数値にもとづいて経営することによって、店舗の最適化と効率的経営を実現することができます。

1）最適化を追求

目標とする売上高や利益を達成するのに、もっとも効率的な発注数量と売価設定などを具体的に示し、実行することが最適化です。最適化を追求することで、健全な店舗運営が可能になります。

2）効率的経営の必要性

売り上げが伸びない中で利益を生み出していくためには、費用をいかに低く抑えることができるかがポイントになります。具体的な数値による管理を行っていくことで、ムダのない店舗運営が実現できます。

■小売業の利益 重要

売上高からさまざまな費用を差し引いたものが店舗純利益です。小売業がこの店舗純利益をどのくらい生み出せたのかが、健全な発展を遂げているかを判断する材料になります。店舗純利益は、次のような段階を経て算出します。

1）売上総利益

総売上高から、売上原価とロス高を差し引いた利益のことをいいます。売上総利益を増やすためには、売上高の増加と、売上原価やロス高を減少させなければなりません。

ロス高とは、仕入ミスによる値下ロスや、食材などの廃棄ロス、レジや棚卸の入力ミスによる棚卸ロスで発生した金額です。ロス高をできるだけ低く抑えることが、利益アップにつながります。

売上総利益＝総売上高－売上原価－ロス高

2）店舗調整可能利益

売上総利益から調整可能費用を差し引いた利益をいいます。

調整可能費用は、個々の店舗レベルで削減可能な費用のことをいいます。具体的には、人件費や販売促進費、店舗で使用する什器などのリース料、包装費、在庫金利が挙げられます。

店舗調整可能利益＝売上総利益－調整可能費用

在庫金利は、売れるまでの期間に要する商品在庫にかかる費用です。

在庫金利=（実際の在庫日数−標準在庫日数）×平均日販×原価率×金利（月当たり）

3）店舗営業利益

店舗調整可能利益から営業費用である店舗の家賃と本部費用を差し引いた利益です。なお、本部費用はチェーンストアの商品本部や販売本部など、店舗の利益に直結する本部で発生する費用の店舗負担分です。これらの費用は店舗レベルで削減できない費用のため、調整可能費用とは別にして計上します。

店舗営業利益＝店舗調整可能利益－営業費用

4）店舗純利益

店舗営業利益からその他を差し引いた利益です。先述の通り、小売業の店舗の経営を見極める重要な指標になります。

店舗純利益＝店舗営業利益－その他（本部スタッフ各部の費用）

なお、その他の費用は、営業費用以外の本部スタッフ各部の費用になります。

5-8 経営分析 店舗経営での計算実務

POINT
① 棚卸で正確な売上原価と粗利益高を算出
② 部門や商品カテゴリー全体の売上高と粗利益率をコントロールすることを商品ミックスという

■棚卸の必要性

棚卸とは、一定時点の店舗の在庫について、金額と数量を明らかにすることです。棚卸には、帳簿上の帳簿棚卸と実際に在庫を数えて把握する実地棚卸があり、一般的に棚卸といえば実地棚卸のことをいいます。

売上原価＝期首商品棚卸高＋当期商品仕入高－期末商品棚卸高

粗利益高（売上総利益）＝売上高－売上原価

■売価還元法による在庫の評価 重要

売価還元法は、多品種で大量の商品を扱うケースで、一つひとつの商品の原価を把握することが困難な場合に認められている方法です。以下の式を用いて原価率などを求めていきます。

$$原価率＝\frac{期首商品棚卸高（原価）＋当期商品仕入高（原価）}{売上高＋期末商品棚卸高（売価）}\times 100$$

期末商品棚卸高（原価）＝期末商品棚卸高（売価）×原価率

期首商品棚卸高（原価）200万円、当期商品仕入高（原価）600万円、売上高700万円、期末商品棚卸高（売価）300万円の場合、次のようになります。

1）期末商品棚卸高（原価）

原価率＝(200万円＋600万円)/(700万円＋300万円)×100＝80%。

期末商品棚卸高（原価）＝300万円×80%＝240万円。

2）売上原価

売上原価＝期首商品棚卸高（原価）＋当期商品仕入高（原価）－期末商品棚卸高（原価）より、200万円＋600万円－240万円＝560万円。

3）粗利益高

粗利益高＝売上高－売上原価より、700万円－560万円＝140万円。

■商品回転率と交差比率 重要

商品回転率は、一定期間（通常は1年間）で平均在庫がどのくらい販売されたかを表す指標です。

$$\text{商品回転率（回）} = \frac{\text{年間売上高}}{\text{平均在庫高（売価）}}$$

$$\text{平均在庫高（売価）} = \frac{\text{期首商品棚卸高（売価）} + \text{期末商品棚卸高（売価）}}{2}$$

$$\text{商品回転期間（日）} = \frac{365\text{日}}{\text{商品回転率}}$$

交差比率とは、商品回転率と粗利益率を掛け算して得られた数値をいいます。

$$\text{交差比率（\%）} = \text{商品回転率（回）} \times \text{粗利益率（\%）}$$

$$= \frac{\text{粗利益高}}{\text{平均在庫高（売価）}} \times 100$$

一般的に、宝飾品などは単価が高く粗利益率が高くなりますが、商品回転率は低くなります。一方、日用品などの生活必需品は、単価は低く粗利益率も低くなりますが、商品回転率は高くなります。粗利益率と商品回転率は逆の動きをする傾向にあり、この2つの数値の兼ね合いをみたものが交差比率になります。

平均在庫高（売価）100万円、年間売上高600万円、年間の粗利益高が300万円の場合、次のようになります。

粗利益率＝粗利益高÷売上高×100より、粗利益率＝300万円÷600万円×100＝50%。商品回転率＝年間売上高÷平均在庫高（売価）より、商品回転率＝600万円÷100万円＝6回。交差比率＝商品回転率×粗利益率より、6回× 50%＝ 300%。

■商品ミックス

店舗の部門や商品カテゴリー全体の売上高と、粗利益率（粗利益高÷売上高）をコントロールすることを商品ミックスといいます。粗利ミックスはその主なもので、各部門ごとの売上構成比に粗利益率を掛けることで、各部門における粗利益高の貢献度を示す相乗積を算出します。この相乗積を用いて、店全体の粗利益率の改善方法を検討します。

部　門	売上構成比（%）	粗利益率（%）	相乗積（%）
A 部門	40	30	12%
B 部門	50	20	10%
C 部門	10	15	1.5%
合　計	100	−	23.5%

向上させるには粗利益率の高いA部門の売上構成比を増やせばよい。

■売買損益計算 重要

損益計算の過程で売上総利益を計算するまでの計算を売買損益計算といいます。

①純売上高＝売上総利益＋売上原価
②純仕入高＝売上原価－期首商品棚卸高＋期末商品棚卸高
③売上原価＝期首商品棚卸高＋純仕入高－期末商品棚卸高
④売上総利益＝純売上高－売上原価
⑤期首商品棚卸高＝売上原価－純仕入高＋期末商品棚卸高
⑥期末商品棚卸高＝期首商品棚卸高－売上原価＋純仕入高
⑦純売上高＝総売上高－（売上返品高＋売上値引高）
⑧純仕入高＝総仕入高－（仕入返品高＋仕入値引高）

具体的な売買損益計算を行ってみましょう。下の表の①～④のカッコ内の数値を求めてみてください（カッコ内の数値は付属の赤シートで隠してください）。

	項目	Ⅰ期	Ⅱ期	Ⅲ期	Ⅳ期
A	純売上高	①（99,000）	83,000	65,500	60,000
B	期首商品棚卸高	18,500	16,000	13,500	13,000
C	純仕入高	58,000	②（50,500）	41,000	37,000
D	期末商品棚卸高	11,500	10,500	10,000	9,000
E	売上原価	65,000	56,000	③（44,500）	41,000
F	売上総利益	34,000	27,000	21,000	④（19,000）

5-9 経営分析 広義の経営分析

POINT
① 経営分析は財務諸表や経営資料にもとづき分析
② 安全余裕率は、現在の売上高が損益分岐点からどれだけ離れているかをあらわす

■経営分析の方法 重要

経営分析とは企業の財政状態や経営成績を分析することです。経営分析は広義と狭義に分けられます。

広義の経営分析とは、企業の収益性・流動性（安全性）・成長性を比較する経営分析（財務諸表分析）、損益分岐点分析、キャッシュフロー分析、企業価値の分析を総称したものです。

狭義の経営分析については次の項目（P.238）で解説します。

1）経営分析（財務諸表分析）

企業が決算時に作成する財務諸表や経営資料にもとづき、企業の収益性や資産などの財務状況を分析することです。

経営分析には次のような種類があります。

●経営分析の種類

① 収益性の分析	利益を上げることのできる能力を示す。指標としては、資本収益性をあらわす総資本経常利益率、総資本回転率などがある。
② 流動性（安全性）の分析	企業の支払能力を示す。短期の支払能力を分析する指標として、当座比率や流動比率、長期資金の安全性を分析する指標としては負債比率、自己資本比率、固定長期適合率などがある。
③ 成長性の分析	企業の成長度合いを示す。指標としては、一般的な売上増加率をはじめとして、資本金増加率、売場面積増加率、従業者数増加率などがある。

財務諸表の一つである損益計算書では主に収益性を分析することができ、貸借対照表では主に流動性（安全性）を分析できます。流動性は企業の支払い能力を意味し、企業活動で生じる売掛金（売上代金の取引先に対する未回収分から、手形の受取額を差し引いたもの）や借入金などが、資産に対してどのくらいあるかが目安になってきます。

2）損益分岐点分析と安全余裕率

損益分岐点とは、第２章マーチャンダイジングでもみてきたように、総費用と売上高が一致する点（利益がゼロとなる）で、固定費に変動費を加えることで求めることができます。損益分岐点を超える売上高の場合は、利益が計上されますが、損益分岐点を下回ると損失が発生します。

しかし、売上高の水準が損益分岐点を上回っていたとしても、損益分岐点に近い売上高ならば、少しの売上高の変動ですぐに損失に転じてしまいます。つまり、経営の安全性を分析するのであれば、どれだけ損益分岐点を上回る売上高であるかが重要になってきます。それをあらわす指標が、安全余裕率になります。

$$\text{安全余裕率} = 1 - \frac{\text{損益分岐点売上高}}{\text{現在の売上高}} \times 100$$

現在の売上高が損益分岐点を超えているとき、この数値が高いほど現在の売上高が下がっても赤字になりにくくなります。

3）キャッシュフロー

キャッシュフローとは、一定期間に流出入するお金の流れのことで、企業の活動によって生じる現金の流れを指します。キャッシュフロー計算書は、貸借対照表、損益計算書と並ぶ財務諸表（決算書）の一つで、企業には報告が義務付けられており、次の３つの財務活動について、それぞれ現金の増減が示されます。

●キャッシュフロー計算書の３つの財務活動

- ① **営業活動**　本業から得られた現金。売上債権や減価償却費に影響されない。
- ② **投資活動**　設備投資など、将来の事業活動のために使った現金。
- ③ **財務活動**　企業の借入金や貸出金などの現金。

5-10 経営分析 狭義の経営分析

POINT
① **5つの利益は、売上総利益、営業利益、経常利益、税引前当期純利益、当期純利益**
② **総資本経常利益率は経常利益を総資本で割る**

■資本利益率 重要

狭義の経営分析とは、損益計算書の場合は主に収益性を、貸借対照表の場合は主に安全性を分析するものです。特に企業の収益性は、狭義の経営分析で最も重要視されています。また、収益性の分析において、企業の元手である「資本」でどれだけ多くの「利益」を得たかの指標となるのが資本利益率です。

資本利益率＝利益÷資本× 100

■損益計算書の利益

損益計算書における利益には、次の５種類があります。

1）売上総利益

商品の販売から得られる利益です。小売業では粗利益と呼ばれ、いくらで仕入れて、いくらで売ったかによって得られる商品売買益を表します。なお、売上原価は、小売業が商品を仕入れた額になります。

2）営業利益

本業で獲得した利益で、販売活動に関わる人件費や地代家賃、広告宣伝費などの販売費及び一般管理費（販管費）を売上総利益から引いたものになります。この利益を見ることで、小売業の本業における収益性を判断することができます。なお、販管費のうち、固定費は経営を圧迫するため、パートタイマーを増やすなど人件費の変動費化をはかることが重要です。

3）経常利益

毎期発生するであろう企業の経常的な利益獲得能力を示すものです。営業外収益（受取利息、受取配当金など）と営業外費用（支払利息、有価証券売却損など）の差額である営業外損益を営業利益に加減したものになります。

4）税引前当期純利益

法人税などが確定する前の利益を示します。特別利益（固定資産売却益、投資有価証券売却益など）と特別損失（固定資産売却損、固定資産除却損、投資有価証券売却損など）の差額である特別損益を経常利益に加減したものです。スポット的な損益を考慮して、どれだけ稼ぐことができたかを示すものです。

5）当期純利益

法人税等を差し引いた最終的な利益です。

それぞれの計算方法は次のとおりです。

① 売上総利益＝売上高－売上原価

② 営業利益＝売上総利益－販売費及び一般管理費

③ 経常利益＝営業利益＋営業外収益－営業外費用

④ 税引前当期純利益＝経常利益＋特別利益－特別損失

⑤ 当期純利益＝税引前当期純利益－法人税等

※①～⑤は下の図および次ページの損益計算書に対応しています。

● 5つの利益の関係

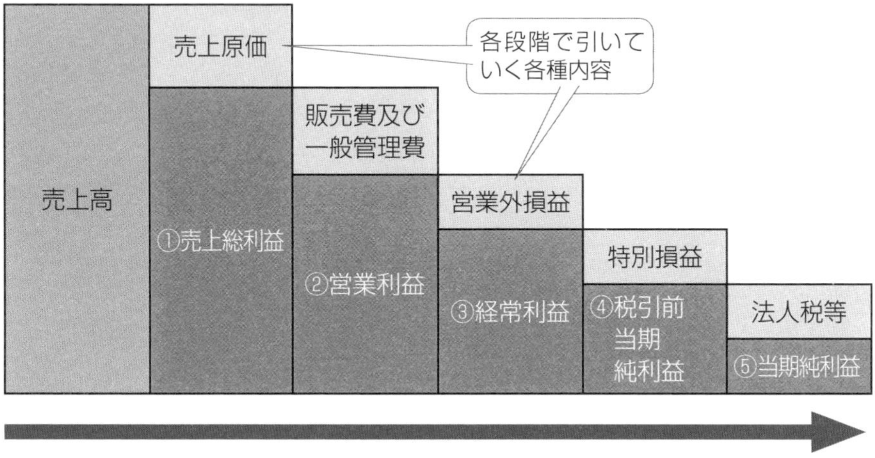

なお、５つの利益以外に、営業収益という利益もあります。これは、売上高から営業外収益と特別利益を除いた金額を意味し、小売業の成長性をはかるには、この収益の伸び率が大事な指標となります。特に思うように商品が売れない昨今、この収益を伸ばす仕組みが求められています。

●損益計算書の様式

損　益　計　算　書

自令和〇〇年４月１日　至令和〇〇年３月31日　(単位：百万円)

Ⅰ 売上高		2,500,000
Ⅱ 売上原価		1,715,000
売上総利益（①）		785,000
Ⅲ 販売費及び一般管理費		
人件費	220,000	
販売費	230,000	
減価償却費	50,000	
その他の費用	200,000	700,000
営業利益（②）		85,000
Ⅳ 営業外収益		
受取利息・配当金	3,000	
雑収入	6,000	9,000
Ⅴ 営業外費用		
支払利息	10,000	
雑損失	4,000	14,000
経常利益（③）		80,000
Ⅵ 特別利益		4,000
Ⅶ 特別損失		55,800
税引前当期純利益（④）		28,200
法人税等		11,280
当期純利益（⑤）		16,920

■貸借対照表の資本

貸借対照表における資本利益率を求める資本には、負債（他人資本）、純資産（自己資本）、総資本の３種類があります。

1）負債（他人資本）

仕入先に対する未払代金や、金融機関からの借入金、自社で発行した社債などの負債のことをいいます。１年以内に返済する流動負債と１年より長い猶予がある固定負債に分けられます。なお、貸借対照表では「負債の部」の負債合計（次ページの表①）に該当します。

2）純資産（自己資本）

会社の出資者である株主から払い込まれた資金や、利益剰余金などのことをいいます。なお、貸借対照表においては、「純資産の部」の「純資産合計」（次ページの表②）に該当します。

3）総資本

企業経営の元手となる資金源のことで、負債と純資産の合計額。貸借対照表では、「負債・純資産合計」（次ページの表③）のことをいいます。

■総資本経常利益率と自己資本利益率

損益計算書の利益と貸借対照表の資本による経営分析の指標として、総資本経常利益率と自己資本利益率があります。総資本経常利益率は、運用している資本に対して企業がどれだけ利益を上げることができるかを判断する指標です。一方、自己資本利益率は、株主の持分に対してどれだけの見返りがあるかを示す比率です。

それぞれの求め方は次のようになります。

総資本経常利益率＝経常利益÷総資本× 100

自己資本利益率＝当期純利益÷自己資本（純資産）× 100

■資本利益率の低下の要因

資本利益率が前年度よりも低下した場合、収益を分析する売上高利益率（利益÷売上高）と、資本の効率性を示す総資本回転率（売上高÷総資本）でその原因を知ることができます。

●貸借対照表の様式

貸　借　対　照　表

令和○○年３月31日　　　　（単位：百万円）

資産の部		負債の部	
Ⅰ 流動資産		Ⅰ 流動負債	
現金預金	215,000	支払手形	5,000
売掛金	40,500	買掛金	60,000
有価証券	30,000	短期借入金	22,000
棚卸資産	63,000	未払金	20,000
その他の流動資産	20,000	未払費用	10,000
流動資産合計	368,500	流動負債合計	117,000
Ⅱ 固定資産		Ⅱ 固定負債	
有形固定資産		長期借入金	20,000
建物	250,000	社債	110,000
構築物	10,000	退職給付引当金	28,000
車両運搬具	700	固定負債合計	158,000
什器備品	10,000	負債合計	①275,000
土地	250,000		
有形固定資産合計	520,700	純資産の部	
		Ⅰ 株主資本	
無形固定資産		資本金	59,000
借地権	5,000	資本剰余金	
ソフトウェア	6,200	資本準備金	220,000
無形固定資産合計	11,200	その他資本剰余金	5,000
		資本剰余金合計	225,000
投資その他の資産		利益剰余金	
投資有価証券	35,700	利益準備金	30,000
関係会社株式	100,000	別途積立金	366,100
長期差入保証金	200,000	繰越利益剰余金	281,000
投資その他の資産合計	335,700	利益剰余金合計	677,100
固定資産合計	867,600	株主資本合計	961,100
		Ⅱ 評価・換算差額等	0
		純資産合計	②961,100（総資本）
資産合計	1,236,100	負債・純資産合計	③1,236,100

5-11 経営分析 経営分析の指標と付加価値分析

POINT
① 分析指標には、収益性、安全性、効率性がある
② 売上高総利益率は企業の稼ぐ力を意味する収益性の指標である

■分析指標 重要

資本利益率の低下原因を明らかにする指標として、売上高利益率や総資本回転率以外にも次のものがあります。

1）収益性の分析指標

収益性とは企業の稼ぐ力のことです。この指標は利益額のような実数ではなく、比率をみていかに効率的に利益を獲得しているかを判断します。

●収益性の分析指標の種類

① 売上高総利益率	商品売買での利幅の割合。利益の額と利益率のバランスのよさが求められる。
② 売上高営業利益率	本業の利益の割合。3～5期分の推移で設備投資の効果の動向を見ることができる。
③ 売上高経常利益率	経常利益と同じく、その企業本来の収益力を判断するのに用いる。

これらの指標は次の計算式で求めることができます。

売上高総利益率＝売上総利益÷売上高× 100

売上高営業利益率＝営業利益÷売上高× 100

売上高経常利益率＝経常利益÷売上高× 100

2）安全性の分析指標

この指標を見ることで、企業の財務が健全で倒産することがないかを知ることができます。

●安全性の分析指標の種類

① 流動比率	短期の支払能力を判断する指標。貸借対照表での流動と固定の区分は１年を基準とする。
② 当座比率	短期の支払能力を示す。流動資産から棚卸資産を控除した換金性の高い当座資産を用いて求めた指標。
③ 固定比率	長期の支払能力の指標。事業に必要な設備資産を、自己資金（自己資本）でどの程度まかなっているかを判断する。
④ 固定長期適合率	長期の支払能力の指標で、固定資産に投資した資金が長期資金でどれだけまかなわれているかを示す。長期借入金や社債を発行した場合、純資産と固定負債を合わせて100%未満であれば長期の支払能力に問題はない。
⑤ 自己資本比率	総資本に対する自己資本（純資産）の割合。この比率が低いと、本業の利益が少なく借入金に依存した状態であることを意味する。

これらの指標は次の計算式で求めることができます。

流動比率＝流動資産÷流動負債× 100

当座比率＝当座資産÷流動負債× 100

固定比率＝固定資産÷自己資本× 100

$$\text{固定長期適合率} = \frac{\text{固定資産}}{\text{固定負債} + \text{自己資本}} \times 100$$

自己資本比率＝自己資本÷総資本× 100

3）効率性の分析指標

企業が資産を、どれほど効率的に活用して売上高や利益を上げることができているかを分析するものです。

●効率性の分析指標の種類

① 売上債権回転率	受取手形や売掛金といった、売上債権が回収できているかいないかを判断する指標。比率が大きいほど売上債権の回収が速いことになる。
② 売上債権回転期間	売上債権が回収できているかいないかを、回収期間で具体的に判断する。
③ 仕入債務回転率	支払手形や買掛金といった仕入債務を使って、資金効率を判断する指標。比率が大きいほど仕入債務の支払いが速い。なお、資金効率は資金繰りがうまくいっていることをあらわす。
④ 仕入債務回転期間	仕入債務の状況を、支払期間で具体的に判断する。
⑤ 棚卸資産（商品）回転率	商品販売の効率性を判断する指標。比率が高いほどよく売れていることをあらわす。
⑥ 平均在庫期間（商品回転期間）	棚卸資産の販売効率を、仕入から販売までの期間で判断する。

これらの指標は次の計算式で求めることができます。

売上債権回転率＝売上高÷売上債権

売上債権回転期間＝ 365 日÷売上債権回転率

仕入債務回転率＝仕入高÷仕入債務

仕入債務回転期間＝ 365 日÷仕入債務回転率

商品回転率＝売上高÷棚卸資産（商品）

平均在庫期間（商品回転期間）＝ 365 日÷棚卸資産（商品）回転率

5-12 店舗組織 組織の原則と存続に必要な条件

POINT
① 三面等価の原則は、権限、義務、責任のバランスを重視
② 統制の範囲の原則は、直接監督することのできる部下の数には限界があるとするもの

■組織の基本原則 重要

組織を運営するには、次のような組織の基本原則が必要となります。

1）三面等価の原則

仕事を遂行するうえでの権限、義務、責任の重みはバランスがとれていなければならないとする原則のことです。日本の企業ではこのバランスが不明確で、職務がはっきりと規定されていません。

●三面等価の原則の要素

① 責任	職務の担当者が果たす必要のある活動の個々の内容であり、職務の構成要素や責任事項。
② 権限	組織の中で責任を公に果たすことのできる力であり、命令したり行使したりできる権利のこと。
③ 義務	責任と権限を行使することであり、その遂行の結果に対する責任のこと。

2）指令系統の統一化の原則

部下に対する指示や命令は、特定の上司から下すようにする原則のことをいいます。この原則を採用する際は、結果責任を誰が負うのかということを明確にしなければなりません。

3）統制の範囲の原則（スパン・オブ・コントロール）

一人の上司が直接監督することのできる部下の数には、限界があるとする原則です。一般的には、統制の範囲を少なくすると階層の数が多くなり、その結果、命令系統が長くなって情報伝達の速度が落ち、正確性を失います。

4）専門化の原則

組織のさまざまな仕事を、何らかの関連する事項ごとにまとめて分業する原則のことをいいます。組織が部門化などの水平的分業や、経営陣や管理職などの垂直的分業を行うのも、この原則に沿っています。

5）権限委譲の原則

職務の一部を部下に委任する場合、職務の遂行に必要な権限も委譲しなければならない、という原則のことをいいます。上司には、仕事を任せて責任を持ってやり遂げさせるという、監督の義務が発生します。

■組織の存続に必要な条件

組織を存続し、より発展させるためには、次のような条件があります。

1）反応の早い組織

組織の末端に一定の責任を与えて、これに権限委譲することで（分権化）、変化が起こった際の反応を素早くすることができます。分権化に適した組織形態が、事業部制やプロジェクトチームなどになります。

これら独立性の高い部門をコントロールするために敷かれるのが、経営陣直属の参謀役であるゼネラルスタッフ制です。ゼネラルスタッフ制を敷くことで、部門間の調整を細やかにはかることができ、トップ機能と組織の統合力を強化できます。

2）柔軟な組織

ピーク時の業務量とそうでないときの業務量には、大きな差が生じます。この一時的変動に対して柔軟に対応する方法としてパートタイム制があります。また、業務の質・量に合わせて勤務時間や休日を別個に定めるものにフレックスタイム制があります。

●その他の柔軟な組織

① 組織開発（OD）	組織の動態化をはかるため、計画的に組織変革を行う手法で、機構や管理の変革だけではなく、集団の雰囲気の変容もはかる方法。環境の変化に対して適応力を持つとともに、個人と仕事が統合される、生き生きとした組織づくりを行う。
② ネットワーク組織	企業内外を問わず、他の組織との連係を柔軟にできるネットワーク、情報創造（発信等）に優れた組織。連係の手段として IT 機器の活用が威力を発揮する。

5-13 従業員管理

店舗での従業員管理

POINT

① 職務分析の方法には、職務個別調査法と職務分析比較法がある

② 法定労働時間は、1週40時間、1日8時間

■職場における人事管理

小売業において従業員を適切に管理するのはとても大事なことです。従業員一人ひとりに関して、採用から配置、教育訓練など個別的な管理が必要とされます。職場における人事管理は、次の5つに大別できます。

●人事管理の種類

① 人事管理情報（職務分析、職務評価）

② 人事管理（異動、配置、昇格、昇進）

③ 労働条件管理（賃金、労働時間、福利厚生）

④ 人間関係管理（コミュニケーション、モチベーション）

⑤ 労働関係管理（労働組合、経営参加）

職場の管理者は、複数の従業員をそれぞれの職務に割り当てる場合、どのように編成して割り当てるかを職務や従業員の特性なども考慮して配置しなくてはなりません。従業員の職務割当のためには、まずは職務分析をする必要があります。

●職務分析の方法

① 職務個別調査法	すべての職務を分析。
② 職務分析比較法	すべての職務のうち、基準となる職務だけを分析。 それ以外の職務は差異部分のみを分析。

職務の分析には、現場で職務を見る観察法、面接や質問シートで分析・判断する質問法、分析担当者が該当する職務を実践する体験法、時間計測をともなう実験法の４つがあります。分析担当者が着目する職務分析項目は、職務の概要、権限関係、使用する設備や備品などです。

■就業に関する規則 重要

職場を秩序あるものにするには、雇用者および従業員が遵守すべき規則が必要です。従業員の規律を直接管理するものを、就業規則といいます。労働基準法では、常時 10 人以上の労働者を使用する企業は、就業規則の制定が義務付けられます。労働基準法とは、労働条件の最低基準を定めた法律で、労働組合法、労働関係調整法とともに労働３法の一つになります。

●労働３法

① 労働基準法

② 労働組合法

③ 労働関係調整法

1）法定労働時間

労働基準法では、１週 40 時間、１日 8 時間と定めています。

2）所定労働時間

法定労働時間を超えない範囲において、各事業所が定めた労働時間のことで、休憩時間は含めません。

3）フレックスタイム制

勤務時間を一律に定めるのではなく、担当する業務の違いと各従業員の都合とを考慮して、従業員ごとに勤務時間を定める制度です。全体業務量の多寡に柔軟に対応できるとともに、業務の質的な違いに合った業務体制がつくれます。

4）変形労働時間制

１か月単位と１年単位の制度になり、所定の労働時間が法定労働時間を超えない範囲内において、特定の日または週に法定労働時間を超えて労働させることができる制度です。

●雇用に関する重要な用語

- ① **労働力人口**　満 15 歳以上で、従業者・休業者・完全失業者の合計。
- ② **完全失業者**　働く意思は持っているが、所得が得られない状態の求職者。
- ③ **フリーター**　15歳から34歳までの男性または学生を除く未婚女性で、パート、アルバイトとして働く者や働くことを希望している者。
- ④ **高年齢者雇用安定法**　年金受給開始年齢までは働き続けられる環境を整備。
- ⑤ **懲戒規定**　就業規定に会社がこれを定めている場合、企業秩序に違反した労働者に対して処分を科すことができる。段階的な処分があり、最も重い処分が懲戒解雇。

■パートタイム・有期雇用労働者

小売業の管理者は、パートタイム労働者（1週間の所定労働時間の短い労働者）や有期雇用労働者（期間の定めのある労働者）の積極的な雇用と活用を行っています。近年は非正規従業員の増加にともない、その処遇の改善も大きな問題となっています。パートタイム・有期雇用労働法は、このような労働者の雇用・管理の改善等を目的とした法令です。

●パートタイム・有期雇用労働法の規定

第 6 条	事業主は、すべてのパートタイム・有期雇用労働者に対して、**労働条件**（昇級の有無、退職手当の有無、賞与の有無など）に関する文書を交付等して明示しなければならない。
第 9 条	事業主は、パートタイム・有期雇用労働者であることを理由に**差別的**に取り扱ってはならない。
第 12 条	事業主は、パートタイム・有期雇用労働者に対しても、正規雇用の労働者と同じ**福利厚生施設**の利用の機会を与えなければならない。
第 13 条	事業主は、パートタイム・有期雇用労働者が通常の労働者へ転換するための試験制度を設けるなどの制度を導入しなければならない。
第 17 条	事業主は、常時 10 人以上のパートタイム・有期雇用労働者を雇用する事業所ごとに**短時間・有期雇用管理者**を選任することが求められる。

パートタイム・有期雇用労働法の対象は、パートタイマー、アルバイト、嘱《しょく》託《たく》、契約社員、臨時社員、準社員などです。

5-14 従業員管理 人材育成とリーダーシップ

POINT
① 対話に重きを置くコーチング
② SL 理論ではリーダーシップは指示と支援から成り立つとする

■小売業の人材育成

小売業の管理者が人材育成を行う際は、どのような教育をするのかが重要です。主な教育方法には次のようなものがあります。

1）コーチング

最短の時間で目標達成に向けて必要な知識やスキル、ツールを装備させる双方向のコミュニケーションプロセスのことです。主に対話によって部下の自己実現や目標達成をはかる技術になります。コーチとなる上司はただ指示を出すだけではなく、部下と同じ目線に立って質問をすることにより部下が自発的に答えを探し出すことを促します。

2）階層別教育

全社員を対象として、組織上の職位や人事制度上の等級などの階層ごとに、横断的に実施される教育です。管理監督者や新入社員など、役割が明確な階層ほど有効性が高いのが特徴です。

3）職能別教育

部門や職種ごとの縦割教育です。部門ごとの業務を遂行するのに必要な、社内にすでに存在する知識技術を習得する教育と、社外から新しい知識技術を導入する教育とに分けることができます。

4）選抜型教育

優れた人材を企業側が選択し、その人材に対して集中的に行われる教育です。高度な専門業務にかかわる人材を養成します。代表的な例に経営幹部養成教育が挙げられます。

5）選択型教育

会社の命令によって教育を受けるのではなく、従業員自らが自分の昇進昇格の道筋を示すキャリアパスを前提として教育研修メニューを選ぶ教育です。カフェテリア研修と呼ばれることもあります。

■教育の提供方法 重要

テキスト本やレジュメ（要約）、オンラインで講義を受けるなど、今や受講形態はさまざまです。ここでは小売業における主な学習形態を紹介します。

1）一斉講義

教材を使った講師による教育です。教育する側にとっては効率がよい方法です。

2）ワークショップ

グループの相互作用のなかで何かを学びあったり、つくり出したりする、双方向的な方法です。中立的な立場の司会進行役（ファシリテーター）が、参加者が自発的に作業するための環境を整え、全員がお互いの意見に反応しながら運営していきます。

3）通信教育

本やCD-ROMなどの教材を使うことで、間接的、遠隔的に教育を受ける在宅の教育方法です。インターネットを利用してパソコンで学習するeラーニング、モバイル端末を利用したmラーニングなどもあります。

■リーダーシップの類型

リーダーシップは、大きくは指示的、民主的、放任的の３つの類型に分かれます。これらを分析したのが、リーダーシップは指示と支援から成り立っているとするSL理論で、次のような類型を定めています。

●SL理論でのリーダーシップの類型

①指示的リーダーシップ	部下の成熟度が低いときの方法。指示が主体となる。
②説得的リーダーシップ	部下の成熟度が中程度に至るまでの方法。指示を減らし、相談を中心とした支援を増やしていく。
③参加的リーダーシップ	部下の成熟度が中程度以上のレベルに達した場合の方法。指示も支援も減らす。
④委任的リーダーシップ	部下の成熟度が高いレベルに達した場合の方法。権限を大きく委譲する。

5-15 従業員管理 防犯・防災対策と店舗施設の保守／衛生管理

POINT

① 万引き対策で重要なのは、人的アプローチ、店舗改善、防犯設備の実施

② 食品関係の営業では食品衛生責任者の設置が必須

■万引き対策 重要

小売業にとって万引きなどの犯罪は大きな痛手となります。したがって、小売業は万引きを誘発させないような売場づくりを徹底しなければなりません。物理的に死角（デッドスペース）をなくしたり、常に商品を整理整頓しておくことで、心理的に万引きしにくくなります。

万引き対策は大別すると次の３つの方法があります。

●防犯対策

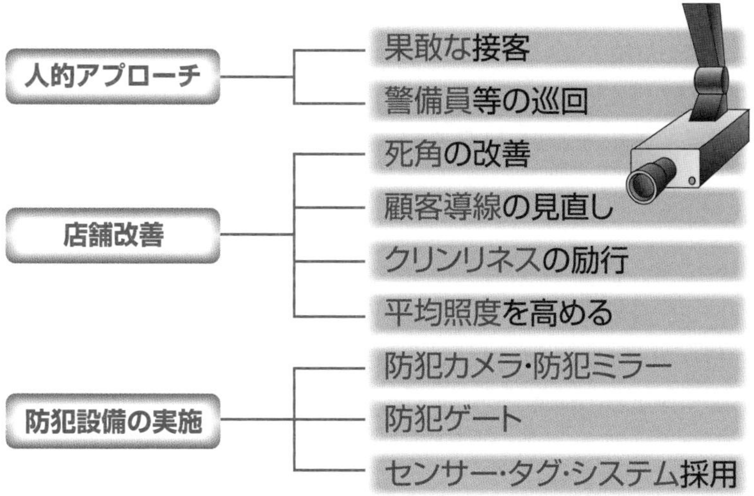

1）人的アプローチ

従業員による積極的な接客が、万引き対策となります。顧客一人ひとりの目をみて、はっきりとあいさつすると効果的です。また、あやしい動きをする人物に対しては、「何をお探しでしょうか」などと積極的に声かけすることも大事です。

2）店舗改善

物理的な死角やデッドスペースは、心理的に万引きを誘発させる要因となります。そこで、死角の改善、顧客導線の見直し、クリンリネスの励行、明るい照明への変更などが効果的な対策となります。

3）防犯設備の実施

防犯カメラ、防犯ミラーなどの設置、またセンサー・タグ・システムがあります。このシステムは、不正に商品を外に持ち出そうとすると商品に取り付けておいたタグを検知して警報音が発せられるというものです。精算レジにて代金を支払えば、タグは取り外されるか、不活性化の処理がされます。

■強盗対策

1）店内での対策

顧客や従業員の少ない開店直後・閉店間際は警戒を強めなくてはなりません。特に閉店間際の時間帯はレジに現金が貯まっているため、強盗の被害に遭う可能性も高くなります。そのため、日頃から防犯対策の訓練を行うことが大切です。

2）店外での対策

駐車場での車上荒らしが多発しています。対策としては、夜間の照明をより明るくする、防犯カメラを設置する、警備員を巡回させるなどがあります。

■防火対策

可燃性の高いものについて、しっかりとした管理が重要です。商品の倉庫などにタバコの吸殻などが落ちていないか、トイレに不審物が置かれていないかなど、日々チェックする必要があります。また、防火責任者を任命し、防火対策や救急対策などの講習を受けさせることも大事です。

■事業継続計画の導入

いつ発生するかわからない自然災害等の緊急事態に備えて、企業は対策をしておく必要があります。災害が起きても事業資産の損失を最小限にとどめて、事業の継続を可能にする計画が事業継続計画（BCP）です。計画を取り決めて文書化しておくことで、早急な事業復旧を可能にします。

■食品衛生の定義 重要

世界保健機関（WHO）では食品衛生の定義を、「生育、生産、製造から最終的に人に消費されるまでのすべての段階における食品の安全性、完全性、および健全性を確保するのに必要なあらゆる手段を意味する」としています。

一方、食品衛生法では、「食品の安全性の確保のために公衆衛生の見地から必要な規制その他の措置を講ずることにより、飲食に起因する衛生上の危害の発生を防止し、もって国民の健康の保護を図ることを目的とする」としています。

●食中毒の種類

中毒の種類		具体例
細菌性食中毒	感染型	サルモネラ、ノロウイルス
	毒素型	ブドウ球菌、ボツリヌス菌
自然毒食中毒	植物性	毒キノコ、ジャガイモの芽
	動物性	フグ、貝
化学性食中毒	化学物質の混入	農薬
	有毒性金属による食品汚染	ヒ素、鉛
	油脂の変敗	揚げ物
その他食中毒	アレルギー性	刺身

■食品衛生責任者と食品衛生監視員

食品関係の営業を行う場合、食品衛生責任者を設置しなければなりません（当該施設より１名）。また、食品衛生監視員とは、獣医学や薬学などの専門教育を受けた人で、食品衛生法の目的を遂げるために、厚生労働省や都道府県、市区町村に配置されています。

●食品衛生監視員の業務

① 食品工場、飲食店、スーパーの監視と指導

② 食品の抜き取り検査

③ 店舗や食品工場などの営業許可

④ 食中毒や違反発生時の原因調査や拡大防止

⑤ 食品などの苦情処理

⑥ 食品衛生に関する情報提供

練習問題

次の設問で、正しいものには○を、誤っているものには×を選びなさい。

問題 1　民法に規定されている 13 種類の契約以外の契約を無名契約または、非典型契約という。

問題 2　任意規定とは、当事者の意思によって適用を排除できる、法規による規定である。

問題 3　割賦販売におけるリボルビング方式とは、クレジットなどの上限金額と月々の支払額を決めて契約をする方式である。

問題 4　小売業が顧客と結ぶ売買契約とは、そのつど不特定の顧客と売買契約を結ぶ継続取引である。

問題 5　特定商取引法の対象となる取引類型は、訪問販売、通信販売、電話勧誘販売の３つである。

問題 6　小切手において、振出日と振出地は、絶対的記載事項である。

問題 7　経営分析上において重要な収益性の分析での指標としては、売上増加率などがある。

問題 8　所定労働時間は、法定労働時間を超えない範囲で各事業所が定めた労働時間のことであり、休憩時間も含めた時間をいう。

問題 9　労働力人口とは、満 18 歳以上の人口のうち従業者、休業者、完全失業者の合計を指す。

次の設問の【　　】のなかに当てはまるものとして、最も適当なものを選びなさい。

問題 10　【　　】では、小売店はサプライヤーに対して売却商品のみにかかる代金債務を負担する。

[買取仕入　　売上仕入　　大量仕入　　委託仕入]

問題 11　売買契約は、代価の支払いをともなうから有償契約であり、売主には商品の引渡義務、買主には代金の支払い義務がそれぞれともなうので、【　　】である。

[片務契約　　諾成契約　　双務契約　　交換契約]

問題 12　商標を機能的に分類すると、商品商標と【　　】商標に分けることができる。

[課題　　情報　　事業　　役務]

問題 13　【　　】は、受取手形や売掛金が回収できているかどうかを判断する指標である。

[売上債権回転率　　仕入債務回転率　　商品回転率　　自己資本比率]

問題 14　独占禁止法で禁止する不当な取引制限には、【　　】、生産カルテルなどのカルテル行為がある。

[価格カルテル　　販売カルテル　　合理化カルテル　　国際カルテル]

問題 15　労働効率を示す指標が、人時生産性であり、この指標は【　　】を総労働時間で割って求める。

[人件費　　粗利益高　　売上高　　売上原価]

問題 16　リーダーシップ論の一つであるSL理論によると、「リーダーシップは指示と【　　】から成り立っている」としている。

[支援　　権限　　委任　　指導]

解答解説

問題 1　○　無名契約（非典型契約）とは、法律によって名称や内容が規定されていない契約です。たとえば委託販売は無名契約の一つになります。

問題 2　○　一方、当事者同士の意思によっても適用を排除できない規定が強行規定です。

問題 3　○　リボルビング方式は、クレジットの上限金額と月々の支払額を決めて契約し、上限金額の範囲内であれば何度も商品や役務を購入・利用できる支払い方式です。

問題 4　×　小売業が顧客と結ぶ売買契約は、そのつど不特定の顧客と売買契約を結ぶ一時取引になります。なお、小売業と卸売業は継続的な取引契約を結んでいるため、継続取引になります。

問題 5　×　訪問販売、通信販売、電話勧誘販売、連鎖販売取引、特定継続的役務提供、業務提供誘引販売取引および訪問購入の７つになります。

問題 6　○　絶対的記載事項としてほかには、小切手であることを示す文字、小切手金額と支払委託、支払人などがあります。

問題 7　×　売上増加率は、収益性の分析ではなく、成長性の分析の指標です。

問題 8　×　所定労働時間は、法定労働時間を超えない範囲で各事業所が定めた労働時間で、休憩時間を含めない時間となります。

問題 9　×　労働力人口とは、満 15 歳以上の人口のうち、従業者、休業者、完全失業者の合計を指します。なお、学生や家事従事者、病弱者など職を持たず、職を求めない者は、非労働力人口といいます。

問題 10　**売上仕入**　売上仕入では、消費者が小売業から商品を購入した時点で、サプライヤーから小売業へ、小売業から消費者へと所有権が移転します。そして、小売業は、売却した商品のみの代金債務を負います。

問題 11　**双務契約**　双務契約とは、当事者双方が互いに対価的な意義を有する債務を負担する契約のことです。贈与など片方のみが債務を負担する場合は片務契約といいます。

問題 12　**役務**　役務とは一般的にサービスのことを意味します。

問題 13　**売上債権回転率**　売上債権回転率が大きいほど、売上債権の回収が速いことを示しています。

問題 14　**価格カルテル**　不当な取引制限は、独占禁止法で禁止されている取引の一つです。カルテル行為とは、企業同士が利益を守るために、販売価格、生産数量などを協議して取り決めることをいいます。

問題 15　**粗利益高**　人時生産性は人件費にかかわる効率化の指標で、総労働時間はある一定期間におけるすべての労働時間です。

問題 16　**支援**　リーダーシップ論の一つであるハーシーとブランチャードが提唱した SL 理論は「部下の成熟度の度合いによって、リーダーシップのスタイルを変えていかなくてはならない」とするものです。

模擬テスト

解答・解説

別冊に、本試験に準じた全200問を掲載しています（本試験2回分）。本試験と同じレベルの問題なので、学習が終わった後の実力試しに活用してください。

模擬テストⅠ 解答・解説

目標解答時間：14分

／100点

①小売業の類型

問1＝○ 集中貯蔵の原理は、**取引総数単純化の原理**とともに頻出の問題です。集中貯蔵の原理は**不確実性プールの原理**ともいわれ、生産者と小売業の間に流通業が介在し、集中的に在庫を保有することで、小売業が保有する在庫を削減できるというものです。結果、流通費用が節約されます。

問2＝× 流通過程による流通フローは、売り手から買い手に所有権が移転する**商流（商的流通）**と、具体的に商品が売り手から買い手に渡る**物流（物的流通）**の２つだけでなく、商品や顧客に関する情報が移転する**情報流（情報流通）**もあります。**情報流**は、かつては流通補助的な機能の一つでしたが、今日では商品企画・生産に関しても重要な役割を果たしています。

問3＝○ 生産物流は、**企業内物流**ともいわれ、１つの企業内での商品の移動になります。具体的には、自社工場から自社の倉庫への移動や、自社の物流センターから自社の店舗への移動などが該当します。

問4＝× アメリカのウォルマート・ストアーズが開発した小売業態は**スーパーセンター**です。**スーパーセンター**は、売場面積が 10,000 ～ 20,000㎡で、10万品目を取り扱う大型のセルフサービス店です。定番商品をいつでも安くするEDLP（エブリデイ・ロープライス）という価格政策も特徴の一つです。

問5＝× フランチャイズチェーンの加盟店は、フランチャイザーと別個に経営されている独立した事業者です。フランチャイザーと加盟店である事業者は、**フランチャイズ契約**という一定のルールのもとで、一つの企業のように**同一名称**で事業を行っていきます。

問6＝○ ライフスタイルアソートメント型とは、取扱商品の品種は限定せずに、ターゲットとする顧客層のライフスタイルに合わせて品ぞろえをする商品政策です。なお、取扱商品を限定し、品種ごとの色柄やサイズなどを拡大する商品政策は**リミテッド＆デプス型**といいます。

問7＝○ 食事に関する問題解決を意味する政策が**ミールソリューション**です。店舗に品ぞろえされている食材で献立メニューを提案することや、健康増進などを含めた食事に関するすべての悩みをサポートする意味でも使われています。

問8＝× コンビニエンスストアの商品構成は、加工食品を中心としたグロサリーと、弁当、総菜、おにぎり、サンドイッチなど即食性の高い**ファストフード**を主力カテゴリーとしています。また、ファストフードは**オリジナル商品**の開発力が重要となっています。

問9＝× ホームセンターの商品回転率は**低め**で、売場１㎡あたりの売上高も低めとなっています。そのため、比較的少ない売上高でも利益が獲得できるように損益分岐点の**低い**店舗運営が求められています。

問10＝○ スーパーセンターの店舗施設は、多層構造の店舗よりも建築コストを抑えるために**ワンフロア構造**を原則としています。また、装飾を最小限に抑えた**ノーフリル型店舗**を採用し、ウェアハウスラックと呼ばれる什器を使用しています。

問11＝アコーディオン理論 アコーディオン理論は、**ホランダー**が提唱した理論です。時間の経過とともに店舗の商品ラインが広がったり、狭まったりすることからアコーディオンに模して命名されました。

問12＝マス・マーチャンダイジング マス・マーチャンダイジングとは、大量に仕入れた商品を大量に販売するための商品流通になります。マス・マーチャンダイジングのためには、大量仕入、大量流通、大量販売を前提とした**商品計画**を策定することが重要となります。

問13＝トレーサビリティ トレーサビリティとは、「その製品がいつ、どこで、だれによって作られたのか」を明らかするために、原材料の調達から生産、そして最終消費段階まで**追跡**可能な状態にすることです。近年、安全意識の高まりから重要度が増しています。

問14＝第１類医薬品 医薬品医療機器等法では、一般用医薬品を副作用などのリスクに応じて、第１類医薬品、第２類医薬品、第３類医薬品の３つに分類しており、そのなかの**第１類医薬品**はリスクが高い医薬品のため、薬剤師が常駐している店舗か薬局での販売となります。

問 15 ＝ SPA　SPA は、Speciality Store Retailer of Private Label Apparel の略で、一般的には衣料品の製造小売りと訳され、**製販一体体制**のアパレル企業を指します。SPA では、消費者ニーズを商品の生産や販売に反映させることで、無駄のない品ぞろえが可能になります。

問 16 ＝ルーラル　ルーラルは田舎という意味です。ルーラルには**フルライン**でワンストップショッピングできる競合店が少なく、そこに大規模で低価格な店舗を出店することで、周辺地域から多くの顧客を集客します。

問 17 ＝フランチャイザー　フランチャイズチェーンでは、加盟店に指導・支援を行う事業者を**フランチャイザー**、加盟店を**フランチャイジー**といいます。フランチャイズチェーンでは、フランチャイザーが開発した独自のシステムやノウハウ、商標などを、フランチャイジーに提供します。

問 18 ＝自主編集　百貨店が自らアソートメントした商品を、売場で構成することを**自主編集**といいます。アソートメントは、商品の編集や組み合わせのことであり、自店のコンセプトや顧客ニーズを考慮したうえで商品を選択し、**商品構成**する必要があります。

問 19 ＝コーポレートチェーン　レギュラーチェーンは、同一法人の会社組織であることから、正式には**コーポレートチェーン**といいます。レギュラーチェーンでは、同一資本系列で結ばれた複数店舗が**規格化**された経営原則にもとづいて、画一的に運営されます。

問 20 ＝単一結合型　リーガンの提唱する**リーガン仮説**では、提供される製品と小売サービスの組み合わせによって、小売業の発展を３段階に分けて説明しています。

模擬テストⅠ 解答・解説

②マーチャンダイジング

目標解答時間：14分

／100点

問1＝○　マーチャンダイジングは**商品計画**や**商品化政策**と呼ばれています。マーチャンダイジングは、商品を意味するMerchandiseにingをつけたもので、商品の**仕入**から**販売**、**管理**までの総合的なフローと考えられています。

問2＝×　マーチャンダイジング・サイクルにおける販売計画の策定について、チェーンストアの多くは通常、1年間を**52週**に分解して、商品計画にもとづく週間単位の販売計画を立案します。

問3＝×　カテゴリーマネジメントは、売場のあり方を品目（アイテム）や品群（ライン）の単位で構築するのではなく、顧客ニーズに合わせたカテゴリー（通常は**品種：クラス**）ごとに戦略的に築き上げていきます。

問4＝○　総合予算は、経営活動として毎期繰り返して行われる活動の予算である**経常予算**と、長期的視点にもとづいた設備投資などの**資本予算**に大別できます。

問5＝×　損益分岐点とは、売上高と費用の損益がゼロになる売上高です。損益分岐点を求めるには、下の計算式のように**固定費**と**変動費率**（変動費÷売上高）を用います。

$$\text{損益分岐点}=\frac{\textbf{固定費}}{1-\dfrac{\text{変動費}}{\text{売上高}}}$$

問6＝×　価格弾力性とは、価格の変化に応じて商品に対する需要が変化する度合いを示した指標で、**需要**の変化率を**価格**の変化率で割って求めます。

$$\text{価格弾力性}=\frac{\text{需要の変化率}}{\text{価格の変化率}}$$

問7＝×　消化仕入では、商品を仕入先企業から引き取った後も、その商品の所有権を持ちません。また商品の**保管責任**も負わず、その商品が売場において売れたときに売れた分の商品だけを仕入れて、販売したと見なす仕入方式です。

問 8 ＝×　集合包装用商品コードを **GTIN-14**（Global Trade Item Number 14）といい、企業間取引で使用されています。なお、**UPC** はアメリカやカナダの商品識別コードです。

問 9 ＝×　商品回転率は、売上高に対して平均在庫が何回使われたかを表す指標です。通常、年間の**売上高**を**平均在庫高**で割って求め、単位は回数で表します。一般に最寄品の商品回転率は**高く**、買回品の商品回転率は**低く**なります。商品回転率を求める計算式には、次のようなものがあります。

$$\cdot\ \text{商品回転率}=\frac{\text{売上高}}{\text{平均在庫高（売価）}}$$

$$\cdot\ \text{商品回転率}=\frac{\text{売上原価}}{\text{平均在庫高（原価）}}$$

$$\cdot\ \text{商品回転率}=\frac{\text{売上数量}}{\text{平均在庫数量}}$$

問 10 ＝○　損益分岐点を求める計算式は次のとおりです。

$$\text{損益分岐点}=\frac{\textbf{固定費}}{1-\dfrac{\text{変動費}}{\text{売上高}}}$$

上記の計算式に設問の金額を当てはめます。

$$\frac{600}{1-\dfrac{200}{1{,}000}}=750$$

よって、損益分岐点は 750 万円になります。

問 11 ＝マージン　販売価格から仕入原価を差し引いた売買差益をマージンといいます。売上高に占めるマージンの割合を**マージン率**、あるいは粗利益率や売上総利益率と呼びます。

問 12 ＝商品管理　POS システムの活用は次の３段階に大別できます。

第 1 段階：**レジ機能**としての活用レベル
第 2 段階：売れ筋や死に筋の**商品管理**への活用レベル
第 3 段階：時間帯別や価格帯別、**バスケット分析**などへの活用レベル

問 13 ＝ PC　総合品ぞろえスーパーにおいて、生鮮食品の食材を加工、調理し、**プリパッケージ化**を行うセンターを PC（プロセスセンター）といいます。PC は、集荷した食材を加工・調理して**プリパッケージ化**を行い、各店舗に配送する機能を持っています。

問 14 ＝ 1,100 円　販売価格差異とは、価格の差によってどの程度、**売上高**に差異が生じたかを示すもので、販売価格差異＝（実際販売価格－予算販売価格）× 実際販売数量で求めます。この式に設問の金額を当てはめて、（110 － 100）× 110 ＝ 1,100　よって、販売価格差異は 1,100 円（有利差異）になります。

問 15 ＝ 20%　売価値入率とは売価に対する**値入額**の割合です。以下の計算式に、設問の金額を当てはめます。

$$\text{売価値入率}=\frac{\text{売価}-\text{仕入原価}}{\text{売価}}\times 100\ (\%)$$

$$\frac{100-80}{100}\times 100=20$$

よって、売価値入率は 20% になります。

問 16 ＝ EDI　異なる企業間で、商取引のためのメッセージを、通信回線を介してコンピュータ間で交換することは **EDI** になります。**EDI** では、帳簿類の廃止による**ペーパーレス**というメリットを享受できます。

問 17 ＝ 51　問われている箇所について、平均在庫を求める下記の計算式では「**51** 週末までの棚卸高」となります。

平均在庫高＝（$\frac{1}{2}$（期首棚卸高＋期末棚卸高）＋ **51** 週末までの棚卸高）÷ 52

問 18 ＝グループ　総合品ぞろえスーパーの基本的商品構成で、最も大きく分類した商品区分の単位が**グループ**です。具体的には衣料品、食料品、住居関連などが該当します。

問 19 ＝ライフスタイルアソートメント　小売店の成否は、商品の編集・組み合わせである**アソートメント**をどう実現するかにかかっています。近年の小売業では、顧客のライフスタイルに合わせた**ライフスタイルアソートメント**が商品構成のキーワードとなっています。

問 20 ＝ 1,333 万円　目標売上高は以下の式で算出します。

$$\frac{\textbf{固定費}+\text{目標利益}}{\left(1-\frac{\text{変動費}}{\text{売上高}}\right)\times 100}$$

この計算式に、設問の金額を当てはめます。

$$\frac{200+200}{\left(1-\frac{700}{1{,}000}\right)\times 100}=\frac{400}{30\%}=1{,}333.3\cdots$$

なので 1,333 万円となります。

模擬テストⅠ 解答・解説

目標解答時間：14分

③ストアオペレーション

／100点

問１＝×　ゴールデンラインとは、ゴンドラ什器に陳列された**定番商品**のうち、顧客が**最も手に取りやすい高さ**をいいます。従来は最も見やすい位置（目線）を指していましたが、今は最も触れやすい位置（腰線）に変化しています。

問２＝○　年に最低２回は**実地棚卸**を行うことで、正確な実在庫を知り、管理日報のデータ修正を行います。棚卸とは、一定時点における商品の在庫高を、金額または数量で明らかにすることです。伝票や帳票から在庫数を割り出すのが**帳簿棚卸**で、実際に在庫を数えて正確な在庫数を割り出すのが**実地棚卸**になります。

問３＝○　営業利益は、**売上総利益**（粗利益）から**販売費及び一般管理費**を差し引いたものです。このことより、営業利益を向上させるためには、売上総利益を高めるか、販売費及び一般管理費を抑えることが必要です。

問４＝×　販売機会ロスとは、販売の機会つまりチャンスをなくすということで**品切れ**を意味します。買上点数を向上させるためには、販売機会ロスを極力**抑える**ことが重要になります。

問５＝×　補充発注は、規格化された棚割表にしたがって売れた商品を補充するため、**定期的**または**定量的**方法で売場から発注する方法です。本部から発注をかけるものではありません。

問６＝×　欠品には２つあり、売場の陳列棚やバックヤードに売るべき商品がまったくなくなった状態を**絶対的欠品**、売場の品目ごとに設定した最低陳列数量を割った状態を**相対的欠品**といいます。

問７＝○　カラーストライプ陳列とは、横長の売場に数種類の色の単品を複数集めて陳列面に**縦じま模様**をつくるディスプレイ方法です。カラーストライプ陳列は、**細かなデザイン**よりも**シンプルなデザイン**の商品のほうが効果が出やすいという特徴があります。

問 8 =○　衣料品などで行われるハンガー陳列は、**セルフサービス販売方式**を主体とする店舗で多く利用されているディスプレイ方法です。スリーブアウトはハンガー陳列で用いられる方法であり、斜めの多点掛けをしたり、商品を横向きに掛けて見やすくするものです。

問 9 =×　補充型陳列における単一ブランド集合訴求型陳列は、継続的に計画購買するようなコモディティ商品や**低価格帯商品**の売上増加をはかるためのディスプレイ方法になります。

問 10 =×　ハイターンとは、ある商品が売れて再び同じ商品を補充する回転が**早い**ことを意味し、ローストックとは、**少ない**在庫で運営することを意味します。ハイターン・ローストックを実現することで、少ない在庫でボリューム感を出しながら**商品回転率**を高めることができます。

問 11 =シンボライズ陳列　シンボライズ陳列とは、衣料品の専門店が夏に流行の浴衣をショーウィンドウにディスプレイし、打ち上げ花火などの背景を脇役として利用するなど、ディスプレイのねらいを**象徴的**に表現する方法です。

問 12 = 120　顧客の目で見渡すことのできるゴンドラ什器の範囲は、約 **120** 度が限度です。このことを考慮すると、ゴンドラ什器 1 本あたりの陳列幅は 1.5 ～ 2.0m が限界になります。

問 13 = 15 個　最大在庫数量は、（発注期間日数＋入荷日数＋安全在庫日数）×**平均日販数**で求めます。この計算式に設問の数値を当てはめて、（3 日＋ 1 日 +1 日）× 3 個＝ 15 個になります。

問 14 =標準化　「誰が」「何時から何時まで」「どの作業を」「どの程度」行うかを決める計画であるレイバースケジューリングプログラム（LSP）を導入するときのポイントには、作業を**システム化**すること、作業を**標準化**すること、作業の**発生を事前に予測**すること、が挙げられます。

問 15 = 5,000 円　人時生産性とは、従業員 1 人が 1 時間当たりに稼ぎ出す粗利益高をいいます。人時生産性＝$\frac{\textbf{粗利益高}}{\textbf{総労働時間}}$　この計算式に、設問の金額を当てはめます。

$$\frac{300\text{万円}}{600\text{時間}} = 0.5\text{万円}$$ つまり5,000円になります。

問16＝20　変形陳列を売場に採り入れる場合、この陳列法はあくまでもアクセントをつけるのが目的なので、売場全体の**20%**以内の採用にとどめておくべきです。

問17＝クロージング　クロージングとは、売買の成立に向かう**最終段階**であり、販売員が重要な役割を担っています。販売員はクロージングのタイミングを見極め、アプローチします。クロージングの具体的なグッドチャンスには、販売員に同調する言葉が多くなった、確認する言葉が多くなった、**価格を気にし始めた**、などが該当します。

問18＝育成商品中央配置型　補充型陳列における育成商品中央配置型の陳列とは、**ゴンドラエンド**へ商品を陳列する方法の一つになります。ゴンドラ什器の中央に育成商品をやや広めのスペースで陳列することにより、育成商品の販売を促進します。

問19＝クロスマーチャンダイジング　クロスマーチャンダイジングとは、刺身と刺身醤油などのように、メインの商品とサブの商品をセットにして売場に並べて、**同時購買**の確率を高めるディスプレイ技術です。

問20＝売れ筋商品　定番商品の維持管理は、棚割表にもとづいて適切な**フェイシング**の状態を維持しつつ、主として**売れ筋商品**の欠品を防止することが前提となります。なお、継続的に商品を販売するための定番商品の補充では、見やすく、選びやすく、手に取りやすいディスプレイが基本となります。

模擬テストⅠ 解答・解説

④マーケティング

目標解答時間：14分

/100点

問1＝×　コーポレートブランドとは、企業名など、**その企業のすべての商品**や**サービス**に付与されるブランドのことをいいます。コーポレートブランドが強い企業に対して消費者は、その名前を聞いただけで商品の価値が**保証**されていると感じます。

問2＝○　商標（トレードマーク）は「その排他的使用を法的に保護されたブランド、あるいはその部分」であるとして、**登録商標**のみを指す場合があります。そこから、ブランドと商標を比較すると**ブランド**のほうが広い概念といえます。

問3＝○　**ドロシーレーンの法則**とは、価格を引き下げる商品を売場全体のどの程度の割合にするかにより、店舗に対する顧客の印象が変わってくるという法則です。この価格設定の法則では、**特定少数**の商品を大きく引き下げるよりも、**多くの商品**の価格を一定レベルまで引き下げるほうが、顧客に安いと感じてもらえる効果が高まるとしています。

問4＝×　小売業のプロモーションは、限定された商圏内における特定多数の顧客を対象として展開するものです。売上増加による市場シェアの拡大よりも、売場を起点とした**狭域型購買促進**であるリージョナルプロモーションを行っていきます。

問5＝×　市場細分化における基準で、ライフスタイルやパーソナリティなどによる細分化基準は、**心理的要因**になります。そのほかの基準には、地理的要因（地域など）、人口統計学的要因（年齢、性別など）、行動科学的要因（購買機会・動機、購買頻度など）があります。

問6＝○　小売中心性指標とは、地域商業の活性化の度合いをはかる指標です。中心性とは、ほかの都市から購買力を吸引する度合いを意味し、この数値が**高い**ほどその地域の小売業が栄えていることになります。

問７＝○　広告計画の立案プロセスは以下のとおりです。①**地域市場環境**の分析→②**広告目的**の設定→③**広告目標**の決定→④**広告ターゲット**の決定→⑤**広告コンセプト**の決定→⑥**表現戦略**の決定→⑦**メディアプランニング**の決定→⑧**出稿パターン**の決定。

問８＝×　OOH メディアとは、アウト・オブ・ホーム（Out Of Home）メディアのことで、通勤や通学、ショッピングなど自宅外で行動時に接触する広告媒体を指します。具体的には、電車の中吊り広告などの**交通広告**や、広告塔などの**屋外広告**が該当します。

問９＝○　設問のとおり。添付プレミアムで、景品がパッケージのなかに同封されているものをパックイン方式、別に添付されているものをパックオン方式と呼びます。どちらも購入者全員が景品を手にすることができる**総（ベタ）付けプレミアム**になります。

問 10 ＝×　観光産業は小売業のみで成立する産業ではなく、飲食業や宿泊業、運輸業などが協働する**集団性（アセンブリー性）**が特徴の一つとなっています。そして、訪日外国人旅行者を対象とする場合は、同一商圏内にある競争店や異業種の店舗とも、**連携**や**協働**をはかることが重要です。

問 11 ＝情報伝達機能　ブランドの機能のなかの情報伝達（広告）機能とは、商品の特徴を、**広告**を通じて消費者に訴えかけることにより、ブランドに関心を持たせ、積極的に購入してくれるよう刺激することになります。

問 12 ＝特典　フリークエントショッパーズプログラムは、**優良顧客**を固定化させるためのプログラムで、ポイントや割引クーポンなどが代表的な**特典**です。ワントゥワンマーケティング型のマーケティング戦略をとる小売業にとって、フリークエントショッパーズプログラムの展開は重要な政策になります。

問 13 ＝顕在的商圏　商圏には、顧客が来店する地理上や時間上の範囲で捉える**顕在的商圏**と、新たな顧客となる可能性を持つ**潜在的商圏**という２つの側面があります。

問 14 ＝ライリーの法則　ある地域から２つの都市Ａ、Ｂへ流れる購買力の比は、ＡとＢの人口に比例し、その地域からＡとＢへの距離の２乗に反比例するという法則はライリーの法則であり、**小売引力の法則**とも呼ばれています。

問 15 ＝イクサーブ　イクサーブは、都市エリアと住居エリアが混在したエリアになります。イクサーブエリアは道路事情がよく、**大型ショッピングセンター**が多く誕生するエリアになります。

問 16 ＝国勢調査　総務省が行う国勢調査は、外国人を含む日本に住んでいるすべての人と世帯を対象とする国の最も基本的な統計調査で、国内の人口や世帯の実態を明らかにするため**5年**ごとに実施されます。

問 17 ＝成長期　プロダクトライフサイクルの**成長期**は、売れ筋となった商品の認知度が高まり、販売数量が急速に拡大していく時期になります。この時期は、それらの商品を購入する消費者が急増し、小売業にとっては販売数量を拡大するチャンスになります。そのため、品薄や欠品などをしないように品ぞろえして、**販売機会ロス**を未然に防ぐことが求められます。

問 18 ＝ ISM　設問のとおり。売場の販売効率を最大限に高めるためのインストア·マーチャンダイジング（ISM）の実行手段として、**スペースマネジメント**があります。スペースマネジメントは、買上点数の増加による 1 回当たりの**購買単価**の引き上げを目的としています。

問 19 ＝デシル分析　デシルとは「10 等分」という意味です。そして、デシル分析とは、顧客の購入金額などをもとに、上位から 10 等分して各グループの購入比率や売上構成比などを分析する方法です。この分析法は、**FSP（フリークエントショッパーズプログラム）**を運営する際にも利用されています。

問 20 ＝プロファイリング　プロファイリングとは、多くのデータを分析することで、ある対象が有する特徴などを推測する分析方法です。小売業では、顧客の年齢や性別、購買履歴などのデータを分析することで、今後の購買の**予測**などを行っていきます。

模擬テストⅠ 解答・解説

目標解答時間：14分

/100点

⑤販売・経営管理

問1＝○ 契約が成立するためには、売ると買う、貸すと借りるなど方向性が反対の両当事者間で意思が合致することが必要です。つまり、**申し込み**とこれに対する**承諾**によって契約は成立することになり、口約束も契約となります。

問2＝× 契約そのものは履行されているが、故意や過失などによって契約内容どおりの履行がなされていない場合を**不完全履行**といいます。たとえば、商品5kgの引き渡しが4.8kgしか引き渡さなかった場合などが該当します。

問3＝× 印紙税が課税される文書であるにもかかわらず、正しく収入印紙を貼付・消印しなかった場合は、犯罪として科料、罰金や内容次第では**1年**以下の懲役刑などを受けます。また、印紙税の追徴とペナルティとして当該印紙税額の合計**3倍**に当たる額が過怠税として課せられます。

問4＝○ 約束手形において、所持人の振出人に対する約束手形上の権利（請求権）は、満期の日から**3年**で時効により消滅します。なお、裏書人に対する権利（遡求権）は、満期の日から**1年**で消滅します。

問5＝× 独占禁止法における不公正な取引方法は、すべての事業者に対して適用される一般指定と、特定の事業分野に属する事業者を対象とする**特殊指定**があり、大規模小売業者が行う不公正な取引方法、特定荷主が行う不公正な取引方法、新聞業での特定の不公正な取引は**特殊指定**に該当します。

問6＝○ 特定継続的役務提供に該当するのは、エステティックサロン、美容医療、家庭教師、学習塾、結婚相手紹介サービス、語学教室、パソコン教室の7つの役務であり、**長期・継続的な役務**の提供と、これに対する**高額**の対価を約する取引になります。

問7＝○ 特定商取引法では、事業者に対する規制と消費者救済として、氏名等の明示の義務づけ、不当な勧誘行為の禁止、広告規制、書面交付義務の「**行政による規制**」と、クーリングオフや意思表示の取り消し、損害賠償等の額の制限である「**民事ルール**」の２つを定めています。

問８＝×　他人の著名な商品表示等と同じまたは類似した表示を用いて、自社の商品表示や営業表示として事業活動を行うことを**著名表示冒用行為**といいます。違反者に対しては、権利を侵害された者から侵害行為差止めの請求をすることができ、罰金や懲役の刑罰が科されます。

問９＝○ 商品回転率は、$\dfrac{\textbf{年間売上高}}{(\textbf{期首商品棚卸高}+\textbf{期末商品棚卸高})\div 2}$　で求めることができるので、

$$\frac{900\text{万円}}{(200\text{万円}+160\text{万円})\div 2}=5\text{回転}$$　となります。

問10＝×　自己資本利益率は、$\dfrac{\text{当期純利益}}{\text{自己資本}}\times 100$　で求めることができます。

なお、自己資本（純資産）は、**資本金**、**資本剰余金**、**利益剰余金**を加算したものになります。

$$\frac{104\text{万円}}{2{,}000\text{万円}+1{,}000\text{万円}+300\text{万円}}\times 100=3.1515\cdots$$

つまり、約3.2%になります。

問11＝所有権の絶対　近代市民法の３大原則は「**所有権の絶対**」と「契約自由の原則」に「過失責任の原則」を加えた３つとなります。

問12＝有名契約　有名契約は**典型契約**ともいい、民法で規定されている契約です。贈与、売買、交換、消費貸借などが有名契約に当たります。

問13＝総人件費　設問のとおり。小売業の場合、一般的な労働分配率は**30%**以下であることが健全経営の基準です。なお、総人件費とは、従業員の給料や賞与だけでなく福利厚生費、社宅費用なども加えたものになります。

問14＝ロス高　ロス高とは、仕入ミスによる値下ロスや、食材などの廃棄ロス、レジや棚卸の入力ミスによる**棚卸ロス**で発生した金額です。

問 15 ＝人時売上高　投入労働時間 1 時間当たりの売上高を**人時売上高**といい、次の計算式で求めることができます。

$$人時売上高＝\frac{売上高}{総労働時間}$$

問 16 ＝ 3.0　総資本経常利益率は、$\frac{経常利益}{総資本}\times 100$　で求められます。総資本は、決算書では**負債・純資産合計**が該当します。

$$\frac{400{,}000\text{千円}}{13{,}200{,}000\text{千円}}\times 100 \fallingdotseq \mathbf{3.0}\ (\%)$$

問 17 ＝加盟店　クレジットカードには、販売業者（加盟店）、会員、カード会社（信販会社）が関係する方式と、販売業者と会員間で処理させる方式があります。前者の場合は、カード会社（信販会社）から**加盟店**にカード会員の料金の代金立替払いがなされます。

問 18 ＝ 160 万円　労働分配率＝$\frac{\mathbf{総人件費}}{\mathbf{粗利益高}}$の式を、総人件費＝粗利益高×労働分配率として総人件費を算出します。また、粗利益高を求めるために、粗利益率＝粗利益高÷売上高　という式を粗利益高を求める式に変えます。
粗利益高＝粗利益率×売上高　そして、設問の金額を式に当てはめます。
粗利益高＝ 40% × 1,000 万円　よって粗利益高は 400 万円です。
総人件費は、400 万円× 40%＝ 160 万円　となります。

問 19 ＝オプトイン規制　事業者が消費者に**電子メール広告**を送る際には、あらかじめ消費者から「送信してほしい」「送信してもよい」という請求や承諾を得ることがオプトイン規制によって義務づけられています。

問 20 ＝専門化の原則　それぞれの仕事を何らかの関連する事項にまとめて、専門的に遂行することが、より能率的であるという組織原則は「**専門化の原則**」です。また「専門化の原則」の部分原則として、個々人に割り当てる職務は、同じような性格のものにすべきだという「**同質的な職務割り当ての原則**」もあります。

模擬テストⅡ 解答・解説

目標解答時間：14分

/100点

①小売業の類型

問１＝○　なお、チェーンストアの組織や運営体制の特徴には、命令系統の統一化以外にも、**専門化（スペシャライゼーション）**、**責任と権限の明確化**、**管理・調整範囲の確定**、**店舗運営責任の決定**があります。

問２＝○　設問のとおり。なお、グローバルリテーラーが、日本の市場に受け入れられるための課題の一つが**ローカライズ**です。店舗ごとに顧客ニーズに応じて品ぞろえや価格面で対応していく**ローカライズ**を行ううえでは、日本の消費者の特性を考慮する必要があります。

問３＝×　生協は、組織に消費者が出資することによって消費者が**組合員**になり、運営、利用できるようになります。

問４＝○　小売業がサプライヤーとの**仕入**取引で発揮する交渉力のことをバイングパワーといいます。１品目当たりの買付数量が大量になるとバイングパワーが上がり、**仕入**の条件がよくなる効果を生み出します。

問５＝×　DIY 型ホームセンターでは、建築業者などのプロ需要者にも対応できるように、総合化ではなく商品構成の**専門化**を推進しています。

問６＝×　ローコストでローマージンの小売業の形態は**価格訴求型形態**であり、ハイコストでハイマージンの小売業の形態は**非価格訴求型形態**です。

問７＝○　フランチャイズチェーンとボランタリーチェーンのそれぞれの加盟店は、**独立した資本**によって経営されています。

問８＝×　さまざまな商品を関連購買できるのが**ワンストップショッピング**であり、比較購買できるのが**コンパリゾンショッピング**です。

問９＝○　また、チェーンストアの各店舗で同じ発注方法やディスプレイ方法を採用する「**標準化**」も実施することで、出店や店舗運営の効率化をはかります。

問 10 =○　総合品ぞろえスーパーは、日常生活に必要な衣食住に関連した商品を**フルライン**で品ぞろえし、低価格を武器に販売力を高めてきました。

問 11 =地域社会への貢献　加盟店は、店舗を出店している**地域社会の一員**であるという意識を持つことが大切です。

問 12 =ドラッグストア　スーパーセンターは大規模駐車場を備え、スーパーマーケットとディスカウントストアに**ドラッグストア**を融合した、衣・食・住・遊のフルライン商品構成が特徴の大型小売業態です。

問 13 = 11　チェーンストアは、**11** 店舗以上の運営が要件です。なお、マス·マーチャンダイジングは大量仕入と大量販売にもとづく**商品計画**のことです。

問 14 =ドリースマン　ドリースマンが提唱した**適応行動理論**では、生物学の「収斂」「異常発達」「退化」「同化」を使って小売業態の変化を説明しています。

問 15 = 30　コンビニエンスストアは、売場面積が約 **30** 坪というストアフォーマットの運営を標準としています。

問 16 =ローコストオペレーション　パートタイマーやアルバイトなどのパートタイム労働者の採用比率を高くすることで、人件費を**低減**させ、結果として固定費を**下げる**ことができます。

問 17 =個配　近年は時間の都合で共同購入ができなかったり、近くに生協の店舗がないなどの理由により、個人宅配である**個配**事業が牽引役を果たしています。

問 18 =流通費用　設問のとおり。なお、生産者である製造業と消費者の間に**流通業者**が入ることにより、製造業は生産した商品を卸売業（流通業）に販売した時点で、代金を受けられるというメリットも享受できます。

問 19 =セルフメディケーション　自分の健康は自分で守ることはセルフメディケーションであり、ドラッグストア業界は人々の**健康生活**への高まりに対する積極的なストアフォーマット（店舗形態）を開発してきました。

問 20 =共同　**双方**が積極的に協力し合う姿勢が求められます。

模擬テストⅡ 解答・解説

目標解答時間：14分

／100点

②マーチャンダイジング

問 1 =○ POS システムは詳細な**単品情報**を収集できるため、それぞれの商品の売れ行きを把握しやすく、**欠品**や**過剰在庫**を未然に防ぐことができます。また、コードを入力することで、商品情報を得ることもできます。

問 2 =× バーコードは**バーシンボル**と**コード**で構成されており、**バーシンボル**をスキャナで読み取ることで情報を得ます。

問 3 =○ 設問のとおり。買回品は小売店のムードや演出、伝統などが購買に影響を与えます。買回品は、購買頻度が**低く**、時間や労力をかけても消費者が納得できる商品を購入する傾向がある商品になります。

問 4 =× マーチャンダイジング・サイクルは、店頭在庫が減少した定番商品について、店舗からの**補充発注**によって終わりとなります。なお、チェーンストアでは、マーチャンダイジング・サイクルのなかの売価の決定や棚割等を含む仕入業務までを本部が担当します。

問 5 =× 商品を出荷する際に、運搬用に梱包した荷物に貼るラベルを **SCM**（Shipping Carton Marking）ラベルといいます。**CRP** は仕入先企業が小売業の在庫管理を行うシステムです。

問 6 =× 集中仕入とは、ボランタリーチェーンや百貨店などが**季節商品**や**特売用商品**を対象として、複数の店舗のために一括して大量に仕入れる方法です。この仕入方法を実施するためには、集中的な商品管理を行える組織であることが前提であり、大量販売が行え、物流センターや倉庫施設があるといった条件が必要です。

問 7 =○ 変動費は、販売量の変動にともなって変化する費用で、**売上原価**、**販売手数料**などがあります。なお、**売上原価**は小売業が販売する商品の仕入にかかった費用のことになります。

問 8 =×　AMA は、マーチャンダイジングは小売業だけでなく**メーカー**にも適用される活動であると定義しています。

問 9 =○　アローワンスとは、商品を売るための努力をしてもらう代償として、流通業が行った**販売促進のコスト**を前もってメーカーが流通業に支払うフィー（料金）になります。この売価政策は、リベート同様、販売先に商品をたくさん買ってもらうことを目的としていますが、公開して支払っている点がリベートとの大きな違いになります。

問 10 =×　JAN コードとは、Japanese Article Number の略で、どの事業者の、どの商品かを表す国際標準の商品識別コードです。最初の２桁は**国名**となっており、日本の国番号は 45 と 49 が割り振られています。

問 11 =マークアップ　マークアップは**値入**のことで、売価（販売価格）を決めるため、仕入原価に利益を加えることをいいます。また、価格設定の行為そのものを指す意味も持っています。

問 12 =ケース単位　集合包装用商品コードは、主にケース単位の商品を識別するための物流用に使われる商品コードで、国際的には GTIN-14（Global Trade Item Number 14）と呼ばれます。企業間の取引単位で設定される商品識別コードであり、通常、国際標準化されている **ITF シンボル**により表示されます。

問 13 =統合型物流　総合品ぞろえスーパー業界では、統合型物流システムへの移行が進んでいます。統合型物流システムは**一括統合型納品システム**ともいわれています。

問 14 =統制機能　予算の機能には、**計画機能**、**調整機能**、**統制機能**の３つがあります。**統制機能**は、予算と実績を比較して差異分析をすることです。この機能により、経営者は経営面での改善措置がとれるようになります。

問 15 =商品ロス　過剰在庫とは、必要以上に在庫を持つことなので、商品が汚損したり破損したりする可能性が高まり、**商品ロス**が増加します。在庫が少なければ欠品が生じて販売機会ロスとなってしまいますが、それを恐れて過剰に在庫を持てば店舗の経営を圧迫することになります。

問 16 =顧客ニーズ　カテゴリーマネジメントは、**顧客ニーズ**に合わせた商品カテゴリーを築き上げていくことで、顧客にとって買いやすい売場づくりを目指すものです。

問 17 =ディストリビュータ　ディストリビュータは、小売業が決定したカテゴリーごとに選定された品目を、いつ、どのくらい、どこの店舗へ投入すべきかを設定する**専門スタッフ**になります。各店舗の環境や特性を考慮して、店舗ごとの最適な商品を送り込むのに不可欠なスペシャリストです。

問 18 =カテゴリー　カテゴリーは通常、品種（クラス）を意味します。プライスライン政策では、顧客の購買決定を容易にするため、1 つの品種についてできるだけ少ない品目（少ない**プライスライン**）に絞り込みます。

問 19 = 667 万円　損益分岐点は以下の式で算出します。

$$\frac{\textbf{固定費}}{1-\dfrac{\textbf{変動費}}{\textbf{売上高}}}$$

$$\frac{200}{1-\dfrac{700}{1,000}}=666.6\cdots$$

なので 667 万円となります。

問 20 = 40　次の計算式に、設問の金額を当てはめます。

① 変動費率＝$\dfrac{\textbf{変動費}}{\textbf{売上高}}$ × 100　（%）

② 限界利益率＝（1 －**変動費率**）× 100（%）

$$\left(1-\frac{18,000}{30,000}\right)\times 100\ (\%)=\mathbf{40}$$

これより、限界利益率は **40**% になります。

模擬テストⅡ 解答・解説

③ストアオペレーション

目標解答時間：14分

/100点

問1＝○　ローコストオペレーションは、人件費や賃借料、広告宣伝費などの販売管理費を低減することで、**営業利益**を向上させる店舗運営方法です。

問2＝×　ビジュアルマーチャンダイジングの展開で、特定のテーマを持たせたコーナーという演出場所をつくっていくことを、**コーナープレゼンテーション**（CP）といいます。

問3＝×　ウイング陳列は定番商品ではなく、**認知度を高めたい**商品や**ついで買い**商品、**売り切りたい**商品の陳列に使われます。

問4＝○　**集視ポイント**は、顧客の目を引きつけ、足を止めさせ、衝動的な購買に結びつけるための売場内のポイントとなる場所です。

問5＝×　フェイシングの決定基準に該当するのは、**消費者ニーズ**の強い商品です。

問6＝×　ワンストップショッピングは、1つの店舗で必要な商品をまとめ買いできることになります。苦痛を感じない売場づくりは**ストレスフリーショッピング**になります。

問7＝○　設問のとおり。残業時間の削減やアルバイトへの単純作業の移行などによって、売場の主任クラスが知的労働の時間を持てるようにすることもLSPの目的です。

問8＝×　吊り下げ陳列は、天井から**ハンガー**や軽い**ボディ**（胴体部分だけのマネキン人形）を使って商品を吊り下げる方法です。

問9＝×　スーパーマーケットでの商品の前出し作業は、1日**4**回程度、1回5分から10分程度、定期的に実施されるべきです。

問10＝×　前進立体陳列を行うと、商品に**触れやすく**なります。

問 11 ＝縦割　心理学的見地にもとづいて**縦割**展開することで、スムーズな商品選択が可能になります。人間の目は物を探すとき、左右より上下に動く場合が多いとされているため、**縦割**展開することで同じ種類の商品を見やすくすることができます。

問 12 ＝ドラマチック陳列　ドラマチック陳列とは、子供に人気のアニメのキャラクターをテーマとしたディスプレイをつくり、**物語の１コマ**のような表現のなかで商品に興味をひかせ、それを見ている子供を主人公のような立場で連想させるような方法になります。

問 13 ＝ EOS　EOS では、端末機を使って商品と数量を入力し、店舗の**ストアコントローラー**や本部を通じて仕入先企業へ発注します。

問 14 ＝ 7　帳簿在庫数量は、前回発注時の**在庫数量**＋仕入数量－販売数量　で求めます。7 個＋ 5 個－ 5 個＝ 7 個　になります。

問 15 ＝権限　パートタイマー・アルバイトのやる気を喚起するためにも、責任と**権限**の移譲は重要です。

問 16 ＝アプローチ　アプローチとは、顧客に声をかけて近づくことであり、接客の第一歩となります。アプローチのタイミングは、顧客の購買心理過程８段階のうち、「**興味**」から「**連想**」までの段階が適しているといわれています。

問 17 ＝平均日販数　発注点とは、売場在庫がいくつになったら発注すべきかというもので、（入荷日数＋安全在庫日数）×**平均日販数**　の計算式で求めます。

問 18 ＝カット台　カット台は住居・食品用の台車で、店舗が混雑したときに使用します。多量の商品は**載せない**ことがポイントになります。

問 19 ＝人時生産性　人時生産性は、投入労働時間１時間当たりの**粗利益高**を意味します。

$$\text{人時生産性}=\frac{\text{粗利益高}}{\text{総労働時間}}$$

この計算式で算出します。

問 20 ＝発注リードタイム　欠品を防ぐには、補充発注をしてからその商品が入荷するまでの期間である**発注リードタイム**を考慮する必要があります。

模擬テストⅡ 解答・解説

④マーケティング

目標解答時間：14分

/100点

問1＝×　競争店より低い価格帯や接近した価格帯を設定するほか、**高品質・高サービス**をアピールするため、**高い**価格帯を設定する方法もあります。

問2＝×　インストア・プロモーションの人的販売活動が**催事**であり、非人的販売活動が**プレミアム**の提供になります。

問3＝×　マーケティングリサーチは、企業のマーケティングの課題に対して有効な意思決定をサポートするための、科学的な調査・分析・提案という一連のプロセスのことです。設問の記述は**マーケットリサーチ（市場調査）**の内容になります。

問4＝○　インプレッション数とは、**インターネット広告が表示される回数**のことで、インターネット広告ならではの指標です。

問5＝×　ビッグデータやIoTをはじめとしたデータの活用に関連した技術革新は「**第四次産業革命**」になります。

問6＝○　高級ブランドのバッグや時計は**ブランドの象徴機能**が働くため、機能や性能がほかの商品と同じであっても高い価格で販売できます。

問7＝×　商圏には、**距離**的な限界が存在します。

問8＝○　スーパーマーケット業界では**マグネット**と呼ばれるパワーカテゴリーは、部門などの広いスペースを管理範囲として、店内の回遊性を高めてくれます。

問9＝○　衰退期は、ほかの商品に市場が奪われてしまい、**販売量が著しく減る**時期です。商品に市場性が残っているうちに、できるだけ収益を搾り取ろうとする収穫政策を導入します。

問10＝○　購買促進策であるPut戦略には、フロアマネジメントや**シェルフマネジメント**、**ビジュアルマネジメント**が含まれます。

問 11 ＝ワントゥワンマーケティング　ワントゥワンマーケティングは、「**個客対応**」のマーケティングともいわれています。

問 12 ＝慣習価格　**社会的慣習**によって価格が形成される商品は、顧客の心理上、価格変更が難しくなります。

問 13 ＝商品化政策　小売業のプロダクトは**商品化政策**（品ぞろえ）を意味します。すなわち、小売業がターゲットとする**顧客層**に適合する商品の組み合わせを、マーケティング活動の中心にすることです。

問 14 ＝不当景品類及び不当表示防止法　**景品表示法**とも呼ばれる不当景品類及び不当表示防止法では、不当な顧客の誘引が行われている場合、景品類の価額の最高額、総額の制限および提供自体を禁止することなどを定めています。

問 15 ＝多段抽出法　多段抽出法は、母集団のなかから特定の層を**ランダム**に選び、そのなかからさらに**ランダム**に選び出すという方法です。

問 16 ＝出所表示機能　ブランドの機能のなかで出所表示機能とは、その商品の**生産者**または**流通業者**を明示するもので、商品についての保証や責任を約束する機能になります。この機能により、商品の品質に問題があった場合、消費者は責任の所在を追及することができます。

問 17 ＝購買単価　スペースマネジメントは、買上点数の増加をはかり、来店した顧客の１回当たりの**購買単価**を引き上げるのがねらいです。

問 18 ＝消費者教育　消費者教育は、消費者に商品の理解を深めてもらい、最終的には顧客の**固定化**をはかることが目的です。

問 19 ＝大型拠点型出店　小売業の出店は、計画性を持って行われる必要があり、必要になってくるのが**出店計画**です。大型拠点型出店は、同業他社に対しての競争力を持つのが強みです。

問 20 ＝独占禁止法　公正取引委員会は、「流通・取引慣行に関する独占禁止法の指針」を作成し、価格競争における違反行為を明確にしています。なお、**再販売価格維持行為**とは、メーカーが流通業者に販売価格を指示し、それを遵守させる競争阻害行為になります。

模擬テストⅡ 解答・解説

⑤販売・経営管理

目標解答時間：14分

／100点

問１＝×　割賦販売法では、指定商品・指定役務制が廃止されています。ただし、**自社割賦**と**ローン提携販売**は、指定商品・指定役務制をとっています。

問２＝×　パートタイム・有期雇用労働法の対象者には、パートタイマー、アルバイト、嘱託のほかに、**契約社員**、**準社員**、**臨時社員**も該当します。

問３＝×　個人情報保護法が定める個人情報には、**個人情報（狭義）**、**個人データ**、**保有個人データ**の３つの段階があり、あとの段階ほど情報の管理者にとって守るべき義務が**重く**なっていきます。

問４＝○　継続取引の場合、個々の取引が簡便・迅速に行われるように、個別の取引に共通な事項を**基本約定書**にまとめて、基本契約とします。なお、その後、発注のたびにファックスなどを使って発注書を送付するものは**個別契約書**に当たります。

問５＝○　特に企業の収益性については、**狭義の経営分析**で最も重要視されています。

問６＝○　設問のとおり。なお、委託販売において特約で定めた事項以外については、受託者の受託商品に関する**善管注意義務**、受託者の**報告義務**、受託者が受領した代金の**引渡義務**などが、受託者に問われます。

問７＝○　設問のとおり。包括信用購入あっせんとは、販売業者が包括信用購入あっせん業者から**立替払い**を受けて、消費者が代金を包括信用購入あっせん業者に対して支払う契約形態のことです。

問８＝○　設問のとおり。なお、他人資本とは借入金など外部から調達した資金のことをいいます。未払代金や買掛金、借入金、社債などは、貸借対照表の**負債**に計上される項目になります。

問 9 ＝×　協賛金とは、**小売業**が仕入先などに対して、イベント費や売場の改装費の名目で求める金銭的負担金のことです。小売業が仕入先企業に対し、算出根拠を明確にせず協賛金を要請していた場合、独占禁止法の**不公正な取引方法**に当たります。

問 10 ＝×　商品回転期間＝$\dfrac{365\text{日}}{\textbf{商品回転率}}$　なので、まずは**商品回転率**を求めます。

商品回転率は、$\dfrac{\text{年間売上高}}{\text{平均在庫高（売価）}}$　であり、

平均在庫高（売価）は、$\dfrac{\text{期首商品棚卸高（売価）＋期末商品棚卸高（売価）}}{2}$　という式で求めます。

したがって平均在庫高は、$\dfrac{220\text{万円}+180\text{万円}}{2}=200\text{万円}$、となり、これを

商品回転率の式に当てはめて、$\dfrac{1000\text{万円}}{200\text{万円}}=5$　**商品回転率**は 5 回転になります。

最後に、商品回転期間を次のように求めます。

$\dfrac{365\text{日}}{5\text{回転}}=73$　よって 73 日が正しいことなります。

問 11 ＝ 14%　労働分配率＝$\dfrac{\textbf{総人件費}}{\textbf{粗利益高}}\times 100$　で算出します。**総人件費**は、給与額 800 万円の 1.4 倍なので、800 万円× 1.4 ＝ 1,120 万円（総人件費）

$\dfrac{1{,}120\text{万円}}{8{,}000\text{万円}}\times 100=14$　つまり 14%です。

問 12 ＝ 10　就業規則は、法律で定めた労働基準にもとづいて職場の基本的なルールを定めたものです。常時 **10** 人以上の労働者を使用する企業は、その制定を**労働基準法**で義務付けられています。

問 13 ＝民法　設問のとおり。なお、このような規定を**任意規定**といい、**任意規定**は当事者同士の意思によって適用を**排除**することができます。

問 14 ＝訪問購入　特定商取引法の対象となる取引類型で、事業者が一般消費者の自宅を訪問して、物品の購入を行う取引は**訪問購入**になります。

問 15 ＝立体的形状　三次元の物である**立体的形状**も商標登録の対象として認められています。

問 16 ＝手形要件　約束手形は、**発行者（振出人）**が一定の金額を支払うべきことを約束する有価証券の一つであり、約束手形を発行するためには、**手形要件**と呼ばれる一定事項を記載しなければなりません。

問 17 ＝ 24 万円　一人当たり平均人件費＝労働生産性×**労働分配率**　なので、まずは労働生産性を求めます。

労働生産性を求める式は、労働生産性$=\dfrac{\text{粗利益高}}{\text{従業員数}}$　なので、

$\dfrac{320}{4}=80$　労働生産性は 80 万円になります。

これを一人当たり平均人件費を求める式に当てはめて、80 万円× 30％＝ 24 万円、となります。

問 18 ＝契約不適合　契約不適合では、売買の目的物が、その種類・品質・数量の面で、契約の内容に適合しない場合、買主は**追完請求**、**代金減額請求**、**損害賠償請求**、**契約解除**ができます。

問 19　5,000 円　人時生産性$=\dfrac{\text{粗利益高}}{\text{総労働時間}}$　この計算式で算出します。

$\dfrac{5{,}000\text{ 万円}}{10{,}000\text{ 時間}}=0.5\text{ 万円}$　つまり 5,000 円になります。

問 20 ＝ 3.0　自己資本利益率は、当期純利益÷**自己資本**× 100 で求めます。なお、**自己資本**（純資産）は、資本金、資本剰余金、利益剰余金、評価・換算差額等を加算したもので、設問では下記のとおりです。

6,000,000 千円＋ 1,500,000 千円＋ 1,750,000 千円＝ 9,250,000 千円

$\dfrac{276{,}000\text{ 千円}}{9{,}250{,}000\text{ 千円}}\times 100 \fallingdotseq \mathbf{2.98}\cdots$（％）　なので、自己資本利益率は 3.0％になります。

索引

あ

か

さ

た

ま

や

ら

わ

英字

【著者】上岡史郎(かみおか　しろう)

日本大学大学院商学研究科経営学専攻博士後期課程修了。販売士1級。一般社団法人日本販売士協会登録講師。日本経営学会、日本マネジメント学会会員。目白大学短期大学部教授。ショップ経営に関わる科目を中心にマーケティング等の指導を行う。著書に『1回で合格！ リテールマーケティング(販売士)検定3級 テキスト&問題集』(弊社刊)などがある。

編集協力：コンテンツ
DTP・デザイン：中野孝信、石渡早苗
企画編集：成美堂出版編集部(原田洋介・今村恒隆)

本書に関する正誤等の最新情報は、下記のアドレスで確認することができます。
https://www.seibidoshuppan.co.jp/support/

上記アドレスに掲載されていない箇所で、正誤についてお気づきの場合は、書名・発行日・質問事項(ページ・問題番号など)・氏名・郵便番号・住所・FAX番号を明記の上、**郵送**または**FAX**で、**成美堂出版**までお問い合わせください。
※電話でのお問い合わせはお受けできません。
※本書の正誤に関するご質問以外はお受けできません。また受験指導などは行っておりません。
※ご質問の受付期限は、各試験日の10日前必着といたします。ご了承ください。

1回で合格！ リテールマーケティング(販売士)検定2級テキスト&問題集

2024年3月10日発行

著　者　上《かみ》岡《おか》史《し》郎《ろう》
発行者　深見公子
発行所　成美堂出版
〒162-8445　東京都新宿区新小川町1-7
電話(03)5206-8151　FAX(03)5206-8159
印　刷　株式会社フクイン

ISBN978-4-415-23431-1
落丁・乱丁などの不良本はお取り替えします
定価はカバーに表示してあります